CHARLIE DONLEA

A GAROTA DO LAGO

Sem inimigos nem suspeitos. Apenas uma pessoa cheia de planos que estava viva num dia e, no outro, é encontrada morta.

Tradução: Carlos Szlak

CB061326

FARO
Editorial

COPYRIGHT © CHARLIE DONLEA, 2016
COPYRIGHT © FARO EDITORIAL, 2016

Todos os direitos reservados.
Nenhuma parte deste livro pode ser reproduzida sob quaisquer
meios existentes sem autorização por escrito do editor.

Diretor editorial PEDRO ALMEIDA
Preparação TUCA FARIA
Revisão BÁRBARA PARENTE
Capa e diagramação OSMANE GARCIA FILHO
Imagem de capa © ANNA JONCZYK | ARCANGEL

Dados Internacionais de Catalogação na Publicação (CIP)
(Câmara Brasileira do Livro, SP, Brasil)

Donlea, Charlie
    A garota do lago / Charlie Donlea ; tradução Carlos
David Szlak. — Barueri, SP : Faro Editorial, 2017.

    Título original: Summit Lake
    ISBN 978-85-62409-88-2

    1. Ficção policial e de mistério (Literatura norte-ameri-
cana) I. Título.

16-08838   CDD-813

Índice para catálogo sistemático:
1. Ficção : Literatura norte-americana 813

2ª edição brasileira: 2021
Direitos de edição em língua portuguesa, para o Brasil,
adquiridos por FARO EDITORIAL

Avenida Andrômeda, 885 – Sala 310
Alphaville – Barueri – SP – Brasil
CEP: 06473-000
www.faroeditorial.com.br

Para Amy,
Os melhores momentos de minha vida
aconteceram com você ao meu lado.

And if all your dreams come true
Do your memories still end up haunting you?
Is there such a thing as really breaking through
To another day and a brighter shade of blue?

– Christine Kane
She Don't Like Roses

[E se todos os seus sonhos se realizam
Suas memórias ainda acabam por persegui-lo?
Existe essa coisa de realmente abrir caminho
Para outro dia e um tom mais suave de tristeza?]

PARTE I
A CACHOEIRA DO SOL DA MANHÃ

1

Becca Eckersley
Summit Lake
17 de fevereiro de 2012
A ocasião de sua morte

A NOITE DE INVERNO CAIU NO EXATO MOMENTO EM QUE
Becca Eckersley deixou o café. Caminhando pelas ruas escuras de Summit
Lake, ela enrolou o cachecol em torno do pescoço para se proteger do frio.
Sentia-se bem depois de finalmente ter falado com alguém, pois tornou
aquilo real. A revelação de seu segredo de longa data aliviou a pressão, per-
mitindo-lhe relaxar um pouco. Enfim, Becca acreditou que tudo daria certo.

No lago, o cais rangeu sob seus pés até ela alcançar o terraço que circundava a casa à beira do lago de seus pais. Despreocupada após o tempo
passado no Café Millie, Becca não sentiu a presença dele. Não o notou nas
sombras, oculto na escuridão. Ela abriu a porta lateral e a trancou atrás de
si. Em seguida, na antessala tirou o cachecol e se livrou do casaco pesado.
Ligou o alarme e se dirigiu ao banheiro. Ali, colocou-se sob a ducha de
água quente e deixou o estresse para trás.

A confissão no café foi um teste. Prático. No último ano, Becca guardara muitos segredos — e aquele era o maior e o mais insensato de todos.
Os outros podiam ser atribuídos à juventude, à inexperiência. No entanto,
esconder essa última parte de sua existência era pura imaturidade, expli-
cada apenas pelo medo e pela ingenuidade. O alívio que sentiu ao enfim
contar para alguém confirmou sua decisão. Seus pais precisavam saber. Já
era hora.

Exausta por causa da pós-graduação em direito e do ritmo frenético
de sua vida, ficava fácil imaginar-se indo para debaixo das cobertas e dormindo até de manhã. No entanto, Becca viera para Summit Lake para

cumprir seu dever. Para entrar nos eixos novamente. Dormir não era uma opção, portanto. Assim, ela levou dez minutos para secar os cabelos, vestir um agasalho esportivo confortável e meias grossas de lã. Na bancada da cozinha, ligou o iPod, abriu o livro, ajeitou as anotações e o *laptop*, e começou a estudar.

Antes, o chuveiro e o secador de cabelos encobriram o ruído da maçaneta da porta e dos dois fortes golpes de ombro testando a resistência da fechadura. No entanto, naquele momento, após estudar direito constitucional durante uma hora, Becca escutou: uma pancada ou vibração na porta.

Becca reduziu o volume do iPod e apurou a audição. Meio minuto de silêncio se passou, e então um golpe estridente na madeira. Três batidas sonoras que a assustaram. Ela consultou o relógio e se espantou — ele só deveria chegar no dia seguinte. A menos que quisesse fazer uma surpresa, o que costumava acontecer.

Becca correu até a antessala e puxou a cortina para o lado. Ficou confusa com o que viu. Nessa confusão, seus pensamentos se perderam. Sentiu um frio na barriga e um arrepio na espinha. Com a mente pouco clara, nenhum pensamento se sobressaiu para fazê-la refletir. Lágrimas brotaram nos olhos e, ao mesmo tempo, um sorriso se manifestou. Ela desligou o alarme, com a luz vermelha se convertendo em verde. Em seguida, destrancou a porta e girou a maçaneta. Espantou-se quando ele forçou a entrada e, como água acumulada contra um dique, projetou-se na direção da antessala. Mais surpreendente ainda foi a agressão.

Despreparada para o ataque dele, Becca sentiu os calcanhares serem arrastados por sobre o piso de ladrilhos. Então, ele a empurrou com força contra a parede. Agarrando-a pelos ombros e pelos cabelos, arrastou-a até a cozinha. O pânico esvaziou a mente de Becca. Naquele momento, todas as ideias e imagens que tinham estado ali até alguns segundos atrás desapareceram, dando lugar aos seus instintos mais primitivos. Becca Eckersley passou a lutar por sua vida.

A agressão prosseguiu na cozinha, com Becca agarrando e chutando qualquer coisa que fosse capaz de ajudá-la. Depois de o livro e o *laptop* caírem no chão, ela procurou tracionar os pés com meias de lã nos ladrilhos frios. Enquanto ele a puxava pelo recinto, ela agitava as pernas freneticamente. Foi quando desferiu um pontapé enfurecido contra a cristaleira, despedaçando toda a louça e espalhando os cacos pelo piso. Com o caos na cozinha ainda instalado, incluindo tigelas rolando e banquetas se chocando, Becca conseguiu pisar no tapete da sala, o que lhe deu força e tração. Ela tirou proveito disso para buscar se libertar do domínio do oponente, mas sua resistência só aumentou a fúria dele, que passou a puxar a sua cabeça para trás com força, arrancando uma mecha de cabelos e fazendo-a cair de uma vez. Ao pousar, Becca bateu a cabeça contra a estrutura de madeira do sofá. Então, ele se arremessou sobre ela.

A dor era lancinante. A visão de Becca ficou embaçada, e a audição, comprometida. Foi quando ele enfiou as mãos frias sob a calça do agasalho esportivo dela. Nesse momento, Becca recobrou a plena atenção. Apesar de estar imobilizada sob o peso do corpo dele, ela o esmurrou e o arranhou ao ponto de deslocar alguns dedos e de as unhas ficarem cobertas de pele e sangue.

Ao sentir a calcinha ser rasgada, Becca soltou um grito agudo, estridente, que durou apenas alguns segundos, pois as mãos dele logo apertaram seu pescoço, sufocando-a. Ela arfou, buscando ar, mas sem sucesso. Embora seu corpo não conseguisse mais reagir aos apelos aterrorizados de sua mente, Becca ainda resistia, nunca perdendo o contato visual com o agressor. Até que sua visão se desvaneceu como sua voz.

Ferida e sangrando, Becca ficou ali, desfalecida, acordando cada vez que ele a maltratava em ondas coléricas, violentas. A impressão foi de que se passou uma eternidade antes de o homem decidir abandoná-la. Antes de ele escapar pela porta corrediça de vidro da sala, largando-a aberta e deixando que o ar frio da noite penetrasse pelo recinto e atingisse o seu corpo despido.

Ela sentia as pálpebras pesadas. Naquele momento, tudo o que Becca conseguia ver era a luz branca emitida pela lâmpada no batente, um brilho contra a escuridão da noite. Ela permanecia imóvel, incapaz de piscar ou desviar o olhar. Era estranho, mas a paralisia não a incomodava. As lágrimas rolaram pelo rosto e gotejaram silenciosamente no piso. O pior tinha passado. A dor desaparecera. Becca não mais recebia socos, nem estava mais sendo sufocada. Finalmente, livrara-se do domínio dele. Não sentia mais aquele hálito quente no rosto. Ele não estava mais sobre ela. A ausência dele era toda a liberdade que ela queria.

No chão, com as pernas estendidas e os braços como dois galhos de árvore quebrados ligados às suas laterais, ela encarava a porta escancarada do pátio. O farol distante, com sua luz brilhante orientando os barcos perdidos na noite, era tudo que ela percebia e tudo que ela queria. Era vida, e Becca se agarrou à sua imagem oscilante.

Ao longe, uma sirene ecoou na noite, baixinha no início, e depois, mais alta. A ajuda estava chegando, embora ela soubesse que era muito tarde. No entanto, Becca saudou a sirene e o auxílio que traria. Não era mais para si que ela esperava a ajuda.

2

Kelsey Castle
Redação da revista Events
1º de março de 2012
Duas semanas depois da morte de Becca

O RETORNO DE KELSEY CASTLE AO TRABALHO FOI TRANQUILO e sem cerimônia, do jeito que ela queria. Kelsey parou o carro no estacionamento dos fundos; assim, ninguém notaria seu veículo. Em vez de se arriscar no elevador, entrou furtivamente pela porta de trás e subiu pela escada. Era muito cedo ainda, e a maioria dos funcionários estava enfrentando a hora do *rush* ou tentando ganhar mais alguns minutos de sono. Ela não poderia permanecer invisível para sempre. Teria de conversar com *alguém*. No entanto, esperava manter a porta de seu escritório fechada e correr atrás do prejuízo por algumas horas, sem ser interrompida por sorrisos tristes e expressões do tipo "Como você está?".

Ao deixar a escada, percebeu as estações de trabalho vazias. Com passos firmes, percorreu o corredor, mantendo os olhos fixos na porta de seu escritório, como se fosse um cavalo de corrida como tapa-olhos para as laterais. A porta do escritório de seu editor se encontrava aberta, com as luzes brilhando. Kelsey sabia que não o venceria, jamais. Após mais alguns passos, alcançou seu escritório, entrou e rapidamente fechou a porta atrás de si.

— O que você está fazendo aqui? — Penn Courtney perguntou com uma expressão de desaprovação. — Achei que só voltaria dentro de duas semanas.

Penn, sentado no sofá dela, com os pés sobre a mesa de centro, folheava os rascunhos dos artigos que seriam publicados na edição daquela semana.

Kelsey respirou fundo.

— Por que você está em meu escritório? Por que sempre que precisa de algo, você espera aqui?

— É sempre um prazer vê-la.

Kelsey caminhou até sua mesa e guardou a bolsa na gaveta inferior.

— Desculpe. — Ela voltou a respirar fundo e sorriu. — É sempre um prazer vê-lo também, Penn. E obrigada por tudo o que você fez por mim.

— Por nada.

— Você é um bom amigo.

— Como você está?

— Meu Deus, mal passo pela porta e tenho de escutar isso. Já conversamos a respeito. Não quero as pessoas aparecendo aqui e querendo saber como estou a cada minuto do dia.

— Por isso o retorno discreto antes da chegada da tropa? Deixe-me adivinhar: você subiu pela escada?

— Preciso de exercício físico.

— E parou o carro no estacionamento dos fundos?

Mantendo-se calada, Kelsey simplesmente o encarou.

— Não pode se esconder de todos, Kelsey. As pessoas estão preocupadas com você.

— Eu entendo. Só não quero pieguice, sabe?

— Não queria perguntar de novo — Penn afirmou, organizando os papéis a sua frente em pilhas perfeitas para manter as mãos ocupadas. — Mas, sério, o que você está fazendo aqui?

— Ficar em casa está me deixando doida. Seis semanas de licença é muita coisa. Já fiquei um mês. É o máximo que aguento. Assim, voltemos a minha pergunta original: por que você está em meu escritório?

Penn se levantou do sofá, com a pilha de papéis nas mãos, e caminhou até a frente da escrivaninha.

— Eu ia fazer isso daqui a duas semanas, mas acho que posso lhe perguntar agora.

Kelsey sentou-se à mesa. A tela do computador já capturava sua atenção.

— Veja todos esses e-mails. São centenas. Entendeu? Por isso tenho de fazer algum trabalho em casa.

— Esqueça os e-mails. São todos lixo. — Penn deixou que ela lesse por um minuto antes de continuar: — Ficou sabendo de Summit Lake?

— Não. O que houve?

— É uma cidadezinha nas montanhas Blue Ridge. Singular. Aconchegante. Cheia de forasteiros que passam o tempo em casas de veraneio. Esportes aquáticos no verão; pistas de esqui e passeios em motos de neve no inverno.

Kelsey lançou um olhar para ele e, depois, de volta para o computador.

— Você precisa de Finasterida?

— O remédio para calvície?

— Sim. São quase cinquenta e-mails de ofertas.

— Acho que é muito tarde para isso. — Penn passou a mão sobre a cabeça totalmente lisa.

— Viagra? Será que esses idiotas sabem que sou uma mulher? Sim, a maioria dos e-mails é lixo.

— Quero que você vá até lá. — Penn colocou a pilha de papéis sobre a mesa dela.

Kelsey desviou o olhar da tela, moveu-o para a pilha de papéis e, em seguida, dirigiu-o na direção de Penn.

— Ir aonde?

— Summit Lake.

— Para quê?

— Uma história.

— Não comece, Penn. Acabei de lhe dizer.

— Não estou começando nada. Há uma história ali, e quero que você cuide dela.

— Que história pode existir numa cidadezinha turística?

— Uma história importante.

— Resposta horrível. Você está querendo se livrar de mim porque acha que não estou pronta para voltar.

— Não é verdade. — Penn fez uma pausa. — Estou querendo me livrar de você porque acho que você precisa disso.

— Droga, Penn! — Kelsey ficou de pé. — É assim que as coisas vão ser de agora em diante? Vai me tratar como se eu fosse uma boneca de porcelana, me dando artigos sem importância para fazer e me mandando de férias porque você acha que não consigo lidar com meu trabalho?

— Para ser honesto, creio que neste momento você não consegue. Você não devia voltar tão cedo. E não é assim que as coisas vão ser de agora em diante. — Então, Penn apoiou as mãos na mesa, se inclinou na direção de Kelsey e a encarou. Com o dobro da idade dela, dois filhos e uma vasectomia bem-sucedida, Penn a tratava como se ela fosse a filha que ele nunca teve. — Mas é assim que serão neste momento. Há uma história em Summit Lake. Quero que você a investigue. É mero acaso que a cidade tenha uma visão maravilhosa das montanhas e um belo lago azul? Não. A revista normalmente a colocaria num hotel cinco estrelas com todas as despesas pagas? Claro que não. Mas eu sou o dono, você ajudou a revista a crescer, e quero um artigo de primeira. Estou mandando você para Summit Lake pelo tempo que for necessário para que descubra tudo. — Sentou-se numa cadeira em frente à mesa de Kelsey e suspirou.

Kelsey fechou os olhos e se acomodou também.

— Descobrir o quê? Qual é a história?

— Uma garota morta.

Kelsey ergueu as sobrancelhas, em interrogação, e o encarou com seus grandes olhos castanhos.

— Continue.

— É o único homicídio documentado da história de Summit Lake. Hoje, é assunto de muita discussão ali. Aconteceu duas semanas atrás, e está começando a ganhar repercussão nacional. O pai da garota é um advogado importante. A família é rica. A polícia ainda não tem pistas. Nenhum suspeito. Apenas uma garota que estava viva um dia e morta no dia seguinte. Algo que não faz sentido. Quero que você cutuque e bisbilhote. Descubra o que todo o mundo está deixando escapar. Aí, me dê um artigo que as pessoas queiram ler. Vou pôr o rosto dessa garota infeliz na capa da *Events*, não só com uma história a respeito de sua morte, mas com a verdade. E quero fazer isso antes que outros abutres sintam o cheiro e saiam voando para Summit Lake. Depois que a cidadezinha se encher de jornalistas e tabloides, ninguém mais vai abrir o bico.

Kelsey pegou os papéis que Penn colocou sobre sua mesa e os folheou.

— Não tão sem importância quanto eu pensei.

Penn fez cara feia.

— Acha que eu mandaria minha melhor repórter investigativa para escrever a respeito de lojas e galerias de arte modernosas? — Ele se ergueu. — Fique dois dias aqui para fazer sua pesquisa, e depois vá para lá. Descubra se há alguma história ali. Em caso positivo, escreva uma bela matéria. Não espero você de volta tão cedo. Quero isso para a edição de maio, o que significa que, mesmo se você conseguir essa história no dia de sua chegada, terá o hotel por um mês.

— Obrigada, Penn — Kelsey respondeu com um sorriso.

3

Becca Eckersley
Universidade George Washington
30 de novembro de 2010
Catorze meses antes de sua morte

BECCA ECKERSLEY ESTAVA REUNIDA COM TRÊS AMIGOS NA biblioteca da universidade. Pequenas luminárias conferiam luz à mesa ocupada por eles, bem como aos livros, aos papéis e aos seus rostos. Três anos antes, Becca chegara ao *campus* sem nenhuma de suas amizades do colégio, mas não teve problema algum para se adaptar à faculdade de direito. No primeiro ano, ela dividiu um quarto com Gail Moss, com quem desenvolveu uma boa amizade — bem como com Jack e Brad, também colegas de curso. Todos eles estudavam juntos com regularidade e formavam um quarteto incomum.

— As pessoas dizem isso o tempo todo — Gail afirmou.

— Que pessoas? — Brad quis saber. — Quem fala tanto da gente?

— Não sei — Gail respondeu. — Alguns caras. Algumas garotas.

— E qual é o problema deles?

— Acham que somos estranhos.

— Quem se importa com o que pensam? — Brad deu de ombros. — Falando sério, acho que é tudo coisa da sua cabeça.

— Não é, não. — Gail respirou fundo. — Tudo bem, então vou fazer uma pergunta que quero fazer faz tempo: por que somos amigos?

— Como assim? — Becca a fitou, surpresa. — Ora, porque gostamos uns dos outros. Porque nos damos bem, temos coisas em comum. É por isso que as pessoas se tornam amigas.

— Gail está se referindo a sexo, ou à falta dele, entre nós. — Brad falava olhando para Gail. — Ela é muito tímida para externar isso dessa maneira. É melhor você achar um jeito de se expressar com mais clareza se quiser ser advogada.

— Ótimo. — Gail fechou os olhos por um instante para evitar contato visual. — Será que ninguém acha esquisito o fato de sermos amigos desde o primeiro ano e não ter havido nenhuma transa, nenhuma suruba, nenhum drama?

— Você tinha um namorado quando nós a conhecemos — Jack lembrou. — Qual era o nome dele?

— Gene.

Jack deu uma risada e apontou para Gail.

— Isso mesmo. Euge. Eu gostava daquele cara. Meio babaca, mas de um jeito bacana.

Brad também riu.

— Tinha me esquecido dele. O cara detestava quando a gente o chamava de Euge. "É só Gene", ele dizia. Vocês se lembram daquele fim de semana?

Naquele momento, Becca também achou graça.

— O fim de semana do "É só Gene". Ah, meu Deus, parece que faz muito mais que três anos!

Gail tentou não rir.

— Sim, muito engraçado. Ele nunca voltou para Washington depois daquele fim de semana.

— Euge terminou o namoro com você pouco depois, não foi?

— Sim, Jack, por causa daquele fim de semana.

— Fala sério! Só porque a gente o chamava de Euge?

— Esqueça, Jack — Gail pediu. — Minha conclusão é que nosso quarteto é único. Duas garotas, dois caras. Bons amigos na faculdade, sem nenhuma maluquice para balançar o coreto.

Jack fechou seu livro de direito comercial e deu um tapinha nas costas do amigo.

— Brad será o senador mais poderoso do Congresso, vocês duas serão as advogadas idiotas que vão trabalhar para ele, eu serei o lobista que conseguirá todo o dinheiro necessário, e continuaremos sendo bons amigos. Quem se importa se as outras pessoas não entendem? — Ele enfiou os livros em sua mochila. — Para mim, já deu por hoje. Vamos beber uma cerveja.

— Amém! — Brad exclamou.

Os dois rapazes guardaram suas coisas e se levantaram para ir embora. Becca olhou para Jack e perguntou:

— Ninguém está preocupado com o exame final do professor Morton?

— Eu estou — Jack respondeu. — Mas me encontro num processo de infusão lenta, que permite que meu cérebro absorva suas aulas terrivelmente entediantes em pequenas doses. Se meto tudo à força, a maior parte acaba vazando.

— Sim. — Becca sorriu. — É um grande plano para alguém que estuda durante todo o semestre. Mas os demais precisamos rachar de estudar, e às pressas. Rapazes, vão vocês. Gail e eu vamos ficar.

— Sem essa! Não sejam chatas. — Jack franziu a testa.

— O exame final é daqui a duas semanas — Becca o lembrou.

— Deem por encerrado o assunto por esta noite, e amanhã vamos investir um tempo extra.

— Pessoal, Bradley Jefferson Reynolds tem a solução para os seus problemas. — Brad arqueou as sobrancelhas. — Devia ser uma surpresa, mas vejo que todos vocês têm de saber disso agora. Na próxima semana, conseguirei uma cópia do exame final de direito comercial do professor Morton. Para ser usada e abusada, se vocês julgarem conveniente.

— Papo-furado — Becca o desafiou.

— Não é, não. Tenho uma fonte, e isso é tudo que posso dizer por enquanto. Então, vamos todos beber uma cerveja para celebrar.

Becca olhou para Jack, que encolheu os ombros, em sinal de desdém, e afirmou:

— Quem somos nós para duvidar desse cara?

Com relutância, Becca guardou suas coisas e disse a Gail:

— Será como aquela vez em que ele, no primeiro ano, prometeu a todos nós redações para o exame de história da Ásia. Ficamos acordados até as cinco da manhã, terminando o trabalho, depois que Brad teve um chilique. Lembra-se disso?

— Desta vez é diferente — Brad contrapôs.

— Claro que é. — Becca pendurou a mochila no ombro, agarrou Brad pelo braço e pousou a cabeça no ombro dele, enquanto saíam da biblioteca. — Mas gosto de você mesmo quando não cumpre o que promete. Ainda que eu tire uma nota C e manche meu histórico acadêmico.

— Nenhuma das faculdades de direito mais prestigiadas do país a aceitará para pós-graduação com uma nota C em seu histórico. — Brad deu um tapinha na cabeça de Becca enquanto caminhavam. — Parece que terei de cumprir o que lhe prometi.

O 19th Bar, no bairro de Foggy Bottom, em Washington, tinha o público normal de uma noite de terça-feira; ou seja, uma multidão de estudantes universitários no auge de sua existência. A maioria vinha de famílias ricas da costa leste e tinha planos associados a carreiras políticas ou direito. Alguns queriam outras coisas, mas eram minoria.

Os amigos acharam uma mesa vazia junto à janela da frente, uma vidraça que permitia que os transeuntes observassem o interior do bar, invejando a vida dos jovens universitários a caminho do estrelato. Eles pediram cervejas e caíram em sua rotina comum de discutir política.

Após alguns copos, Brad começou sua bravata recorrente e repleta de maldições sobre nunca ter existido um presidente americano que viveu realmente de acordo com seus princípios e, depois, governou da mesma maneira.

— Eles sempre se tornam vítimas da política de Washington, sempre cedem a interesses específicos. Alguém pode citar um presidente que tinha mesmo o povo em mente na maioria de suas decisões no poder? Nenhum tinha, e o atual também não tem. É tudo uma questão de poder, manter o poder e repartir o poder com aqueles que investem o dinheiro neles.

— E você vai pôr um fim nisso tudo, certo?

— Ou morrerei tentando, Becca. E vou começar com o escroque filho da puta que se diz meu pai. — Brad tomou um gole de cerveja. — Assim que receber o diploma.

— Eu buscaria contatos e apoio antes de atacar meu próprio pai — Becca disse.

— Boa ideia. — Brad apontou para Becca, e em seguida tomou outro gole de cerveja, como se estivesse num *pub* irlandês prestes a começar uma briga. Limpou a boca com o antebraço, num gesto dramático, e encarou o teto do bar.

Os outros começaram a rir ante o espetáculo.

Brad continuou:

— Precisa vir de repente, de modo totalmente insuspeito. Sim, vou criar uma coalizão, e quando meu pai achar que está numa boa, vou mandá-lo para a prisão, como Giuliani fez com Teflon Don, aquele mafioso seboso.

— Nem foi ainda aceito para pós-graduação numa faculdade de direito oficialmente reconhecida e já se compara com Rudy Giuliani. — Jack deu uma risada. — Amo sua autoconfiança.

Becca e seus amigos adoravam as tiradas de Brad. Jack e Gail as escutavam por entretenimento, mas Becca possuía uma percepção mais aguçada. Ela conhecia Brad melhor. Sabia de seus segredos, seus desejos e seus conflitos. Entendia que suas opiniões eram fruto da rebelião. Um pai opressivo, que acumulou uma fortuna dirigindo um dos maiores escritórios de advocacia da costa leste, tentava dirigir a vida do filho numa direção que Brad não desejava seguir. Numa mistura de rendição dissimulada e vingança secreta, Brad concordou com uma formação acadêmica na George Washington e, em breve, suportaria cursar pós-graduação numa universidade da Ivy League — o grupo das oito universidades mais prestigiadas do país. No entanto, em vez de se juntar ao pai na roubalheira — como costumava dizer —, Brad usaria o diploma pago por ele para, algum dia, acabar com a carreira do grande sr. Reynolds. Esse era o plano.

Naqueles três anos de amizade, Becca encontrara o pai de Brad algumas vezes. O pai dela também o conhecia, pois tinha um relacionamento profissional com Reynolds. Todos os anos, o pai de Brad organizava um fim de semana na cabana de caça dos Reynolds, para onde alguns advogados ricos iam para caçar alces, fumar charutos e falar de negócios. No ano anterior, o pai de Becca fora convidado, e voltou para o lar dizendo que o sr. Reynolds era um verdadeiro idiota. Um homem frio e severo, que pressionava os filhos de maneira doentia.

Becca nunca teve dificuldade para entender o ressentimento de Brad. Como punição pela ausência permanente do pai nos torneios de beisebol, nos treinos de futebol, nos jogos do Baltimore Orioles e em qualquer coisa no colégio além de breves aparições em reuniões para tomar conhecimento das deficiências do filho, Brad decidiu utilizar a vontade do pai contra ele. Era um plano pérfido, que levaria anos para ser consumado. Se alguma vez se tornasse realidade — se o ressentimento de Brad não definhasse na maturidade, e se seus interesses não mudassem com o tempo —, Becca considerou que não haveria pior tapa na cara de um pai do que o filho usar a educação paga por ele para liquidar sua própria carreira. Assim, Becca sabia que havia um propósito além das bravatas de Brad: era terapêutico para ele tramar uma rebelião de muitos anos contra o pai. Era sua maneira de liberar sua frustração sem arruinar o relacionamento com o pai, que, na maturidade, talvez tivesse uma chance de conserto.

Eles pediram mais cerveja quando Brad se acalmou.

— Todos vão para casa no Natal? — Gail quis saber. — Porque estamos indo para nossa casa na Flórida. Minha mãe disse que vocês podem vir conosco.

— Meus pais me matariam se eu não fosse para casa — Becca revelou.

— Sim. Minha mãe não iria gostar. O Natal é uma data muito importante. — Jack torceu o canto da boca.

— Talvez.

— Sério, Brad? — Os olhos de Gail brilharam.

— Sim, talvez por alguns dias. A véspera do Natal e o Natal são o máximo de tempo que consigo ficar ao lado de meu pai. Talvez eu vá para a Flórida logo após o Natal. Caso contrário, voltarei para cá, para esperar, neste lugar morto, o retorno de todos.

— Vamos passar o tempo na praia pensando no pobre Jack congelando de frio em Wisconsin — Gail brincou.

— Jogue sal na ferida, jogue — Jack resmungou.

— Vai ser muito divertido. — Gail sorriu, animada. — Vocês deviam pensar nisso.

Jack tomou um gole de cerveja, e olhou para Becca e para Gail, de novo.

— Talvez no recesso da primavera. Mas não posso fazer isso no Natal.

19

— A semana do saco cheio! — Gail exclamou, arregalando os olhos. — Meus pais vão para a Europa. Teremos a casa só para nós!

— A menos que vocês, rapazes, prefiram ir para South Beach para pegar umas garotas da Universidade de Miami — Becca sugeriu.

Brad e Jack se entreolharam e trocaram brindes.

— Sim, nós avisaremos vocês sobre a semana do saco cheio. Talvez tenhamos de fazer uma breve parada por lá. — Jack piscou, sorrindo.

— Seus idiotas! — Gail gracejou.

Todos riram e pediram mais cerveja. Faltavam duas semanas para os exames finais. Naqueles dias todos pareciam imortais.

4

Kelsey Castle
Summit Lake
5 de março de 2012
Dia 1

NAS MONTANHAS DE SUMMIT LAKE, KELSEY CASTLE OBSERVAVA de um penhasco o sol nascente tingir de vermelho o horizonte e converter as nuvens esparsas em algodão-doce cor de cereja. Ao longe, sobre o centro do lago, nuvens escuras se formavam. Uma tempestade se aproximava, o que fez Kelsey se lembrar de sua juventude: as pancadas de chuva iluminadas pelo sol que sempre aconteciam em seu aniversário, e a risada sonora de seu avô ao ver as nuvens chegarem. O aguaceiro vinha rápido, e seu avô murmurava junto ao seu ouvido, enquanto gotas de água rolavam pelos rostos e pregavam as roupas contra os corpos: "Feliz aniversário para a fazedora de chuva". Todas as outras pessoas corriam em busca de abrigo, com jornais ou jaquetas sobre a cabeça, mas Kelsey e o avô dançavam e chutavam poças enquanto a chuva caía. Ao mesmo tempo, um céu azul luminoso, pouco além das nuvens carregadas, lançava raios de sol e iluminava os pingos como diamantes se precipitando do firmamento. E tão rápido quanto a tempestade surgia ela desaparecia, deixando árvores gotejantes e poças na rua que refletiam o céu azul. Era um fenômeno estranho, que Kelsey começou a amar. Pelo fato de acontecer todos os anos, em seu aniversário, tornou-se uma marca especial em sua vida, que dizia que alguém, em algum lugar, zelava por ela em seu dia especial. Pelo menos era o que seu avô sempre dizia.

Kelsey caminhou até a beira do penhasco e respirou fundo diversas vezes para pôr a respiração sob controle. Ela chegara a Summit Lake na noite anterior, e logo cedo deixou o hotel. Em meio ao silêncio e tranquilidade das horas do amanhecer, Kelsey levou vinte minutos para conhecer o centro da cidade, passando por lojas e galerias, e explorando ruas secundárias para sentir o lugar. Após duas voltas ao redor da praça principal, a cachoeira foi a próxima parada. Era, além do próprio lago, a atração mais famosa que a cidadezinha tinha para oferecer. E naquele momento, parada sobre o penhasco de origem da cachoeira, observando o nascer do sol e a cidade, Kelsey desejou telefonar para Penn Courtney e agradecê-lo por tirá-la da cidade e de sua casa. Por lhe dar algum tempo em outro lugar, que ela não queria admitir que precisava.

Existiam livros e especialistas que talvez a ajudassem, mas Kelsey não era do tipo que confiava nessas ajudas estruturadas. Sempre confiou na força interior para superar as dificuldades da vida, e não seria diferente em relação àquela dura situação.

A cachoeira tinha trinta metros de altura, e caía rente à face da montanha, atingindo a lagoa abaixo. Abetos ficavam ao lado da queda d'água e cobriam a encosta, fundindo-se com a mata densa que isolava a lagoa. No lado oposto das árvores, o lago Summit tomava forma.

Do ponto de observação de Kelsey, sobre o penhasco, a cidade parecia um cartão-postal. Uma rua principal — a Maple Street — cortava o centro de Summit Lake, com cinco transversais, cada uma delas com diversas lojas, butiques, restaurantes e galerias, que Kelsey conhecera mais cedo. Na extremidade norte ficava o Winchester Hotel, um prédio vitoriano antigo que hospedava os turistas de Summit Lake havia décadas, e onde Penn Courtney providenciara a estada de Kelsey.

A cinco quadras do Winchester, na extremidade sul da Maple Street, a igreja de São Patrício constituía uma estrutura majestosa, construída com pedras brancas e decorada com portas de entrada góticas de madeira e uma torre alta, que parecia uma agulha pronta para perfurar o céu. No lado leste ficava a vasta extensão do lago, em cuja homenagem a cidade fora batizada, que, junto com as montanhas do lado oeste, onde Kelsey estava, encaixava a cidade de Summit Lake num cenário aconchegante, conhecido por casas de veraneio e escapadas de fim de semana.

As residências se espalhavam pelas encostas das montanhas e circundavam o lago. Algumas se apoiavam sobre estacas na água. Essas palafitas, com telhados cobertos com telhas e grandes janelas salientes, eram arranjadas em duas fileiras longas e arqueadas, o que permitia a cada uma delas uma bela visão do lago. Naquela manhã, as janelas refletiam a luz do sol como uma explosão de estrelas.

Kelsey observava tudo. Em algum lugar naquela cidade turística singular, uma garota fora assassinada. Parecia um lugar muito agradável para uma coisa assim acontecer.

Observando Summit Lake do penhasco, Kelsey sentiu-se ligada à cidade, que tinha uma história para lhe contar. E ainda que Penn Courtney a enviasse para lá para ela recuperar lentamente sua altivez, para resgatar suavemente a profissão que dominou até pouco tempo atrás, Kelsey não pretendia relaxar. Havia entrevistas a fazer, fatos a coletar e provas a descobrir.

No entanto, Penn sabia o que estava fazendo. Kelsey passara o fim de semana em Miami investigando o caso Eckersley e coletando os detalhes escassos acerca da morte da garota. Naquele momento, em Summit Lake, ela fazia um reconhecimento da cidade, vasculhando pontos de vista, traçando seu caminho para a descoberta. Mergulhando num mundo distinto e num cenário desconhecido. Kelsey estava de volta à ação, e, em cinco semanas, era a primeira vez que se sentia viva.

Kelsey sabia, porém, que o recreio não duraria para sempre. Viera a Summit Lake para escrever a história do assassinato de uma garota, mas também para sossegar seus demônios interiores. Isso exigiria autorreflexão, algo em que ela não era boa.

Sentada na beira de uma pedra, Kelsey respirou fundo. O riacho murmurava, com a correnteza arrastando a água transparente ao redor das rochas e sobre troncos submersos, dirigindo-se para a beira do penhasco, onde a água começava a rugir enquanto caía. Observando a água escorregar sobre a borda, Kelsey sentiu um pingo de chuva bater de leve em seu nariz. Em seguida, outro e outro mais. Após um minuto, um chuvisco começou a se precipitar, evoluindo aos poucos para uma chuva forte, que bombardeou o riacho e agitou sua superfície. Sorrindo, Kelsey sentia a chuva encharcá-la, molhar suas roupas e emaranhar seus cabelos. Ela dirigiu o olhar para o lago Summit. As palafitas continuavam iluminadas pela luz do sol da alvorada.

Uma pancada de chuva iluminada pelo sol; e nem era seu aniversário.

5

Becca Eckersley
Universidade George Washington
2 de dezembro de 2010
Catorze meses antes de sua morte

COM O BRAÇO, BRAD APOIAVA A CABEÇA DE BECCA, DEITADA em sua cama. Passava das três da manhã, e não era incomum que a dupla preenchesse as horas vazias da noite com conversas. Eles falavam de seus sonhos após se tornarem advogados, de litigarem ações judiciais perante a Suprema Corte, e de mudarem a maneira como Washington funcionava. Conversavam sobre que faculdade de direito escolheriam para sua especialização, se isso fosse possível. Falavam de amor e do que cada um esperava de um parceiro perfeito. Essas discussões, que varavam a madrugada, que beiravam o íntimo, mas nunca atravessavam para esse território, não eram mantidas de propósito em segredo para Gail e Jack. Simplesmente aconteciam dessa maneira. Sem discutir o porquê, Gail e Jack nunca compartilhavam suas noites. Elas só existiam entre Becca e Brad.

— Tudo bem, Becca, me diga algo que seja um empecilho absoluto para namorar alguém.

— Pelos nas costas — Becca respondeu, sem hesitar.

— Pelos nas costas?! Fala sério. Como um cara pode evitar pelos nas costas?

— Depilando ou rapando. Pelos nas costas são algo totalmente brochante.

— E se você namorar um cara durante dois meses, gostar dele de verdade e, então, descobrir que ele é superpeludo?

— Termino o namoro — Becca afirmou.

— Simples assim?

— Bem, esse é o seu cenário. Não aceito a premissa da situação, pois jamais chegaria ao ponto de realmente gostar de um cara que tivesse um monte de pelos nas costas.

— Mas como você saberia? É pleno inverno, e você nunca viu o cara sem camisa. Você não deveria lidar com o problema antes de dar o fora nele? É um problema menor.

— Comer com a boca aberta é um problema menor. Pelo nas costas é algo muito pior.

— Tudo bem. — Brad se virou e apoiou a cabeça na mão, com o cotovelo dobrado, de modo que eles ficaram cara a cara. — E as minhas costas? Qual é o aspecto delas?

— O que é isso? Um teste?

— Só quero ver o quão sensível você é em relação a algo que a incomoda tanto.

— Tudo bem. Alguns folículos não ameaçadores nas omoplatas e um tufo benigno na parte inferior das costas. De modo geral, suas costas são perfeitamente aceitáveis.

— Você tem um tipo de fetiche desagradável, hein? Essa descrição foi bastante precisa.

— Passamos cerca de cem noites deitados um perto do outro, conversando até o nascer do sol. Acho que conheço bem a aparência de suas costas. Além disso, vi você e Jack jogando vôlei no início do ano letivo. As costas de vocês dois são aceitáveis.

Becca se virou e pôs as mãos sob a cabeça. Ela usava uma camiseta rosa, que estava justa ao redor do peito. Quando ergueu os braços, os dois ossos pélvicos se revelaram, situados pouco acima da cintura da calça de moletom. Brad sempre a achou bonita, com seus cabelos loiros, pele bronzeada e dentes perfeitos. Em todos os lugares que Becca entrava, sempre atraía os olhares masculinos. Mas os momentos que Brad mais gostava eram aqueles, quando Becca era toda sua, com ninguém mais por perto para roubar a atenção dela. Ela ficava mais bela naquele cenário íntimo, deitada na cama dele, relaxada e contente, não tentando ser vistosa.

Brad sabia que aqueles curtos períodos durariam somente até a luz da manhã, motivo pelo qual ele os saboreava tanto. Chegaria um momento em que ele revelaria para ela seus sentimentos, mas queria que as coisas acontecessem naturalmente, sem forçá-las. Ele sabia que era a melhor maneira para um relacionamento longo começar. E, de alguma forma, para um cara de vinte e um anos, cheio de testosterona, deitar ao lado de Becca todas as noites nunca gerou uma ansiedade por sexo. Brad sempre se sentia contente com o fato de conversar e explorar a mente dela, e, quando Becca adormecia, de escutar sua respiração.

Houve, é claro, aquela noite, no primeiro ano da faculdade, quando eles voltaram de uma festa, num porre homérico de vodca, e acabaram se beijando no dormitório dele antes de perderem a consciência. Brad e Becca nunca conversaram sobre aquela noite, nunca discutiram se algum sentimento se desenvolvera. Em vez disso, o fato ficou escondido sob a fácil cobertura da embriaguez, e os dois fingiram não se lembrar do incidente. Agora, três anos depois, jamais se insinuaram desde aquela ocasião, embora isso só fizesse Brad se apaixonar ainda mais por ela. Talvez acontecesse algo entre eles após a formatura, quando estivessem fora do ambiente da faculdade e longe de Jack e Gail. Quem sabe então fosse menos embaraçoso... E tudo bem, ele podia esperar.

Brad escutou a respiração de Becca assumir um ritmo lento e profundo quando ela adormeceu. Ele apoiou a cabeça no travesseiro, encostando a testa na têmpora dela e pousando o braço sobre os dois cumes dos ossos pélvicos dela. Brad cerrou as pálpebras.

Naquelas noites, o sol sempre nascia muito cedo.

PELA MANHÃ, BECCA NUNCA PERMANECIA MUITO TEMPO, E a cama sempre estava vazia quando Brad acordava. Entusiasta de corridas e viciada em estudos, ela devia estar correndo pelo *campus* com fones de ouvido; ou na biblioteca, com os cabelos presos num rabo de cavalo, óculos em vez de lentes de contato e uma xícara grande de café perto do lugar onde estudava. Provavelmente, direito comercial. Os exames finais aconteceriam em duas semanas, e Brad sabia que ela vinha se esforçando.

Brad achou o bilhete de Becca sobre o travesseiro, onde sempre os deixava. Algumas vezes, num *post-it*; outras, num pedaço rasgado de folha de fichário; e ainda outras num guardanapo. Continham suas palavras, e era algo que ele adorava. Bilhetes como aqueles se destinavam a ser lidos e jogados fora. Descartados sem pestanejar. Mas Brad nunca era capaz de se livrar deles. Nesse vinha escrito:

B., eu me diverti muito ontem à noite. Obrigada por dividir seu travesseiro. Não encane: suas costas parecem ótimas para mim! B.

Brad dobrou o *post-it* e o colocou na caixa de sapatos sob sua cama, que continha todas as outras mensagens BB deixadas por Becca ao longo dos anos. Em seguida, tomou um banho e trabalhou o dia todo em seu plano. Becca lhe disse que não estava bem preparada para os exames finais, e aquilo era toda a motivação de que ele precisava. Brad tinha de cumprir o que prometera a ela.

Levou a maior parte do dia e foi preciso uma ajuda secreta, mas, quando Brad surgiu na biblioteca naquela noite, ostentava uma expressão de satisfação. Era tarde. Gail e Becca já tinham ido embora. Apenas Jack estava ali, sentado a uma mesa e lendo com toda a atenção um livro didático, com anotações espalhadas ao seu redor.

— Consegui — Brad afirmou, ao chegar próximo da baia levemente iluminada que marcava o lugar de estudo deles.

Uma lâmpada elétrica única e embutida, que contrastava fortemente com os arredores escuros da biblioteca, iluminava a mesa de Jack. Com frequência, eles estudavam ali: uma área do segundo andar, onde publicações antigas se encontravam guardadas em estantes de metal marrom. Quatro mesas tinham sido abandonadas, mas, durante o primeiro ano de faculdade, eles as espaçaram e as limparam, e rosquearam novas lâmpadas elétricas. Quando o estudo sério era necessário, eles utilizavam as mesas, que ofereciam privacidade. Quando o estudo em grupo era mais fácil, sentavam-se à mesa grande, com lâmpadas de teto verdes embutidas.

Não havia movimento nessa parte abandonada da biblioteca, e eles jamais precisavam se preocupar com o barulho que faziam. Abriam latas de cerveja gelada após sessões de estudo particularmente boas, ou no fim de semana dos exames finais, quando sabiam que não voltariam à biblioteca por semanas. Brad conseguia desarmar o alarme de uma porta de emergência quase nunca usada, e ela se tornou a rota de fuga dos garotos quando a biblioteca fechava e eles permaneciam para horas extras de estudo.

— Conseguiu o quê? — Jack se reclinou na cadeira para se livrar da tensão nos ombros.

Brad sorriu e balançou uma chave entre o polegar e o dedo indicador.

— Acesso ao escritório de Milford Morton e ao exame final de direito comercial.

— Como? — Jack quis saber.

Brad se aproximou.

— Mike Swagger. Ele me disse que conseguiu a chave com alguém no ano passado, mas, como o velho professor Morton estava de licença sabática, Mike nunca a usou. Tive de implorar para que a entregasse para mim. Mike me garantiu que se alguém importante ficar sabendo que ele me deu essa chave, vai cortar fora o meu saco. Literalmente.

Jack pegou a chave e a estudou. Durante todo o ano, circulou pelo *campus* — e sobretudo entre os cerca de cem alunos do curso de direito comercial do professor Milford Morton — a história lendária de que alguém tinha a chave de sua sala. E, nos anos anteriores, operações secretas foram realizadas para se perpetrar o roubo do exame final. As histórias eram muitas e, em geral, não passavam de conversa-fiada, Jack pensava. Até aquele momento. Até segurar o que supostamente era a chave da sala do professor.

Jack a estudou por mais algum tempo.

— Não, é tudo parte da lenda — ele por fim afirmou.

— O que quer dizer?

— Brad, você não será assim ingênuo quando seu oponente tentar colocá-lo contra a parede na sala do tribunal, não é? Pense nisso. A chave aparece após a licença sabática de Morton. Desse modo, não há ninguém para confirmar se de fato funciona. Nós tomamos todas as providências para usá-la, incluindo arrombar a entrada do prédio, e então bancamos os idiotas quando, diante da porta da sala do professor Morton, no meio da noite, forçamos a fechadura com uma chave que não funciona.

— Swagger falou que a conseguiu no ano passado com um veterano que invadiu a sala de Morton um ano antes e achou uma cópia do exame. A prova de múltipla escolha exata, palavra por palavra.

— Certo. Três anos atrás. É como um sujeito que tem um primo que conhece um cara que teve o rim roubado.

— Do que você está falando?

— O cara conhece uma garota e a acompanha até um hotel. Ao acordar, descobre que está dentro de uma banheira cheia de gelo, com um bilhete que pede para ele chamar imediatamente uma ambulância porque seu rim foi roubado para ser vendido no mercado negro.

— Cala a boca, Jack. Essa chave é de verdade.

— Assim como a história do rim roubado.

Brad arrancou a chave da mão de Jack.

— Confie em mim. Funciona.

— É o que Mike Swageer diz. Quantas vezes o cara já repetiu de ano?

— Você está com medo, Jackie Boy?

— Você precisa mesmo de uma cópia da prova? Achei que estivesse tirando boas notas nesse curso.

— Estou indo bem, mas o professor Morton é muito chato e confuso. Assim, por que não contar com uma pequena ajuda? — Depois de um breve silêncio, Brad prosseguiu: — Sei que Becca pode usar. Ela está se esforçando muito.

— Esforçar-se para nossa querida amiga não significa batalhar uma nota A. Para a estudante perfeita, basta tirar uma nota B pela primeira vez na vida.

— Ela está falando de uma nota C se as coisas forem mal. Talvez pior.

— Becca sempre diz que vai tirar C, até sua pontuação chegar e ela manter a média 4 que tem tirado desde o primeiro ano. Essa é a mágica que ela faz. Becca chama atenção para si e, depois, todos a parabenizam por superar o desafio e obter uma nota A. Não caia nessa, Brad.

— Você não vai se safar dessa, Jack.

— Me safar do quê?

— Nós vamos invadir aquela sala.

— Seremos expulsos se formos pegos. — Jack sorriu.

— Não deixaremos que nos peguem.

6

Kelsey Castle
Summit Lake
6 de março de 2012
Dia 2

EM SUA SEGUNDA MANHÃ EM SUMMIT LAKE, NO WINCHESTER Hotel, Kelsey acordou sob um maravilhoso edredom. Sair da cama quente não foi tarefa fácil, mas viera até ali para caçar uma história, e, nesse dia, a corrida teria início.

Também viera para se restabelecer, e nas últimas semanas os exercícios físicos deixaram de fazer parte de sua rotina. Corredora matinal, Kelsey percorria seis quilômetros ao longo da praia em Miami algumas vezes por semana. Os médicos restringiram sua atividade durante as duas primeiras semanas de convalescença. A falta de motivação e o medo impediram a prática depois disso. No entanto, nesse dia, ela acordou com ânsia de malhar e suar.

Na manhã gelada, Kelsey pegou o caminho que atravessava a mata e levava até a cachoeira. Houve um instante de hesitação pouco antes da entrada na vegetação. Deixar a área aberta do centro da cidade, onde as pessoas passeavam e faziam compras — o que dava uma vibração genérica de presença — para entrar na mata escura e vazia fez o coração de Kelsey palpitar. Ter ficado sozinha em sua casa no mês anterior era uma coisa. Lá, ela podia trancar a porta e fechar as janelas. Era onde Kelsey se sentia mais tranquila. No entanto, correr sozinha na mata trouxe de volta o temor do qual ela vinha tentando se livrar. E que começava a odiar.

Não. Não faça isso consigo, Castle.

Respirando fundo, Kelsey entrou no bosque bem devagar. Usava short e camiseta de corrida de mangas compridas; os cabelos castanhos estavam presos para trás por uma faixa. Depois de quatrocentos metros, ela passou a desenvolver boa velocidade. Suas longas e musculosas pernas brilhavam por causa da transpiração.

Kelsey descobriu que aquela era uma trilha popular, e começou a acenar e desejar "bom dia" para os demais corredores. Quanto mais gente passava, mais ela se acalmava. Após oitocentos metros, Kelsey se deteve, averiguando o matagal escuro em cada lado seu. Sentiu-se segura.

A trilha era escura, com apenas vislumbres da luz do sol entre a vegetação, mas uma manhã primaveril sem nuvens a saudou quando ela emergiu na cachoeira, quase dois quilômetros depois. Alguns corredores se reuniam ao redor da lagoa, erguendo os olhares para a água em queda e para a luz do sol matinal que tomava a névoa. Outros, sentados em pedras, mergulhavam os pés na água azul. Kelsey fez uma contagem rápida e constatou que trinta pessoas se moviam ao redor da cachoeira. Na véspera, o lugar estava vazio.

Prendendo melhor os cabelos, Kelsey se encaminhou para a água. Sentiu os pulmões doerem, reação que uma corrida de dois quilômetros normalmente não costumava lhe provocar. Quando alcançou a lagoa, Kelsey respirou fundo algumas vezes e contemplou a água, como todos os demais.

— Qual é a atração desta manhã? — Kelsey perguntou a uma jovem.

— A cachoeira — a garota respondeu, sorrindo.

— Mas todos vêm só para observar a cachoeira?

— Sim. Bem, não... Não só a cachoeira. Nas manhãs sem nuvens, quando o sol alcança certo ponto sobre o horizonte, atinge a água diretamente e ricocheteia no granito atrás da cachoeira. Por alguns minutos, é lindo demais. — Então, ela apontou: — Veja!

Kelsey viu quando a luz do sol se introduziu através da cachoeira e iluminou o penhasco atrás dela. A queda d'água ficou iluminada por trás, e, por dois minutos, a montanha sangrou líquido laranja incandescente em sua encosta. Foi uma visão mágica, que Kelsey jamais vira nas planícies da Flórida.

— Tchan-tchan-tchan-tchaaan! — a garota exclamou. — A cachoeira do sol da manhã.

Segundos depois, o sol atingiu a água num ângulo distinto, e o brilho alaranjado se desvaneceu.

— É isso aí! — A jovem sorriu largo.

— Maravilhoso!

A garota fez uma pausa quando desviou o olhar da cachoeira e fez contato visual com Kelsey.

— O céu tem de estar limpo. Sem nuvens ou quase sem nuvens. E o sol tem de estar no ângulo correto. Alguns de nós somos fanáticos pelo espetáculo. Eis por que o lugar fica tão cheio em manhãs assim. Suponho que seja sua primeira vez aqui.

— Sim, primeira vez.

— Desculpe, mas... você não é Kelsey Castle?

— Sim — Kelsey respondeu, sorrindo.

— Leio seus artigos. Ou seja, leio a revista *Events*. E li seu romance.

— Na realidade, é um livro a respeito de um crime real. Não ficção.

A garota tornou a sorrir, agora um pouco nervosa.

— Foi o que pensei. Era muito bom. Eu a reconheci por causa de sua foto na orelha do livro. Não deu para não notar seus belos olhos castanhos.

— Obrigada.

— Bem-vinda a Summit Lake. Eu me chamo Rae.

— Prazer em conhecê-la, Rae.

Rae deu uma pancadinha no queixo com o dedo indicador, reforçando a confiança para fazer a próxima pergunta. Enfim, com mais uma pancadinha, apontou para Kelsey.

— Você está aqui para investigar o assassinato de Becca Eckersley?

Kelsey ergueu a cabeça.

— Sim, estou aqui para fazer algumas perguntas a esse respeito.

— Esse caso está ganhando força. Você está escrevendo um artigo sobre Becca para a *Events*?

— Vai depender do que eu descobrir.

— E?

— E o quê?

— Já descobriu alguma coisa?

Kelsey achou graça.

— Ainda não entrevistei ninguém, nem escrevi uma única palavra. Cheguei aqui há duas noites.

— A cidade está bastante abalada com o episódio, sabe?

— Eu soube.

— Sobretudo porque a polícia não quer dizer nada acerca do caso. É sempre "sem comentários" sobre isso e "sem comentários" sobre aquilo. Ninguém faz ideia do que está acontecendo, e todos se sentem muito frustrados. E assustados também. Só queremos algumas respostas, e o silêncio da polícia acerca dos detalhes é estranho. Mas esta é uma cidade pequena. Muitas coisas estranhas acontecem.

— Sou de Miami. Ou seja, não conheço cidades pequenas. Porém, de uma coisa tenho certeza: alguém sempre sabe *algo*. Assim, ou essa pessoa ainda não foi encontrada, ou não decidiu falar.

A quantidade de gente começou a diminuir. Muitas pessoas pegaram a trilha através da mata, enquanto outras optaram pelas trilhas em cada lado da lagoa e desapareceram perto de caminhos em zigue-zague.

— Espero que tenha sorte durante sua estada, Kelsey. Apenas lembre-se de que Summit Lake não é igual a Miami. As pessoas fazem as coisas de outro modo aqui, sobretudo os nativos. Eles se protegem muito. Assim, tome cuidado com sua abordagem.

— Obrigada pelo ótimo conselho, Rae.

— Trabalho no café no centro da cidade. Apareça lá um dia desses.

— Vou aparecer — Kelsey disse, sorrindo.

— Você corre?

— Estou voltando à prática.

— É mesmo? Eu também. Mas não durante as manhãs. Estou sempre no café. Você está voltando para a cidade?

— Sim.

— Importa-se se eu acompanhá-la?

— Claro que não.

Elas correram sob a proteção do bosque. Em silêncio, Kelsey se manteve perto da garota, esforçando-se para manter o ritmo e feliz pela companhia. Seus pulmões doíam e suas pernas ardiam: uma boa dor e uma boa ardência. Ela se recuperava, emergindo de um estado de desagregação em que muitas outras pessoas ficaram presas, mas do qual Kelsey Castle se determinara a escapar.

Uma hora depois, de banho tomado e vestida de maneira apropriada, Kelsey dirigiu-se ao departamento de polícia de Summit Lake. Situado perto do quartel do corpo de bombeiros, na Minnehaha Avenue, a uma quadra a oeste do centro da cidade, o prédio de tijolos vermelhos parecia velho e desgastado. Faltava reboco entre muitos tijolos, e os degraus de concreto estavam lascados nas beiras. Em toda a fachada, resíduos de ferrugem escapavam das barras de reforço e tingiam os tijolos como ferimentos sangrentos. Os otimistas diriam que o edifício tinha personalidade; os realistas afirmariam que precisava de uma reforma completa. Ele não seria apropriado na Maple Street, perto de lojas e galerias impecavelmente cuidadas; mas numa rua lateral, era discreto e invisível.

Kelsey subiu três degraus e abriu a porta. Dentro, um homem agradável, com um crachá, perguntou-lhe como poderia ajudá-la.

— Estou aqui para conversar com o delegado Ferguson. Meu nome é Kelsey Castle. Trabalho para a revista *Events*, e estou escrevendo um artigo sobre o caso Eckersley.

— Já recebi alguns outros jornalistas.

Um sinal nada bom.

— O caso está atraindo alguma atenção, eu sei.

— Espere só um minuto, senhorita. Vou ver se o delegado está.

Kelsey deu uma volta pela área de recepção do pequeno prédio e leu as manchetes dos artigos emoldurados pendurados na parede. Aquela era mesmo uma cidadezinha, Kelsey pensou. As manchetes falavam da inauguração de lojas, do quinquagésimo aniversário de casamento de um casal de idade avançada e do Festival de Inverno. Um assassinato era algo não só estranho para aquele município singular, mas também não desejado. Kelsey se perguntou o quão bem equipada a polícia estaria para lidar com o crime.

— Kelsey Castle? Está correto?

Ao se virar ela viu Stan Ferguson, um homem que Kelsey conhecia de sua pesquisa e com quem falara na semana anterior, enquanto planejava sua viagem. Ele aparentava ter sessenta e tantos anos o cigarro apagado que pendia de sua boca era, sem dúvida, a origem das rugas que vincavam seu rosto. O mesmo hábito contribuía para sua voz grossa, q trazia à lembrança um homem se recuperando de uma laringite.

— Sim — Kelsey respondeu.

Eles se cumprimentaram, e o delegado Ferguson apontou para a porta da frente, apertando o cigarro apagado entre os dedos.

— Você se importa se conversarmos do lado de fora?

— De jeito nenhum.

Os dois foram para a calçada, em frente ao prédio antigo. O delegado acendeu o cigarro como fizera um milhão de vezes antes. Quando falou, a fumaça escapou por suas narinas.

— Em que posso ser útil, srta. Castle?

— Estou aqui para escrever um artigo sobre Becca Eckersley. Gostaria de saber se há algo que o senhor pode me falar a respeito do caso.

— Posso falar muita coisa; depende do que você quer saber — o delegado disse, sorrindo.

— Essa é sua força policial, certo? O senhor está no comando aqui?

— Nunca tive outro emprego. Trabalho aqui há mais de quarenta anos.

Kelsey tirou um bloco de anotações da bolsa.

— O senhor pode me falar um pouco sobre a noite em que Becca foi morta?

O delegado deu uma tragada e olhou na direção do lago.

— Becca Eckersley foi assassinada numa noite de sexta-feira, dia 17 de fevereiro. O quê? Duas semanas atrás? Já?! Ela estava sozinha na palafita da família na ocasião de sua morte. Você já viu as fileiras de palafitas? — Ferguson indicou o lago.

Kelsey assentiu com um gesto de cabeça. Lembrava-se das fileiras de palafitas que vira durante seu passeio até o alto da cachoeira.

— Ela veio para cá da Universidade George Washington, onde era aluna de pós-graduação, para estudar. Ficar longe das distrações, suponho. Becca falou com os pais mais cedo; uma ligação que fez de seu celular de manhã. E uma segunda ligação feita do telefone da casa dos Eckersley pouco depois das sete da noite. Às dez da noite, mais ou menos, um vizinho notou que a porta do pátio dos Eckersley estava aberta. Com a temperatura abaixo de zero, ele desconfiou que algo estava errado; foi até a casa e encontrou Becca inconsciente no chão da sala de estar. — O delegado deu outra tragada. — A garota morreu no Hospital Summit Lake na manhã seguinte.

— O senhor foi até a casa naquela noite? — Kelsey quis saber.

O delegado assentiu.

— Pode descrever a cena, delegado?

— Provas de uma luta. Um luta feroz. Móveis quebrados, banquetas viradas e assim por diante. O material de estudo de Becca estava espalhado pelo chão. A louça, quebrada pela cozinha toda. Assim, concluímos que a maior parte da luta aconteceu ali. No entanto, nenhuma prova de entrada forçada: nenhuma janela quebrada, nem fechaduras arrombadas. As portas se achavam todas em bom estado, e todas as janelas estavam fechadas.

— Então, ela abriu a porta para ele? — Kelsey perguntou.

— Ou ele tinha uma chave. Ou já estava na casa quando ela chegou. Algumas possibilidades distintas.

— Qual o senhor leva em consideração?

— Duvido que ele tivesse uma chave. A família era responsável por todas elas, tanto os pais quanto os filhos. Nenhuma duplicata. Nenhuma estava escondida, nem os vizinhos possuíam alguma. Também duvido que o assassino estivesse na casa antes de Becca chegar. Havia um sistema de segurança que permanecia ligado quando os Eckersley se achavam fora da cidade. Consultamos a empresa de segurança, que nos forneceu um relatório de todas as vezes em que o código de segurança foi digitado. No dia em que Becca foi morta, o código foi registrado às três da tarde, provavelmente, quando Becca chegou à cidade. Ela desligou o sistema quando entrou na casa. Aí, meia hora depois, ao sair, Becca o religou. Uma terceira e quarta vezes perto das sete da noite, quando ela voltou para casa. Assim, parece que Becca o desligou quando chegou à residência e, em seguida, ativou-o imediatamente sabendo que não tornaria a sair. Isso coincidiu com o telefonema que ela deu para os pais mais ou menos nesse horário. Então, de novo, o código foi digitado às oito da noite, mais ou menos.

— Quando ela abriu a porta para o assassino.

— Essa é a ideia, senhorita.

— Então era alguém que ela conhecia.

— É uma hipótese, sim. Minha, talvez. Mas não é a mais aceita.

— Não. Qual é a hipótese mais aceita?

— A bolsa da vítima sumiu. Assim, algumas pessoas aqui chegaram à conclusão de que foi um arrombamento que acabou mal.

— Mas sem pistas?

— Ainda sem pistas.

— O senhor tem alguns suspeitos?

— Eu suspeito de muita gente. Sempre suspeito. Mas checamos todas as pessoas da lista.

— Familiares?

— Todos limpos. Álibis sólidos e nenhum motivo. Família boa, muito próxima. Rica e bem-apessoada. Os pais não estão mais em meu radar, e Becca só tinha um irmão, que estava em Nova York na noite do crime.

— Namorados?

— Trabalhando nisso.

Depois de uma breve pausa, Kelsey afirmou:

— Estou tentando conseguir o laudo da autópsia. E talvez as anotações dos paramédicos que chegaram primeiro à cena do crime. Posso conseguir acesso a esses documentos com o senhor ou seu departamento?

O delegado terminou de fumar seu cigarro.

— Do que a senhorita está atrás nesse caso?

— Da verdade.

O delegado deixou escapar uma risada grosseira.

— E vai descobri-la antes de mim?

— Antes ou depois, senhor. Estou aqui só para escrever um artigo para a minha revista, e não para me intrometer em seu caminho. Mas quero escrever um artigo *preciso*. Quero relatar o que *realmente* aconteceu, e não o que uns e outros *acham* que pode ter acontecido. Sinto muito por essa garota que morreu de forma trágica, e por sua família. E por esta cidade e por esse departamento de polícia. Assim, quando escrever sobre tudo isso, quero ter certeza de que entendi corretamente as coisas.

Por um instante, o delegado fechou os olhos.

— Desculpe-me por atacá-la. Nunca tivemos tanta imprensa por perto, fazendo perguntas e criticando tudo o que fazemos.

— Vamos fazer um trato, delegado. Além de um jornal ou dois de grande circulação, a *Events* será a maior publicação a cobrir essa história. Se o senhor me der uma mão, e *só* a mim, se me der acesso exclusivo àquilo que sabe, eu garantirei que tudo que vier a ser publicado terá de ser aprovado primeiro pelo senhor.

— E se eu não gostar do que você escreveu?

— Vai para o lixo, e eu começo de novo. — Kelsey sabia muito bem que Penn Courtney desaprovaria uma promessa assim. Em geral, essa política era reservada para ele.

Refletindo a respeito, o delegado projetou o queixo um pouco para a frente.

— Até agora, escreveram algumas coisas desagradáveis a nosso respeito. Disseram que não sabemos trabalhar e que estamos fazendo tudo errado.

— O senhor tem mais de quarenta anos de experiência, certo?

— Sem dúvida. Não quarenta anos de casos de homicídio, mas recebi formação para isso e participei indiretamente da solução de homicídios em condados vizinhos.

— Do meu ponto de vista, esta é a sua cidade, e ninguém a conhece melhor. Se alguém vai solucionar esse caso, será o senhor e sua equipe. Assim, me ajude. E, ao longo do caminho, se eu deparar com algo útil, o senhor será o primeiro a saber.

— Espere um pouco. — O delegado subiu os degraus e desapareceu no interior do prédio.

Quinze minutos depois, ele voltou trazendo uma pasta volumosa. Ferguson voltou a direcionar o olhar para o lago. Em seguida, entregou a pasta para Kelsey.

— Isso é tudo que tenho até agora.

— Sobre o caso Eckersley?

Ferguson assentiu com um gesto de cabeça.

— O senhor está dando isso para mim? — Kelsey apanhou a pasta.

— Eu sei quem você é. Já li seus artigos, e sei que é uma profissional imparcial. Há alguns jornalistas picaretas por aqui, e eles vão publicar qualquer coisa que venda. Quanto mais sensacionalista, melhor. Mas é a verdade? — Ele fez um gesto negativo com a cabeça. — Ela fica em banho-maria para eles. Eu incluo a senhorita e todos os seus prêmios num padrão distinto.

Rapidamente, Kelsey guardou a pasta em sua bolsa.

— Obrigada por sua confiança.

— Além de tudo isso, um par de olhos frescos nunca é prejudicial. E eu não lhe passei nenhuma dessas informações, se alguém perguntar.

— O senhor comanda este lugar. Então, quem iria perguntar?

— Eu costumava comandar. Os caras do estado estão aqui agora.

— Quem?

— Os detetives estaduais, designados pelo escritório do promotor público. Pode-se dizer que colocaram algemas em mim e em meu departamento. Não só em nós aqui, em Summit Lake, mas também no xerife do condado. Eles tiraram esse caso de nossas mãos e fim de papo. Nos primeiros dias, eu me envolvi na investigação, mas aí eles assumiram sob o pretexto de que são mais bem preparados do que meu pequeno departamento para solucionar um homicídio.

— Como isso aconteceu?

— Política. Becca foi assassinada em minha cidade. Mas como somos muito pequenos, o pai dela pressionou o governador, que é próximo dele, e o governador pressionou o promotor público. Em seguida, a polícia estadual veio para cá, para se certificar de que sabíamos o que estávamos fazendo. Na sequência, os detetives estaduais apareceram e me lembraram de que ninguém aqui jamais tinha lidado com um homicídio antes. Não discuto esse ponto. No entanto, se eu tivesse uma saleta e um fluxo livre de informações, seria capaz de solucionar o caso.

— A família de Becca não é de Greensboro?

O delegado assentiu.

— Como o pai dela, advogado de Greensboro, pode controlar a informação que a polícia recebe aqui, em Summit Lake?

— Dinheiro e conexões. — Ferguson esfregou o polegar no indicador.

— Mas por quê? O pai dela não quer o caso solucionado mais do que qualquer outra pessoa?

— Tenho certeza de que quer, mas da maneira *dele*. O pai de Becca deseja estar no comando de todos os detalhes. Dizem que ele está se preparando para deixar sua atividade privada para se candidatar a um cargo de juiz. E se for revelado que sua família, sua filha, em particular, estava fora de controle... Bem, isso parece ruim para ele. Como pode se tornar juiz e controlar o público se não conseguia controlar a própria filha?

Kelsey fez algumas anotações.

— Essa teoria do roubo que acabou mal veio do pessoal do estado?

O delegado assentiu.

— Mas o senhor não está de acordo com ela?

— Não tem nada a ver.

Por um instante, Kelsey permaneceu calada, pensando.

— O senhor disse que precisava de um fluxo livre de informações. Como o quê?

— A senhorita me perguntou sobre os prontuários médicos e da autópsia, e eu ainda não vi nada disso. — Em seguida, o delegado pescou um novo cigarro de seu bolso, colocou-o na boca, pegou o isqueiro e o acendeu. — Acho que não cuidei desta cidade, que foi minha por décadas, tão bem quanto eu imaginava. — Soltou a fumaça. — Mas nem um minuto se passa sem que eu pense naquela garota, que morreu aqui.

Kelsey não tirava os olhos de Stan Ferguson, um homem atormentado por um assassinato que jamais teria a chance de solucionar.

— Algo mais que o senhor possa me dizer antes de eu mergulhar em tudo isso?

Stan voltou a observar o lago. Em seguida, desviou o olhar para Kelsey e bateu a cinza do cigarro.

— Ela estava escondendo alguma coisa — Ferguson disse, por fim.

— Quem?

— Becca.

— Escondendo o quê?

— Não sei. E acredite no que digo: passei muitas horas pensando nisso.

— Por que diz isso, delegado?

— Quando um pai com conexões políticas trabalha tanto para controlar o fluxo de informações, isso costuma significar que há algo que está sendo ocultado. Algo que não querem que o público saiba, e, sem dúvida, não uma repórter investigativa de Miami.

Uma onda familiar de premonição tomou conta de Kelsey; uma sensação que ela sempre experimentava quando detectava algo especial numa história. Ela fez algumas anotações rápidas.

— Você está começando a perceber por que estou disposto a ajudar uma repórter a me ajudar? — o delegado perguntou.

— Estou. Mas não tenho certeza de que serei capaz de ir mais longe do que o senhor. Não com todos esses obstáculos em meu caminho.

— Fique nas sombras. Não deixe que os sujeitos do estado saibam que você está bisbilhotando. Se deparar com algo interessante, me informe.

— Sem dúvida. Mas, para isso, terei de saber tudo sobre a garota. Com quem ela namorava, com quem andava... Vou precisar de seus e-mails e de suas postagens no Facebook. E também falar com sua família, seus amigos e seus professores.

— Você terá de se virar sem isso tudo. A família dela não irá conversar com jornalistas, e não há jeito de você conseguir os e-mails dela. A conta de Becca do Facebook foi encerrada no dia seguinte ao assassinato. E os detetives estaduais grudarão no seu cangote num piscar de olhos se você começar a se encontrar com os amigos de Becca, que é exatamente o que eles estão fazendo neste momento.

— As contas de e-mail e do Facebook dela não desapareceram.

— Pior. — Ferguson ergueu a cabeça. — Elas foram requisitadas pelo escritório do promotor público; e de minha posição atual, com gente do estado cercando a mim e esse caso, isso significa que as contas mais do que desapareceram: jamais existiram.

— Então, por onde começo?

— Por aqui mesmo. Summit Lake é uma cidade pequena, mas também é especial. Os moradores adoram este lugar, e não gostaram nada do que aconteceu aqui. Summit Lake tem uma maneira de falar com você por meio dessas pessoas que gostam muito dela. — O delegado deu uma tragada. — Sei que Becca passou algum tempo no café no dia em que morreu. Ela estava estudando para a faculdade. Assim, ficou ali por algumas horas. Falei com testemunhas que se achavam no local. Além disso, a dona conhece bem os pais dela e me disse que conversou um pouco com Becca naquele dia. Falei com todos desta cidade, e ninguém viu Becca depois que ela deixou o café.

O delegado Ferguson voltou a tragar o cigarro, até a brasa quase alcançar o filtro. Então, apagou o cigarro com a sola do sapato, enfiou a bituca no bolso e olhou em ambas as direções da rua, como se estivesse prestes a revelar um segredo.

— Se você quiser desarquivar um caso, comece dando um pulo no último lugar onde a vítima foi vista viva. — E soltou fumaça pelas narinas.

7

Becca Eckersley
Universidade George Washington
10 de dezembro de 2010
Catorze meses antes de sua morte

THOM JORGENSEN ERA PROFESSOR DE LÓGICA E PENSAmento crítico da Universidade George Washington. Becca sabia que o que estava fazendo era errado. Tecnicamente. Na realidade, considerava-se inocente, já que não era mais aluna dele. Não havia regras contra alunas que se tornavam amigas de professores, mas a universidade possuía regras estritas contra professores que se envolviam em relações inadequadas com alunas.

A questão técnica, na mente de Becca, vinha de como a palavra "inadequada" era definida. Muitos sustentariam que ela e Thom não podiam namorar, pois isso quebraria a confiança que todos os estudantes depositam nos professores. O argumento contrário de que eles *podiam* namorar — afinal, ela não era mais sua aluna — era aquilo que os advogados denominavam uma "diferença sem distinção"; um pensamento que fazia Becca se encolher de medo, pois sua mente começava a funcionar como a de seu pai, e ela ainda nem se formara.

No entanto, aquele encontro era apenas um café da manhã com um professor que estava deixando a universidade. E café da manhã era melhor do que embebedar-se de cuba-libre com ele, como aconteceu antes, naquele semestre, quando eles se encontraram num bar, em Foggy Bottom. Houve a ocasional mensagem de texto enviada de um para o outro e, de vez em quando, agarrões no café. Se pressionada, Becca jamais negaria que Thom Jorgensen era um homem de boa aparência e que ela gostava de sua atenção. Mas ela sempre pagava suas contas, e não havia nada de ilícito na amizade. Thom estava na casa dos trinta anos e era solteiro. Além disso, em breve seria ex-professor da George Washington e partiria para Nova York. Quando os amigos partem, eles dizem adeus.

— Então, o que há de tão incrível em Nova York? — Becca perguntou, enquanto a garçonete servia café.

— Cornell. É uma bela universidade e paga melhor. Além disso... pertence à Ivy League. Você sabe, o *status*.

— Ah, sem essa! Desde quando você se preocupa com *status*?

— Cornell tem prestígio, Becca. Isso é tudo. Não pude rejeitar a oferta.

Becca tomou um gole de café.

— Bem, será triste vê-lo partir. Sempre gostei de passar o tempo com você.

— Você é uma das minhas alunas mais especiais. Que diferença faria se eu ficasse ou não na George Washington? Quando você terminar a graduação no fim do ano, na certa irá fazer a pós em outra universidade.

— Não sei. Eu me candidatei a uma vaga na George Washington. Ainda não obtive resposta. Mas se for aceita, talvez fique por aqui.

— E se Cornell aceitá-la?

— Como soube que me candidatei a uma vaga em Cornell? — Becca virou a cabeça para o lado.

— Você me contou. Dois meses atrás, quando nos encontramos no café. Além de Cornell, Harvard e Pensilvânia. Assim, não fique tão indignada comigo por estar indo para uma escola de elite quando você se candidatou a três da Ivy League.

Becca sorriu. Não se lembrava daquela conversa, e tinha certeza de que só seus pais e Gail sabiam de todas as faculdades em que ela se candidatara.

— Certo, vou lhe dar um desconto por se tornar um membro da Ivy League. Então, qual é o lance? Quando você começa?

— Oficialmente no próximo ano. Mas encerro minhas atividades aqui depois deste semestre. Terei um escritório em Cornell, onde irei preparar minhas aulas, que começam no semestre do outono do próximo ano. Também preciso publicar. Assim, ficarei trabalhando nisso a maior parte do semestre da primavera.

— Quer dizer que você tem um semestre para não fazer nada?

— Sem aulas e sem alunos. Muito trabalho de escritório e pesquisa.

A garçonete apareceu com os pratos deles e voltou a servir café.

— Becca, quero que me escute. — Thom pegou um pouco de linguiça e ovo com o garfo. — Pensei no seguinte: como não serei mais funcionário da universidade daqui a uma semana mais ou menos, talvez pudéssemos fazer uma refeição sem nos preocuparmos em sermos vistos juntos.

Becca parou de cortar sua omelete e fixou o olhar no prato por um instante.

— Como assim? Estamos fazendo uma refeição neste momento.

— Sim, mas preocupados com o fato de que alguém possa nos ver, achando que talvez estejamos fazendo algo errado. Seria bom se pudéssemos passar algum tempo juntos sem esse medo pairando sobre nossas cabeças. Não?

Becca arregalou os olhos.

— Não. Sim, quer dizer... Seria divertido. Acho que sempre fico um pouco preocupada de me meter numa encrenca quando saímos juntos. Embora ache que você se meteria numa encrenca maior do que eu.

— Sem dúvida. Então, o que você acha?

— Na próxima semana, tenho os exames finais. Depois, vou para casa passar o Natal. Você já terá ido embora quando eu voltar?

— Estarei me mudando, mas não em definitivo. Só devo partir mesmo no fim de janeiro. Podemos nos encontrar quando você retornar do recesso.

— Ok, Thom. Será nosso jantar de despedida.

— Isso parece terrível. Como se não fôssemos nos ver nunca mais.

Becca sorriu. O professor Jorgensen se apaixonara subitamente.

— Tem razão. Nossos caminhos se cruzarão de novo em algum momento — ela mentiu, pois, a não ser que fosse aceita em Cornell, o que era bastante improvável, com certeza jamais tornaria a ver Thom Jorgensen depois que ele deixasse a George Washington.

ELES ESCOLHERAM A NOITE DE SEXTA-FEIRA, E HOUVE muita discussão em relação à estratégia. Nas sextas-feiras, havia menos estudantes no *campus*, pois a maioria se reunia em bares e alguns viaja-vam para casa. Além disso, era pequena a chance de um professor estar em algum lugar perto do Samson Hall. No entanto, o mais importante era que todos — professores, estudantes, pessoal da limpeza — só voltariam ao prédio na manhã de segunda-feira, o que daria tempo suficiente para solucionar qualquer problema que surgisse.

Era meia-noite e estava frio quando Brad inseriu a chave misteriosa na fechadura da entrada lateral do prédio; uma entrada destinada somente à faculdade. Ele sorriu quando conseguiu abrir a porta.

— Filho da puta... — Jack soltou fumaça pela boca, que girou em torno deles levada pela brisa gelada vinda do rio Potomac.

— Não esperava que funcionasse?

— Não sei o que eu esperava.

— Sem recuos agora, Jackie Boy.

— Isso é uma loucura! — Jack segurou o ombro de Brad antes de eles atravessarem a porta. — Tem certeza de que quer fazer isso? Becca vai se dar bem no exame final. Ela não precisa de uma cópia dessa maldita prova.

— Vamos, Jack. Pare de embromar.

Os corredores estavam escuros, iluminados apenas por luzes de emergência e uma luz fluorescente estranha, que ficava acesa permanen-temente. O piso brilhava, encerado com cera com aroma de limão, refle-tindo as luzes discretas. Uma hora antes, Jack e Brad viram a última equipe de limpeza deixar o lugar. Naquele momento, eles percorriam os corredores do prédio, observando o interior de cada sala de conferências e atrás de todas as portas destrancadas, certificando-se de que o prédio se encontrava vazio.

Ser pego no prédio após o expediente, numa noite de sexta-feira, não era crime; havia um quadro de avisos que atraía os estudantes a qualquer hora, oferecendo as últimas notícias acerca de atualizações, mudanças de horários e questões dissertativas da semana anterior. Esta seria a desculpa se eles fossem flagrados: estavam ali para obter informações do quadro de avisos. A desculpa era fraca para uma noite de sexta-feira, mas irrefutável se eles precisassem apresentá-la para alguém da administração.

Após vinte minutos de pesquisa, Brad e Jack concordaram que não havia ninguém no prédio. Assim, entraram na ala dos escritórios dos professores, um corredor reto, com portas opostas, cada uma exibindo o estilo de cada professor. Algumas portas estavam totalmente limpas, exceto pela tabuleta com o nome do professor, enquanto outras pareciam portas de geladeira cheias de anotações e ornamentos. Ao se aproximarem do local de interesse, a tabuleta dizia: PROFESSOR MILFORD MORTON. Debaixo dela, uma caricatura do presidente de quatro, num chiqueiro, com a legenda: "Uma vez que você pisa nele, também pode chafurdar por algum tempo."

Brad olhou para Jack.

— Espero que não seja metafórico.

Jack deu de ombros, observando a caricatura.

— Ainda não pisamos em nada.

— Estamos prestes a pisar, revolver e chafurdar. Mas somos nós. Ou seja, não iremos nos emporcalhar.

Então, eles calçaram as luvas cirúrgicas que furtaram alguns dias antes do laboratório de anatomia da faculdade de medicina. Nenhum dos dois fora preso antes, e a identificação por impressão digital não fazia parte do processo de matrícula na George Washington, mas aquela precaução pareceu a coisa certa a fazer. No mínimo, alimentava-os com o impulso necessário de adrenalina.

A chave funcionou uma segunda vez, e a porta da sala do professor Morton foi aberta sem problemas.

— Puta merda, Jack! Nós realmente conseguimos!

— Vamos nos beijar e nos abraçar mais tarde. Primeiro, temos de achar o maldito exame.

Empunhando pequenas lanternas, eles se dirigiram ao arquivo situado no canto, e descobriram na terceira gaveta uma série de pastas intituladas "Exame Final — Cópia Impressa". Havia uma cópia para cada um dos últimos seis anos. Com as mãos trêmulas, cada um pegou três pastas e as folheou, concluindo que havia pouca diferença entre elas, com exceção das questões dissertativas no fim.

Eles colocaram todas as pastas sobre a mesa. Brad acionou a câmera de seu celular, enquanto Jack virava as páginas. Ele tirou fotos de cada uma das oito páginas da última prova de múltipla escolha, e de todas as questões dissertativas dos últimos seis anos. Brad verificou as fotos para se certificar de que a qualidade era aceitável, e as questões, legíveis. Dezessete minutos depois de entrarem no escritório, fecharam e trancaram a porta, jogaram as luvas cirúrgicas numa lata de lixo e caminharam pelas sombras ao longo da lateral do prédio. Enfim, saíram do *campus*, com os corações aos pulos e as mãos trêmulas.

Estava frio e escuro, duas semanas antes do recesso do Natal. A três quarteirões de distância do Samson Hall, os amigos não avistaram ninguém, até notar um casal de calouros, de mãos dadas, voltando para o alojamento dos estudantes.

Eles eram invisíveis.

— Então, qual foi o grande mistério de ontem à noite? — Becca quis saber.

Estavam sentados num compartimento do restaurante Founding Farmers e tomavam café enquanto esperavam o desjejum.

— Vocês tiveram seu segredinho do grêmio de mulheres. Nós tivemos o nosso — Brad respondeu.

— Ah! — Becca olhou para Gail. — Eles estão com ciúme!

— Ciúme? Do quê? — Brad sorriu.

— Das nossas ficadas de ontem à noite — Gail afirmou.

Becca prendera os cabelos loiros num rabo de cavalo. Não usava maquiagem, exceto o brilho que cobria seus lábios carnudos, que se moveram num sorriso com a provocação de Gail.

— Vocês ficaram? — Brad sorriu também.

Jack reclinou-se na cadeira, tomou um gole de café e observou Becca por sobre a borda da xícara. Quando ela percebeu, ele semicerrou os olhos.

— Você está ouvindo isso, Jack?

— Escutando, processando e armazenando, Brad. — E tomou mais um gole.

— Dá um tempo! — Gail balançou a cabeça. — Qual é o problema se eu fiquei com alguém? Não estou namorando nenhum de vocês.

— Até que ele era engraçadinho. — Becca por fim desviou o olhar de Jack.

— Deixa disso.

— Não, Gail, estou falando sério. Ele tinha as mamas um tanto inchadas. Nada que um pouco de academia não resolva.

Jack deu uma risada, mas Brad permaneceu sério.

— Então, vocês ficaram mesmo? — Ele agora olhava para Becca.

— Eu fui para a cama cedo — Becca disse e prosseguiu: — Mas Gail ficou na festa até as três da manhã.

Gail tentou se esconder atrás da xícara de café.

Jack continuava reclinado na cadeira.

— Ouvi dizer que é o pior lugar para se perder medida. Para um cara. No peito.

Gail pousou a xícara na mesa.

— Pare!

— Não estou brincando. Chama-se ginecomastia, ou seja, mamas grandes no homem. E você não consegue se livrar disso por meio de exercícios por causa do metabolismo, ou algo assim. Li isso numa revista de *fitness. Men's Life,* acho. Pela maneira como o sangue circula para a região peitoral quando a pessoa se exercita, ela perderá celulite da barriga, dos quadris, do traseiro, quase em todos os lugares, antes de perder das mamas.

Gail olhou em volta, expressando aborrecimento.

Jack levantou a mão.

— Espere um minuto, Gail. Estou falando de algo sério.

— Exatamente do quê?

Impassível, Jack afirmou:

— Se esse cara está com vinte anos agora, e tem ginecomastia, acho que se a coisa funcionar entre vocês dois, quando ele tiver trinta anos, vai usar seu sutiã.

Toda a mesa caiu na gargalhada, e Gail pôs a mão sobre os olhos.

— Ele era engraçadinho.

— Claro que era — Jack afirmou. — Só estou lhe dizendo o que você deve esperar em alguns anos.

— Tudo bem, então agora vocês sabem como passamos nossa noite. Suponho que ninguém realmente queira os detalhes do que aconteceu com Gail entre meia-noite e três da manhã. Então, o que vocês fizeram?

— Não muita coisa, Becca. — Em seguida, Brad se calou e ergueu o dedo. — Ah! Arrombamos o escritório do professor Morton e roubamos uma cópia do exame final da próxima semana.

Ninguém falou nada durante um minuto. A garçonete apareceu, colocou os pratos diante de cada um deles, serviu mais café e se afastou. Jack e Brad deixaram o silêncio se prolongar, enquanto atacavam sua comida. Becca se inclinou para a frente e perguntou, baixinho:

— Vocês invadiram o escritório do professor Morton?!

Jack piscou para ela.

— Não sei o que isso significa — ela disse. — Sim? Não?

Jack limpou a boca e se reclinou de novo segurando seu café.

— Sim.

— Não! — Becca arregalou os olhos.

Jack olhou para Brad.

— Eu falei para você que elas não acreditariam em nós.

— Não acredito em vocês. — Gail fez um gesto negativo com a cabeça.

— Nenhuma fé em nós, Jackie Boy.

— Vocês estão zoando com a gente.

— Não, Gail — Jack garantiu. — Enquanto você se refestelava com um babaca, nós dois aqui assegurávamos notas A para nós quatro. — Tomou um novo gole de café. — Vocês podem nos agradecer mais tarde.

— Prove — Gail o provocou.

Brad entregou seu celular e voltou para seus ovos.

— Minha nossa! — Gail analisava as fotos, com Becca sobre seu ombro. — Como conseguiram isso?

Jack deixou Brad contar a história, pois ele parecia mais orgulhoso dela.

Quando Brad terminou, Gail fez outro gesto negativo com a cabeça e indagou:

— Como saber se é o mesmo exame que ele vai dar para nós?

— Não sabemos — Jack respondeu.

— Mas olhamos os exames dos últimos anos — Brad completou.

— Estavam todos no arquivo de Morton, e nenhuma prova de múltipla escolha era muito diferente. Exceto pelas questões dissertativas. Assim, tiramos fotos da última prova de múltipla escolha e de todas as questões dos últimos seis anos. Desse modo, mesmo que os testes e as questões deste ano não sejam iguais, devem ser muito parecidas. — Encarou Becca. — Eu disse que cumpriria o que lhe prometi.

DEZ DIAS DEPOIS, UMA NOITE ANTES DO EXAME FINAL DE Milford Morton, Becca e Jack se acomodaram numa parte tranquila da biblioteca, onde costumavam estudar. Brad e Gail foram embora cedo. Com uma cópia do exame final, havia pouco para eles estudarem.

Becca e Jack se achavam em mesas opostas, que eram isoladas por cubículos de madeira e ofereciam privacidade. Ao ficar de pé, Becca decidiu ver o que Jack estava lendo. Era um livro da faculdade, iluminado por uma luminária de mesa, com diversas folhas de papel escritas à mão perto dele.

— Você não está usando o exame, está? — Becca perguntou.

— Oi, abelhuda, como vai? — Jack a encarou.

— Por favor, Jack. Não sou tão idiota quanto você pensa. Quanto tempo leva para memorizar um exame roubado?

Jack reclinou-se e, constrangido, estendeu as mãos para revelar seu material de estudo.

— Você me pegou.

— Não entendo. Quer dizer, entendo. Você não gosta de trapacear. Eu também não, mas não tenho força de vontade suficiente para não dar uma olhada na cópia. Além do mais, todo o processo de infusão lenta, ou qualquer que seja o nome que você dê, é uma arte perdida em mim. Mas por que correr o risco? Por que invadir o escritório de Morton se você não vai usar a cópia do exame?

Jack deu de ombros, em sinal de indiferença.

— Brad conseguiu a chave. Ele estava empolgado e me deixou empolgado. Não sei, acho que quis participar da aventura. — Ele riu. — Sério, não sei por que fiz isso. Acho que, quando tivermos cinquenta anos, poderemos contar boas histórias.

— Você nem mesmo quis dar uma olhada nas questões?

— Não preciso.

— Ah! — Becca levou a mão ao coração. — Isso machuca. Direto em meu ego.

Jack achou graça.

— E duvido que você precise, mas essa é outra história. — Ele mudou de assunto: — Então, o que houve com você ontem? Gail disse que algo a chateou.

— Ah, coisas de garota...

— Você não tem esse tipo de problema. Confesse!

— Richard deu uma passada.

— De novo? Esse cara é um idiota.

Becca se calou.

— Você pediu para ele deixá-la em paz?

— Somos amigos, Jack. E nossos pais se dão muito bem. Não posso pedir para ele me deixar em paz.

— Para começar, ele não é seu amigo; é seu ex-namorado. Em segundo lugar, seus pais deviam apoiá-la nisso. Toda vez que esse cretino aparece, você fica chateada por dois dias. Além do mais, é a semana dos exames finais. Então, o que o imbecil veio fazer aqui?

— Harvard terminou na semana passada, e ele estava viajando para casa. Foi apenas uma visita.

— Sabendo que você ficaria aborrecida pelo resto da semana, quando você precisa estudar. Eu teria mandado esse cara à merda.

— Está tudo bem, Jack.

— O que ele queria desta vez?

— Encontrar-me no recesso de Natal.

— Espero que você tenha dito não.

— Disse que estarei ocupada. Anda logo e pare de estudar. Estou ficando cansada.

Becca voltou a se sentar à sua mesa, fora do alcance da visão de Jack. Apoiou a cabeça nos braços dobrados e fechou os olhos.

— Vou estudar mais uma hora, mais ou menos — Jack informou.

— Eu espero.

8

Kelsey Castle
Summit Lake
7 de março de 2012
Dia 3

O CAFÉ MILLIE FICAVA NA ESQUINA DA MAPLE STREET COM
a Tomahawk, e era a única opção disponível na cidade para cervejas arte-
sanais e doces caseiros. Localizado na extremidade sul da cidade, em
frente da igreja de São Patrício, o local apresentava um pátio de pedras
arredondadas, que incluía mesas protegidas por guarda-sóis, na frente de
uma fachada envidraçada. No interior, o aroma do café e dos doces
tomava conta do ar. Kelsey também notou o aroma sutil do pinho queimando na lareira, subjugando os remanescentes do inverno, que se recu-
savam a dar um alívio no início de março.

Grande e acolhedor, o café era revestido com cerejeira, desde os
rodapés até as vigas do teto. Uma lareira de tijolos vermelhos e de
duas faces ficava no meio do salão, com quatro cadeiras de couro ao
seu redor. Mesas altas de *pub* se situavam próximo das janelas,
enquanto mesas tradicionais de café ocupavam a planta baixa. Um balcão de mogno reluzente acompanhava a parede dos fundos, e atrás
dele funcionários com aventais vermelhos tiravam pedidos de café e
colocavam doces em pratos.

No canto do bar, um pequeno grupo discutia com animação.
Quando Kelsey ouviu o nome de Becca, sentou-se a duas banquetas de
distância e fingiu usar o celular enquanto escutava. Uma mulher mais
velha, de cabelos alaranjados, que Kelsey logo notou que falava com
os olhos fechados e descobriu que se chamava Red, deu a impressão de
estar na defensiva.

— Não foi o que escutei. — Red fez um gesto negativo com a cabeça. — Escutei que ela abandonou a faculdade e ficou aqui, em Summit Lake, por duas semanas, *antes* daquela noite.

— Não, não, não — um homem mais jovem, na casa dos quarenta anos, contrapôs. — Onde você escutou isso? Ela nunca abandonou a faculdade. A garota veio para cá especialmente para estudar. Becca chegou aqui no mesmo dia em que foi morta. Assim, alguém sem dúvida a seguiu. A questão é: quem?

— Talvez algum psicopata a tenha visto na estrada — uma mulher corpulenta propôs. — Viu que ela estava sozinha e decidiu segui-la.

— Muito aleatório — o homem de quarenta anos disse. — Não é impossível, mas, quero dizer, como o sujeito saberia para onde Becca se dirigia? Ou que ela não estava indo se encontrar com alguém? Muito aleatório.

— Bem, isso é o que a polícia diz. Algum estranho invadiu a casa e roubou às cegas. Matou Becca por acaso.

— De todas as residências desta cidade, um estranho aleatório escolheu uma casa aleatória, dentro da qual Becca se achava aleatoriamente, numa noite aleatória, quando ela deveria estar na faculdade? — O homem de quarenta anos chacoalhou cabeça. — Sinto muito, mas isso é muito... aleatório.

— Ainda acho que tinha a ver com o fato de a garota abandonar a faculdade. — Red arqueou uma sobrancelha.

O grupo deixou escapar um suspiro coletivo. Escutando por apenas um minuto, Kelsey se deu conta de até onde chegara em apenas dois dias.

Quando pôs o celular de lado, reconheceu a garota que saiu da cozinha, situada na parte posterior do bar. Kelsey observara o espetáculo da cachoeira com ela, no dia anterior. A garota entregou um sanduíche para um cliente e cumprimentou outros dois antes de se dirigir para trás do balcão de mogno. Bela naquele jeito jovem, que não exigia esforço, Rae tinha um sorriso luminoso, que era perfeito para um café situado nas montanhas. Com cabelos curtos e ruivos, covinhas nas faces e encanto próprio, era fácil para Kelsey imaginar aquela garota como o rosto do estabelecimento.

— Oi — Kelsey cumprimentou.

A garota pareceu surpresa ao vê-la.

— Oi! Como vai?

— Bem. Rae, certo?

— Certo. Bem-vinda. O que posso servir para você?

Kelsey deu uma olhada na lista de cafés pendurada na parede atrás de Rae.

— Café com leite e caramelo.

— Vai beber aqui ou levar?

— Vou beber aqui.

Rae olhou por sobre o ombro, na direção do grupo de fofocas.

— Sente-se perto da lareira. Eu levarei o café para você.

Kelsey afastou-se do balcão e se acomodou numa das cadeiras estofadas de couro. Em seguida, tirou suas anotações a respeito do caso Eckersley. Examinou-as enquanto esperava seu pedido.

Até aquele momento, sua pesquisa dizia que Becca Eckersley era uma boa garota da Carolina do Norte, que frequentara a Universidade George Washington com uma bolsa de estudos parcial e conseguira ser aceita para a pós-graduação na mesma instituição. Correta, jamais metida em confusão e uma florescente aluna, fora morta duas semanas atrás.

Kelsey pensou em sua conversa com o delegado Ferguson e refletiu sobre o tipo de confusão em que Becca se metera antes de ser morta, e o que, exatamente, uma jovem estudante de direito podia estar escondendo. A partir da pasta do delegado Ferguson, Kelsey criou uma linha do tempo do dia em que Becca foi assassinada: a que hora ela deixou a universidade em Washington, a que hora chegou a Summit Lake, a que hora entrou na casa dos pais. Em algum momento daquele dia, Becca viera até o Café Millie.

Rae serviu Kelsey e se sentou numa cadeira próxima.

— Fico contente com sua visita — ela afirmou.

Kelsey tomou um gole.

— Não consigo recusar um convite para um café. Adoro este lugar. É lindo, parece perfeito para esta cidade.

— É uma atração bastante apreciada, sem dúvida.

— Desde quando trabalha aqui?

— Já há algum tempo. Sou a gerente agora, pois Livvy quis uma folga. Ela é a dona.

— Ah, é? Eu esperava conversar com a dona. Para o meu artigo.

Rae fez uma expressão de "sinto muito".

— Teria de ser com Livvy Houston. Mas ela raramente aparece, vem só de vez em quando. E não veio mais aqui desde que Becca foi assassinada.

— Por quê?

— Foi demais para ela. A polícia ficava fazendo perguntas, assim como os clientes. Alguns detetives estaduais também apareceram. Foi demais.

— Você está sempre aqui?

— Diariamente, agora.

— E estava aqui no dia em que Becca Eckersley foi morta?

— Sim. — Rae assentiu com um gesto de cabeça.

— Você a viu aqui?

— Sim.

— Conversou com ela?

— Não.

— E Livvy Houston?

— Sim. Elas conversaram um pouco. Livvy é amiga dos pais de Becca.

— O delegado acha que Livvy talvez tenha sido a última pessoa a falar com Becca antes do assassinato.

— Pelo que sei, foi — Rae confirmou. — Porém, se você quiser conversar com Livvy, não a encontrará aqui. Ela deu uma sumida desde que Becca foi morta, como falei, mas mora aqui na cidade. Do lado oeste, nas encostas das montanhas. Tente um telefonema. Não posso garantir que ela falará com você.

Kelsey tirou seu bloco de anotações e registrou o nome de Livvy Houston.

— Algo que possa me dizer a respeito daquele dia? A respeito de Becca?

— Não muito. — Rae deu de ombros. — Fiquei trabalhando na cozinha, pois o movimento estava muito devagar. Por isso, não apareci muito aqui no salão.

— Você conhece a maioria dos clientes?

— Sem dúvida. E a maioria pelo nome. Exceto nos fins de semana, quando recebemos muitos turistas.

— Lembra-se de alguém ter chamado a sua atenção no dia em que Becca foi morta?

Rae pensou por um instante.

— Não. Ninguém em especial. Era uma sexta-feira normal.

— Quanto tempo Becca ficou aqui naquele dia?

— Duas horas, no mínimo. Deu a impressão de estar estudando alguma coisa.

— Sim, estava mesmo. Você viu se outra pessoa além de Livvy conversou com ela?

— Não. Pelo que me lembro, ela entrou e saiu sozinha.

Kelsey fez uma pausa, observou suas anotações e tomou um gole de café.

— Tudo bem. Importa-se se eu voltar para conversar com você a respeito daquele dia se precisar de mais alguma coisa?

— De jeito nenhum. — Rae apontou para o grupo de fofocas no balcão. — Toda gente vem aqui para falar disso. Todas as manhãs, bebem café com leite e fofocam, e todos têm suas próprias teorias a respeito do que aconteceu com Becca. Algumas são bem extravagantes — Rae prosseguiu, sorrindo. — Você é bem-vinda para se juntar à conversa.

— Obrigada. — Kelsey sorriu. — E obrigada pelo café.

— Boa sorte.

O HOSPITAL FICAVA A QUATRO QUARTEIRÕES E MAIS QUA-trocentos metros do Winchester Hotel, ao norte do centro da cidade, às margens do lago Summit. As portas automáticas se abriram quando Kelsey se aproximou da entrada principal. No balcão de recepção, ela fez algumas perguntas e, em seguida, foi encaminhada ao terceiro andar, onde se localizava o posto de enfermagem.

— Olá — Kelsey saudou. — Estou procurando o dr. Peter Ambrose.

— Ele deve estar em seu consultório — a enfermeira informou e apontou o corredor. — Última porta, à direita.

Kelsey sorriu e seguiu naquela direção. Quando alcançou o consultório, encontrou a porta aberta. Então, bateu de leve.

Peter Ambrose, sentado à mesa, folheava tabelas e digitava no computador. Usava vestimenta cirúrgica azul e um jaleco branco com seu nome escrito no bolso. Era um homem fisicamente atraente, com cabelos cortados bem rentes. Tinha uma aparência bem americana. Kelsey conseguia imaginá-lo como orador oficial de sua turma do colégio ou como proeiro da equipe de remo de Yale, onde ele estudou. Ela havia feito uma pequena pesquisa sobre o dr. Ambrose. Sempre fazia isso antes de pedir a ajuda de alguém.

Ele ergueu o olhar.

— Olá.

— Olá. Dr. Ambrose?

— Sim.

— Sou Kelsey Castle. Me disseram na recepção que você talvez fosse capaz de me ajudar.

Ele abriu um espaço na mesa, empilhando as tabelas ao lado. Em seguida, tirou da cabeça a touca cirúrgica.

— Entre! — Indicou a cadeira. — Em que posso ser útil?

— Estou na cidade escrevendo um artigo a respeito do caso Eckersley. Trabalho para a revista *Events.* — Kelsey entregou seu cartão de visitas ao dr. Ambrose, enquanto se sentava. — Você está familiarizado com o caso?

Por um instante, o médico estudou o cartão dela.

— Só porque a garota foi atendida aqui, mas não me envolvi diretamente.

— Venho tentando obter a autópsia e os prontuários médicos de Becca. Pode me ajudar em relação a isso?

O dr. Ambrose girou com sua cadeira e jogou a touca cirúrgica no lixo.

— Acho que não. Os prontuários médicos são confidenciais. Você teria de obter autorização da família.

— Impossível. A família é muito reservada. Não vão me dar permissão para isso.

— Sem essa aprovação, tenho certeza de que não há muito que eu possa fazer por você.

Kelsey permaneceu calada por um instante. Em seguida, disse:

— Você tem pleno acesso aos prontuários médicos, não tem?

— Sem dúvida. Se eu quisesse ver.

— Você quer ver?

O dr. Ambrose sorriu.

— Já lhe disse: não cuidei diretamente dela. Assim, não tenho *motivo* para ver.

— E se eu lhe disser que acho que certas coisas ficaram de fora? Só preciso de sua ajuda para pôr as mãos nessas informações. Sei que sou capaz de reconstituir algumas coisas.

— Isso não é uma investigação ativa?

— É.

— Por que não deixa que a polícia junte os pedaços?

— Ela está tentando.

— E você vai fazer um trabalho melhor do que a polícia?

— Não melhor, apenas diferente. Os homicídios são solucionados sempre que novos olhos observam provas antigas.

— Tenho certeza disso. Mas, de novo, eu precisaria receber autorização da família antes de poder entregar-lhe algo.

— Tudo bem. Eu entendo.

— Por que não conversa com a família? Você talvez se surpreenda.

— Talvez. — Kelsey ficou de pé. — Obrigada pelo seu tempo.

— Qual é o interesse? — o dr. Ambrose perguntou no momento em que Kelsey saía do consultório.

Ela se virou. Com corpo de corredora e seus grandes olhos caramelo, Kelsey sabia como usar a aparência para se comunicar.

— Primeiro e único assassinato em Summit Lake. Família importante. Jovem estudante com tudo a seu favor, certinha, correta. As autoridades estaduais tiraram o caso da polícia local porque essa história cheira mal. Alguém quer enterrar e esconder algo. É exatamente o que minha revista publica, e o tipo de coisa que sou realmente boa em descobrir.

— Ela deu de ombros. — Obrigada de novo por seu tempo. — E fez menção de pegar o corredor.

— Cheira mal por quê?

— Porque estão tentando esconder a verdade.

— Você a conhecia? — o dr. Ambrose quis saber. — Quem?

— A vítima.

— Não, mas o pouco que fiquei sabendo a respeito dela me faz pensar que algo não combina com toda a história e com a atual hipótese da polícia.

— E qual é a hipótese?

— Que um estranho invadiu a casa, assaltou-a e fugiu na calada da noite sem ninguém ver nada.

— Parece frágil.

— E preguiçosa — Kelsey completou.

— Quem está encobrindo os fatos?

— Não sei.

— E por que alguém esconderia detalhes da morte de uma jovem estudante?

— Boa pergunta.

— Você acha que o hospital está envolvido? Meu pessoal? Isso é ridículo.

— Não sei quem está envolvido, dr. Ambrose. Não estou acusando ninguém, e sim procurando respostas. Preciso de alguma ajuda para encontrá-las.

O médico esfregou as mãos com satisfação e, em seguida, consultou o relógio.

— Tive uma ideia. Visitarei alguns pacientes esta tarde. Depois, verei o que consigo. Não posso lhe entregar nenhum prontuário ou documento, mas leio o que está disponível e lhe conto o que achei.

— Faria isso por mim?

— Farei isso por mim. Agora, fiquei curioso.

— Obrigada.

— Me dê um dia para ver o que consigo, e nos encontramos amanhã à noite.

— Perfeito — Kelsey concordou.

— Há um restaurante chamado Water's Edge, perto da Tahoma Avenue.

— Às sete?

— Fechado.

— Obrigada por sua ajuda. — Kelsey sorriu.

— Ainda não fiz nada.

Kelsey fez um aceno de despedida e foi para o elevador. Descendo para o andar térreo, verificava mentalmente os itens de sua lista de tarefas. Era esta a cara do início do trabalho de campo: conversar com muitas pessoas e obter diversos caminhos de descoberta. Algumas acabariam em becos sem saída, enquanto outras levariam a mais informações, que exigiriam novas investigações. No entanto, se surgissem bastantes caminhos, Kelsey sabia que um deles levaria a algum lugar importante.

9

Becca Eckersley
Universidade George Washington
21 de dezembro de 2010
Treze meses antes de sua morte

EM WASHINGTON, O MÊS DE DEZEMBRO ERA CRUEL – OS
ventos gélidos vindos do rio Potomac deixavam as pessoas petrificadas.

Becca puxou o cachecol até a altura dos olhos e começou a acelerar o
passo na direção do Old Main, um dos prédios da George Washington,
para fazer sua última prova antes do recesso de Natal. Sentia-se muito
ansiosa. Não por causa da prova final do professor Morton e se ela se
assemelhava ao exame roubado, que memorizara, mas sim do que aconteceria após esse semestre. Becca manteve seus sentimentos em segredo
por três anos, sem dividi-los com ninguém, nem mesmo com Gail. No
entanto, naquele momento, finalmente decidiu revelá-los.

Haveria alguma explicação a dar, e talvez alguns dias ou semanas
embaraçosos pela frente. Mas eles passariam. Caso contrário, sua graduação estava no outro lado do inverno, e não a seis meses de distância. Os
limites do círculo social que ela construíra ao seu redor não mais a limita-
riam, e, se as amizades acabassem, Becca assumiria que era o jeito como
funcionava a vida após a formatura. No mundo que existia fora da Universidade George Washington, o segredo acerca do homem que ela
amava não desempenharia nenhum papel.

Foram três anos de amizade para assentar a base, e sob condição tão
sólida não era tão difícil entender a segurança de Becca. Naquele
momento, ela estava a duas horas de terminar seu sétimo semestre. Falta-
ria apenas um depois daquele, e Becca se perguntava aonde o próximo
levaria. Ela antevia felicidade e êxtase, e, por fim, segurar as mãos dele em

passeios pelo *campus*. Cafés da manhã aos sábados — que atualmente só podiam desfrutar quando escapavam de Foggy Bottom e achavam um estabelecimento vazio — poderiam ser desfrutados abertamente, como qualquer outro casal. Estava farta de mentir para Gail, e já passara da hora de parar de sair furtivamente da cama dele de manhã bem cedo antes de o *campus* acordar.

Naquele momento, dirigindo-se para o local do exame do professor Morton, Becca continuava sentindo um frio na barriga. A ansiedade ficava ainda maior quando imaginava o ano vindouro.

NOS DEZ DIAS DAS PROVAS FINAIS, O *CAMPUS* IA SE ESVA-

ziando à medida que os estudantes terminavam os exames e partiam para suas casas. Apenas os mais azarados tinham de esperar até a última manhã para conseguir sua alforria. A maioria terminava um dia antes, e à noite ocorria uma despedida para um semestre de trabalho duro.

Para Becca Eckersley e seus três amigos era uma passagem final; a última vez em que celebrariam o fim de um semestre e o recesso vindouro. Era o fim de uma era. Da próxima vez que isso acontecesse, estariam no fim de seus cursos de graduação. Não existiriam novos recessos pela frente, exceto pelas férias de verão antes da pós, o que, provavelmente, os espalharia pelo país.

Eles se encontraram no 19th, que estava lotado de estudantes da George Washington e alguns jovens professores que usavam blusas de golas rulê sob jaquetas de *tweed*. Becca e seus amigos se sentaram a uma mesa redonda alta para quatro pessoas, com um jarro de cerveja e seus copos cheios.

— Era igual, não é verdade? — Brad perguntou.

— Exato. Nenhuma diferença. — Gail esboçou um sorriso tímido.

Becca tomou um gole de cerveja.

— Tenho de reconhecer, Brad: você se superou.

— "Mas gosto de você mesmo quando não cumpre o que promete" — Brad imitou uma voz feminina, aguda.

— Tudo bem, tudo bem. Você cumpriu o que prometeu desta vez, e todos nós te devemos tudo o que temos na faculdade, na vida e em nossas futuras carreiras.

— Eu não iria tão longe. — Brad ergueu o olhar, em reflexão. — Alguém de vocês tem algo a acrescentar?

— Eu tenho — Jack disse. — Para um exame de duas horas, teria sido um pouco melhor se você não terminasse em trinta minutos.

Brad riu.

— Fui o primeiro a sair e, depois, foi como uma avalanche.

Gail gargalhou.

— O pessoal se levantou assim que você se foi, como se todos estivessem esperando que a primeira pessoa entregasse a prova.

Becca se juntou a Gail na risada, mas detectou a preocupação na expressão de Jack.

— Quanta gente tinha a maldita cópia, Brad? Achei que era nosso pequeno segredo.

— Eu dei para dois caras. — Brad fez um olhar de indiferença.

— Eu diria que foi para a metade da turma. — Becca balançou a cabeça. — Considerando quantas pessoas saíram logo da sala...

Jack fez um gesto negativo.

— Bradley, foi uma boa maneira de sinalizar que algo estranho estava acontecendo.

— Sem essa. Morton não ficou na classe. O velho da biblioteca e aquela mulher do escritório de admissões não tinham ideia de quanto tempo era necessário para o exame ser feito. Aquele nerd, com aquele penteado estranho... qual é mesmo o nome dele?

— Andrew Price — Becca respondeu.

— Isso. Ele entrega todas as provas em meia hora.

Jack espetou um palito entre os dentes.

— Não provas com questões dissertativas no fim.

— Confie em mim: se o professor Morton tivesse ficado na classe, eu teria esperado as duas horas completas. O que, a propósito, foi o que você fez. Por quê?

— Quis causar uma boa impressão. — Jack tomou um gole de cerveja.

— Você é um bom ator e tem muito mais paciência do que eu. Teria enlouquecido se houvesse ficado ali.

Jack fitou Becca.

— Só espero que as coisas se mantenham sob controle. E também que aqueles para quem você entregou a cópia do exame tenham tido o bom senso de errar algumas questões. Se toda a turma com média C tirar nota A, vai dar merda.

Brad bateu sua caneca contra a de Jack, provocando um tinido ruidoso e respingando cerveja sobre a mesa.

— Saúde, irmão. Pare de se estressar. Nas próximas semanas, deveremos todos saber para que universidade iremos, e, então, será um mar de rosas. Desde que você não seja reprovado numa matéria, as escolas nem mesmo consideram seu semestre final. Agora, beba sua cerveja e relaxe. Estamos no recesso de Natal.

— **JACK ESTÁ MESMO PIRADO, NÃO ESTÁ? – BRAD TORCEU** o canto da boca.

Becca deu de ombros, em sinal de dúvida.

— O fato de todos entregarem o exame tão rápido não foi bom. E, em defesa de Jack, concordo que talvez devêssemos ter mantido a prova só entre nós quatro.

— Talvez. — Brad arqueou uma sobrancelha. — Mas alguns caras sabiam que eu tinha a chave da sala de Morton. Não quis dar a impressão de ter medo de fazer algo com ela. Além disso, os caras para quem entreguei a cópia do exame realmente precisavam. Eles estavam em má forma. Um pouco como você.

— Certo, mas, como Jack disse, se um grupo de alunos com nota C de repente vai muito bem no exame final, as pessoas vão suspeitar.

— Conheço uma garota com nota C que foi muito bem, certo?

Becca deu de ombros.

— Sim, ajudou muito. Tirou alguma pressão.

Jack e Gail deixaram o bar cedo. Brad e Becca ficaram e terminaram o jarro de cerveja antes de voltarem caminhando para o apartamento dela. Gail dormia profundamente, e Becca fechou com cuidado a porta do quarto. Ela e Brad se sentaram na sala de estar, com Becca deitada no sofá com os pés descalços sobre o colo dele.

— Sabe que fiz isso por você, não é?

— Silêncio, Brad — Becca pediu. — Não quero que Gail saiba que você está aqui.

— Não me importa se Gail souber que estou aqui.

— Só não quero que ela acorde e venha ao nosso encontro.

— Tudo bem — Brad disse, com a voz exageradamente abafada. — Você sabe que fiz isso por você? — repetiu.

— Fez o quê?

— Consegui o exame. Você disse que realmente precisava de ajuda.

— Obrigada. Creio que teria sobrevivido sem ela, mas como eu disse: tirou alguma pressão.

— Olhe o quão pirados vocês estão. Estão pensando demais nisso. E eu estou ficando com dor de cabeça por causa dessa preocupação. — Brad acariciou os pés de Becca. — Isso me lembra dos velhos e bons tempos.

— O que quer dizer?

Brad não conseguia encontrar as palavras para expressar como se sentia em relação a Becca. Sabia que os sentimentos dela eram parecidos, e estava quase prestes a perguntar-lhe a respeito. Quase pronto para deixar as palavras escaparem. Muitas vezes, ele pensara na maneira como aquela conversa se desenrolaria. As frases do tipo "por que esperamos tanto tempo para admitir isso" e "fico muito feliz por não ter mais de esconder" atravessaram sua mente quando imaginou finalmente discutir seus sentimentos com ela. E, naquela hora, Brad estava ali, pronto para revelar todos os seus segredos.

No entanto, Brad ficou calado. Por algum motivo, não conseguia falar.

— O que quer dizer — Becca repetiu — com "velhos e bons tempos"?

No último ano, houve noites em que Brad pensou estar se apaixonando por Becca, mas nunca teve coragem de se declarar ou de beijá-la de novo, do jeito que a beijara no primeiro ano. Seus sentimen⁓ cresceram ao longo do terceiro ano até o recesso de verão; então, eles se despediram. Os planos para se reunirem no verão fracassaram, e só no início do q⌐ ⁓ ano ele finalmente conseguiu revê-la. Naquele momento, tendo sentido muito a falta de Becca, Brad soube sem nenhuma dúvida que a amava. No entanto, a atração inconfessada e os sentimentos reprimidos trabalharam contra eles durante o último semestre. As noites de conversas até o sol nascer foram raras no início do semestre, e se tornaram ainda mais. Uma semana antes, quando ela adormeceu, e agora, essa noite, foram as únicas ocasiões em todo o período que Brad se lembrava de ter Becca só para si.

— Brad, o que está acontecendo? — Becca insistiu.

Finalmente pressionado, e talvez querendo ser, Brad sentiu o calor tomar conta de seu rosto.

— Não sei, acho que perdi o fio da meada. Sabe, você e eu conversando toda a noite... Costumávamos fazer isso o tempo todo, mas este ano foi estranho para nós. Entende?

Brad viu os olhos de Becca se moverem muito enquanto ele falava, e concluiu que ela se sentia igual. Becca se sentou e tirou os pés devagar do colo dele.

— Brad... Você sabe que é um dos meus amigos mais queridos, certo?

— Sem dúvida. E você é uma das minhas amigas mais queridas.

— Então, pare de falar dos velhos e bons tempos. O que somos, velhos? Vamos ser amigos para sempre.

— Gosto de ouvi-la. Porque gosto de ser seu amigo, gosto de estar perto de você, e gosto de passar toda a noite conversando com você. E aqueles bilhetes bobos que você deixa nas manhãs significam muito para mim.

— Que bilhetes?

— Aqueles que você escreve quando passa a noite comigo e deixa antes de eu acordar. Não sei, eu gosto deles. — Brad apontou para o quarto de Gail. — E não me importo de os outros saberem que gostamos de passar o tempo juntos.

Não foram as palavras que Brad ensaiara tantas vezes. Ele queria dizer que a amava. Queria dizer que não conseguia imaginar ser *apenas* seu amigo pelo resto da vida, porque isso significava que toda mulher que conhecesse seria comparada a ela, e ele sabia que nenhuma seria comparável. No entanto, ainda que as palavras corretas não tomassem forma aquela noite, o que veio à tona foi um bom começo. Foi mais além de onde eles chegaram alguma vez antes, tratando dos sentimentos mútuos.

— Todos sabem que você e eu somos próximos, Brad. Não é nenhum segredo.

— Sei que somos próximos. Mas meus comentários sobre os velhos e bons tempos vêm de... Não sei, acho que algo aconteceu no verão. No ano passado, costumávamos ficar acordados a noite toda e conversar, e não tivemos muitas dessas noites este ano. Senti falta delas. Isso é tudo.

Becca recolocou seus pés no colo de Brad.

— Meu voo só sai amanhã à tarde. Podemos ficar acordados e conversar toda a noite. Eu gostaria disso.

Brad pegou os pés de Becca e os massageou enquanto repousavam sobre seu colo. Era a maneira perfeita de acabar o semestre, mas Brad sabia que não conseguiria atravessar outro período — o último deles — ocultando seus sentimentos.

Por fim, passaram a conversar a respeito do pai de Brad. Becca era a melhor ouvinte sobre o assunto. O pai de Becca fora convidado de novo para a cabana de caça dos Reynolds, para o fim de semana anual, quando advogados sisudos e formais agiam como homens amantes de esportes praticados ao ar livre.

Brad pressionou por informações sobre o que o sr. Eckersley pensava de seu pai. Becca ocultou o fato de seu pai achar o sr. Reynolds um babaca, mas o tema foi objeto de discussão até tarde da noite. Durante todo o tempo em que eles conversaram, Brad pensou em beijá-la, mas o momento certo nunca chegou.

Mais tarde, ao escutar a respiração de Becca quando ela adormeceu, Brad fechou os olhos e os imaginou como um casal.

No próximo ano, seria diferente.

10

Kelsey Castle
Summit Lake
8 de março de 2012
Dia 4

FORAM NECESSÁRIAS ALGUMAS LIGAÇÕES, NA MANHÃ
seguinte, para descobrir o endereço e o número de telefone. A mulher só poderia recebê-la à noitinha.

Kelsey caminhou do Winchester Hotel até achar a Hiawatha Avenue. Respirou o ar revigorante da primavera ao rumar para a zona oeste da cidade, na direção das montanhas. As casas ali eram de estilo colonial, mais antigas, com varandas e gramados bem cuidados. Ela encontrou o número 632 pintado na caixa de correio, subiu os degraus da frente da residência e tocou a campainha. Era seu quarto dia em Summit Lake.

Pouco depois, uma mulher idosa veio atendê-la, e, com um sorriso receptivo, cumprimentou:

— Olá!

— Olá. Livvy?

— Não, não. Livvy é minha filha — ela respondeu com um sotaque sulista agradável, encoberto pelo peso da idade.

— Eu sou Kelsey Castle. Conversamos mais cedo pelo telefone.

— Ah, sim. Você é a escritora.

— Correto. Jornalista da revista *Events*.

— Vai descobrir o que aconteceu com Becca? — a mulher perguntou.

— Escreverei uma matéria sobre ela, sim. — Através da porta de tela, Kelsey supôs que a senhora devia ter em torno de oitenta anos, talvez mais.

Os cabelos grisalhos dela tinham sido tratados recentemente, e Kelsey suspeitou que a mãe de Livvy comparecia semanalmente ao salão de beleza local. A pele dela era marcada por rugas profundas, mas seu sorriso era luminoso, e seu olhar, aguçado.

— Sua filha está em casa?

— Ah, não... Livvy foi embora. Muitas pessoas fazendo muitas perguntas, sabe como é.

Por um instante, Kelsey, admirada, ficou calada.

— Quando conversamos ao telefone a senhora me disse que ela estava aqui.

— Não, senhorita. Você me perguntou se ela morava aqui, e eu respondi que sim. Se tivesse perguntado se ela estava em casa, eu teria lhe dito que Livvy estava doente e cansada de conversar com todos vocês.

Kelsey sorriu ante o encanto insincero da idosa.

— Desculpe-me. Eu entendi mal. A senhora se importa se eu lhe fizer algumas perguntas?

— Claro que não. Ninguém me perguntou nada.

— Não sei seu nome.

— Mildred Mays. Mas você pode me chamar de Millie. Todos me chamam assim.

Kelsey tornou a sorrir.

— Millie? Como o do Café Millie?

— Isso mesmo. Comecei o negócio há muitos e muitos anos.

— Estive lá ontem. É muito bonito.

— Sem sombra de dúvida. Livvy fez uma bela reforma quando assumiu o comando.

— Eu soube que Becca Eckersley estava no café aquele dia. — Kelsey fez uma pausa. — No dia em que ela morreu. Ouvi dizer que Livvy conversou com Becca.

— É uma lástima. — Millie abriu a porta de tela e convidou Kelsey para entrar com um gesto de mão. — Livvy e seu marido são bons amigos de William e Mary — prosseguiu, virando-se para Kelsey na travessia do corredor. — São os pais de Becca. — Apontou para uma cadeira da cozinha. — Sente-se. Eu vou fazer um chá.

Kelsey sentou-se. Através da janela, havia uma visão panorâmica espetacular das montanhas.

— É uma bela casa.

— Obrigada. — Millie pôs água para ferver e colocou três saquinhos de chá na beira da chaleira. — Algumas pessoas gostam do lago. Como os Eckersley, com sua bela casa sobre a água e aquela visão maravilhosa. Nós preferimos as montanhas.

— As duas são ótimas opções. — Kelsey tirou o bloco de anotações da bolsa.

— Sem dúvida. Os caçadores são o único problema aqui. São muitas cabanas nas encostas das montanhas, e os caçadores fazem um barulho tremendo em certas manhãs, atirando com aquelas armas. Mas, como sou uma madrugadora, isso não me incomoda muito.

Kelsey esperou um instante. Então, perguntou:

— Como foi que Livvy conheceu Becca?

— Livvy morava no mesmo bairro dos Eckersley, em Greensboro. Isso foi antes que ela e Nicholas se mudassem de vez para cá. Nicholas é meu genro. Foi através de Livvy e Nicholas que William e Mary conheceram Summit Lake, quando seus filhos eram pequenos. Meu marido e eu já estávamos aqui havia anos. Quando eu estava pronta para deixar o café, foi a vez de Livvy assumir o comando. Ela e Nicholas eram donos de uma casa aqui, e costumavam convidar os Eckersley para passar fins de semana prolongados quando as crianças eram pequenas. William e Mary se apaixonaram pela cidade e logo compraram a palafita. Livvy tem filhos da mesma idade de Becca e seu irmão. Ela costumava cuidar dos dois quando eles eram pequenos.

— Cuidar deles como?

— William vivia ocupado com sua atividade como advogado, e Mary trabalhava, naquele tempo. Livvy era dona de casa, e era em sua residência em Greensboro que as crianças se reuniam no verão. Livvy assumiu a função de cuidar de Becca e seu irmão enquanto William e Mary estavam no trabalho.

— Os Eckersley vieram para cá depois que Becca morreu? Para aquela palafita?

— Ah, não! Eles vieram correndo para cá na noite em que tudo aconteceu, mas, após a morte de Becca, a casa foi isolada. Eles ficaram hospedados no Winchester por duas noites, para ajudar a polícia do jeito que podiam. Em seguida, voltaram para casa, em Greensboro, e não vieram mais para cá desde então. Soube que vão vender a palafita. Imagino que não sejam capazes de desfrutá-la depois do que aconteceu ali. Não os censuro nem um pouco, mas duvido que a propriedade seja vendida com facilidade. O que é incomum em relação a essas casas. Sempre que são postas à venda, costumam ser negociadas com rapidez. Por causa de sua localização e tudo o mais. Mas Summit Lake é uma cidade pequena, e todos sabem o que aconteceu com Becca.

Kelsey fez algumas anotações, enquanto Millie tirava duas xícaras do armário.

— Livvy contou para a senhora que conversou com Becca naquele dia, no café, algumas horas antes de ela morrer?

Enquanto trabalhava, Millie sorriu.

— Sou mãe dela. Livvy me contou tudo sobre aquele dia — ela afirmou, e acrescentou, com a voz mais baixa e com mais sotaque: — E muito mais.

A água começou a ferver, e Millie desligou o fogão, cobrindo a chaleira para o preparo do chá. Tirou um jarro quase vazio da geladeira, com um preparado estranho no fundo, que era pouco visível através do vidro fosco.

— Descobri que se você resfriar isso durante a noite mistura melhor com o chá.

— O que é?

— Minha receita especial para chá doce. — Millie pôs o jarro perto do chá. — Diga-me o que acha quando estiver pronto.

— Mal posso esperar. A senhora pode me falar algo da conversa entre Livvy e Becca naquele dia, no café?

— Posso, sim. Becca veio para Summit Lake para estudar. Ela ia ser advogada, sabe?

— Ela fazia pós-graduação na Universidade George Washington, não é?

A pergunta fez Millie sorrir.

— Para o pai dela, não havia outra escolha. Foi a faculdade onde ele estudou e da qual tinha imenso orgulho. O irmão de Becca cursou a faculdade alguns anos antes dela e, depois, ligou-se ao escritório do pai. Esse era o plano para Becca, suponho.

— Quanto tempo ela ficou no café naquele dia?

— Duas horas. Foi o que Livvy disse. Os papéis e os livros estavam espalhados sobre a mesa e as cadeiras. Uma bagunça. Becca digitava no computador. Livvy não quis incomodá-la ou tirar sua atenção dos estudos. Assim, em geral, Livvy deixou Becca estudar. Só chegava perto de Becca quando ela pedia mais café.

— Quando elas enfim conversaram, sobre o que falaram?

— Depois que Becca guardou suas coisas, Livvy se aproximou. Becca sempre foi uma boa garota, muito educada. Livvy perguntou a ela sobre a faculdade e Becca lhe mostrou o que estava lendo. Coisas realmente enfadonhas. Direito constitucional e também contratos. Coisas terríveis. Mas Becca disse que gostava. Assim, Livvy ficou animada por ela. Lembre que Livvy tomava conta de Becca quando ela ainda usava fraldas; assim, vê-la estudando para ser uma advogada era um prazer real. No entanto, Livvy me falou que notou que algo estava errado com Becca.

— Errado como?

— Becca parecia preocupada, acho. Livvy nunca explicou isso direito. Ela é boa em avaliar pessoas. Se você conhece alguém desde o tempo em que era uma criança, consegue dizer quando algo o incomoda.

— Livvy perguntou a Becca a respeito?

— Perguntou.

— E?

— Bem, veja, srta. Castle, Livvy nunca falou disso com William e Mary porque Becca pediu-lhe segredo. Assim, não tenho certeza se Livvy gostaria que eu falasse para você.

Veterana na condução de entrevistas, Kelsey sabia quando pressionar por informações e quando recuar. Quando Millie não ofereceu mais nada, Kelsey escreveu algo em seu bloco de anotações e mudou de assunto.

— Livvy entrou em contato com os Eckersley após a morte de Becca?

— Não que eu saiba. Livvy e Nicholas ficam aqui a maior parte do ano administrando o café e, desde que todas as crianças entraram no ensino superior, ela deixou de ser tão próxima de William e Mary. Ela enviou um cartão de condolências e os viu no funeral, mas não conversou com eles além disso. Além disso, William e Mary ficaram muito ocupados com a investigação.

Millie se levantou e foi até o fogão. Virou o chá quente no jarro de vidro fosco e o mexeu com uma colher para dissolver o preparado doce no fundo. De uma máquina de gelo situada na bancada da cozinha, ela retirou duas pedras de gelo e jogou-as no jarro. Após mais algumas mexidas, Millie tirou uma amostra e a examinou, como se estivesse num vinhedo do vale de Napa. Finalmente, ela experimentou a mistura, olhando pela janela enquanto deixava o paladar examinar seu trabalho. Então, Millie assentiu.

— Perfeito. — Ela encheu dois copos e colocou um deles na frente de Kelsey. — Prove.

Kelsey tomou um gole. Criada na Flórida, ela não desconhecia o chá doce, mas teve de admitir que o preparado de Millie dava um sabor ao chá que era diferente de tudo o que ela experimentara antes.

— Muito bom.

— Não é? Tenho muito orgulho disso.

Kelsey tomou outro gole.

— Deve ser o melhor chá que já tomei. A senhora devia vender.

— Eu vendo. No café. Está no cardápio: *chá doce de Millie* — ela afirmou, com o sotaque sulista ainda mais pronunciado com o chá na língua.

— Sério?

— Quando dirigia o lugar, eu tinha alguns clientes que o pediam de vez em quando, mas nunca contei para muitas pessoas. Porém, quando aquela garota chegou para dirigir o café no lugar de Livvy, ela gostou tanto do chá que o colocou no cardápio e deu o nome em minha homenagem.

— Quem é a garota?

— A que cuida do café na ausência de Livvy.

— Rae?

— Sim, boa menina. Você a conhece?

— Eu a conheci outro dia — Kelsey informou.

— Garota incrível. Afiada. Todos gostam dela nesta cidade. Agora que Rae pôs meu nome no cardápio, sempre terá um lugar em meu coração.

Millie foi até a bancada e juntou os ingredientes para guardá-los. Enfiou uma folha de papel laminado, contendo sua receita de chá doce, num fichário.

— Sua receita está disponível para o público?

— Ah, não, querida... — Millie exibiu seu fichário de receitas: um livro com capa de feltro que ficava sobre a bancada. — Isto aqui é estritamente confidencial. Se eu deixasse outros tomarem conhecimento do conteúdo, todos os meus segredos seriam revelados. Tenho oitenta e seis anos. Meus segredos são tudo o que me resta.

Kelsey concordou com um gesto de cabeça e bebeu o chá, permanecendo em silêncio por um momento. Examinou suas anotações antes de decidir que tempo suficiente tinha se passado.

— Algum palpite sobre o que poderia estar incomodando Becca naquele dia, no café? Sobre o que passava pela cabeça dela? A senhora disse que ela pediu segredo a Livvy a respeito de alguma coisa.

Millie suspirou, enfiou seu livro de receitas numa fileira de livros de culinária sobre a bancada e, em seguida, sentou-se junto a Kelsey. Tomou um gole de chá e a olhou com um sorriso tímido.

— Ela estava nervosa por causa de um garoto que estava namorando.

Kelsey voltou a escrever em seu bloco de anotações.

— Ela falou algo sobre esse rapaz para Livvy?

— Bastante. Quando Livvy finalmente se aproximou para conversar com ela, após Becca recolher o material de estudo e os livros, a garota estava escrevendo em seu diário. Livvy disse que ela estava efusiva, sentimental.

Kelsey endireitou-se e semicerrou os olhos, atenta.

— Becca escrevia num diário?

— Foi o que Livvy me falou.

— Sua filha viu o diário?

— Apenas aquilo que Becca mostrou a respeito do namorado.

— Quem era ele?

— Alguém da faculdade. Ou talvez já fosse um advogado. Acho. Não tenho certeza disso. Só lembro que Livvy disse que Becca estava realmente apaixonada por ele, e... — Millie interrompeu sua fala.

— E o quê? — Kelsey perguntou.

— Bem, veja... Sinto-me esquisita contando isso a você, pois os pais de Becca não sabem. Mesmo agora, acho que não sabem. Becca nunca contou para eles.

— Contou o que para eles? Que ela namorava esse rapaz?

— Ah, não, seus pais sabiam que ela o estava namorando.

— Então, o quê?

Millie envolveu a xícara com ambas as mãos e fechou os olhos.

— O que eles não sabiam era que Becca havia se casado com esse rapaz.

11

Becca Eckersley
Universidade George Washington
22 de dezembro de 2010
Treze meses antes de sua morte

JACK BATEU NA TAMPA TRASEIRA DO FORD EXPLORER E
foi até a janela do motorista.

— Até mais, cara. Bom Natal para você.

— Obrigado, cara. — Brad olhava através do para-brisa.

Jack reconheceu a expressão familiar nos olhos de seu companheiro de moradia. Ele sempre a notava quando Brad voltava para casa.

— Não vai ser tão ruim, Brad. Simplesmente não entre numas com ele.

Brad esboçou um sorriso amarelo.

— Meu pai é um idiota completo. Mal posso esperar para conseguir me virar sozinho.

— Ele já te disse que não vai pagar a pós. Então, no próximo ano, alugue um apartamento e pegue emprestada sua passagem para a liberdade. É para isso que servem os empréstimos estudantis. Você pode passar todas as férias no meu lugar — Jack disse, apoiando-se contra o carro, com a respiração saindo de sua boca em forma de fumaça branca.

— Onde vai ser seu lugar? — Brad perguntou.

— No próximo ano? Depende de onde eu for aceito.

— E Becca? Ela já recebeu resposta de alguma universidade?

— Acho que não. Na realidade, não conversei com ela a esse respeito. — Jack sorriu. — Não se preocupe com Becca e para onde ela vai no próximo ano. Você fica assim toda vez que vai para casa.

— Assim como?

— Pirado sobre tudo. Escute, em dez anos, você e seu pai talvez sejam bons amigos. Assim, sujeite-se sem reclamar a mais um Natal. Você vai para a Flórida depois? Para se encontrar com Gail?

— Sim, talvez. Vamos beber uma cerveja antes de eu ir embora.

— Você não vai beber antes de dirigir por cento e cinquenta quilômetros.

— Tudo bem. Então, vamos comer um hambúrguer.

— O que há com você? Seu pai é um pé no saco, mas nunca te vi tão confuso. É por causa do exame final de Morton?

— Preciso te contar algo.

Jack consultou seu relógio.

— Tudo bem. Vamos almoçar — ele disse, entrando no carro.

Os amigos foram ao restaurante McFadden e acharam uma mesa nos fundos. Diversas tevês transmitiam uma partida de futebol americano universitário. Eles pediram hambúrgueres e refrigerantes. Entreolharam-se por um tempo, meio que assistindo ao jogo enquanto o pedido não chegava.

— Você está me deixando curioso, Brad. Fale, o que está acontecendo?

Brad tomou um gole de refrigerante e mordeu um pedaço do hambúrguer.

— Tudo bem. Acho que estou apaixonado por Becca.

A testa de Jack se enrugou e suas sobrancelhas ergueram-se devagar.

— O quê?

Brad assentiu com um gesto de cabeça.

— É totalmente idiota. Mas eu precisava contar para você. Quero seu conselho.

— Sobre o quê? Fale de novo.

— Eu amo Becca. Estou... apaixonado por ela.

— Certo, Brad. Devagar. Você não está apaixonado por Becca.

— Não diga isso para mim, Jack. Você não sabe o que está acontecendo entre nós. Estou lhe dizendo. Sinto isso há muito tempo.

— Como pode estar apaixonado por alguém que nunca namorou nem beijou, com quem jamais transou? Talvez encantado, mas não apaixonado.

— Tanto faz. É complicado. Somos muito próximos. Ela fica comigo o tempo todo, e conversamos até o sol nascer. Nunca contei para você porque é um assunto particular entre nós. Tivemos um período estranho, em que paramos de passar a noite juntos. No entanto, nas últimas duas semanas, retomamos o hábito. Sabe, só conversamos durante toda a noite. Ontem, tivemos algo diferente. Não sei. Como um momento. Como se estivéssemos prestes a revelar um ao outro como nos sentíamos. Sei que ela sente a mesma coisa por mim. Mas seria muito complicado se ficássemos juntos, sabe? Nenhum de nós sabe para onde vai no próximo ano. Somos amigos, e ela não quer estragar isso. — Brad mexeu no refrigerante com o canudo. — Só quis lhe dar um alerta. Minha cabeça está girando neste momento.

— Me dar um alerta a respeito do quê?

— Como nós quatro somos amigos, Becca e eu achamos que ferraríamos tudo se ficássemos juntos. Mas eu não me importo mais com isso. Espero que não incomode você se Becca e eu... Sabe, começarmos a namorar.

— Espere um pouco. — Jack encarou o amigo. — Becca disse para você que ela sente a mesma coisa? Que quer ficar com você? Ou namorar você? Ou que ela o ama?

— Não. Quer dizer, não exatamente. O tempo todo ela me diz que me ama, mas ela fala isso para todo o mundo. Acho que Becca teme pela dinâmica de nosso grupinho se ela e eu ficarmos juntos.

Por um instante, Jack refletiu.

— Você está passando por poucas e boas, certo? Está emotivo por causa de ir para casa e lidar com o idiota do seu pai. E espera respostas das universidades. Talvez esteja um pouco pirado sobre o próximo ano. Acabou de fazer os exames finais e passou por toda a coisa do professor Morton. Isso tudo tem um efeito cumulativo.

— Nada disso tem importância, Jack. Consigo ficar acordado até o amanhecer conversando com Becca, e ela entende totalmente o que enfrento com meu pai. Becca simplesmente me escuta e me entende. Ela é perfeita para mim, e sei que seríamos perfeitos juntos.

— E se Becca não sentir a mesma coisa?

— Não sei. É difícil de explicar, mas sei que ela sente. Suponho que vou descobrir.

— Como?

— Falarei com ela. Espero até voltarmos do recesso, e aí conto para ela como me sinto.

Eles terminaram os lanches e fingiram assistir ao jogo de futebol americano.

— Tudo bem, Brad. Deixe as coisas decantarem por duas semanas. A gente se fala depois do Natal.

— Combinado. A que horas sai o seu voo?

— Logo. — Jack consultou o relógio. — Tenho de correr.

Os dois se encaminharam para o apartamento deles, e Brad parou no estacionamento.

— É melhor eu pegar a estrada. Faça uma boa viagem, e mande lembranças minhas aos seus pais.

— Mandarei. Seja gentil com seu pai — Jack acrescentou, saindo do carro e segurando a porta aberta.

— Vejo você em duas semanas.

— Certo. — Jack fechou a porta do veículo.

Então, Brad fez o carro avançar. A janela do motorista estava aberta.

— Não se preocupe! Existe solução para essa coisa! — Jack gritou.

Brad acenou, fechou a janela e partiu a toda a velocidade.

Jack observou seu amigo pegar a H Street, passar pelos prédios pelos quais o *campus* era famoso, desaparecer no bulevar que o levaria até a rodovia I-95 e, finalmente, a Maryland. Tornou a consultar seu relógio e subiu correndo a escada para seu apartamento. Apanhou a mochila na cama, colocou-a no ombro, apagou as luzes e trancou a porta, em pânico. Desceu correndo a escada, jogou a mochila no porta-malas de seu Volvo desmazelado e partiu às pressas para o aeroporto. O almoço inesperado com Brad o atrasou em pelo menos uma hora. Seu celular tinha vibrado cinco vezes nos últimos trinta minutos. Não se atreveu a atender, não com sua mente funcionando tão rápido.

Jack achou um lugar no estacionamento mais próximo, que lhe custaria três vezes mais que o estacionamento mais distante, mas não tinha tempo de pegar o bonde elétrico de volta para o terminal. Uma fila de viajantes de Natal ziguezagueava quatro vezes em frente ao balcão da United. Aquilo significava uma espera de no mínimo trinta minutos para o *check in*, e Jack não tinha esse tempo.

Ele caminhou direto para a frente da fila. Um homem de cabelos grisalhos esperava pela liberação do próximo guichê de atendimento com um documento na mão e uma mala de rodinhas ao seu lado.

— Por favor, senhor — Jack disse, com a mochila sobre o ombro, a camisa para fora da calça e aparecendo debaixo da jaqueta, a barba por fazer. Atleta durante toda a vida, ele sempre conseguira usar a estatura elevada e os ombros largos como instrumentos de bem-estar, em vez de intimidação. Naquele momento, usaria o charme, a boa aparência e o porte físico para conseguir embarcar. — Meu voo sai em vinte minutos. Posso entrar na sua frente?

O homem pareceu perturbado, olhou para a fila atrás de si e, em seguida, fez um sinal para Jack se dirigir ao guichê aberto.

— Já estão embarcando — a atendente da companhia aérea informou. — Você talvez não consiga passar pela segurança e chegar ao portão de embarque a tempo.

— Eu vou tentar — Jack respondeu.

— Bagagem para despachar?

— Não.

Ela digitou o teclado com competência e imprimiu o cartão de embarque.

— Portão b-6. Terminal 2. Sugiro que se apresse.

Jack pegou o cartão de embarque e conseguiu chegar até a frente da fila da segurança, arrancando insultos dos outros passageiros.

— O embarque para meu voo já está quase encerrado — ele informou às pessoas que o confrontaram. Pôs a mochila e os sapatos sobre a esteira e jogou no lixo o *nécessaire* de toalete contendo aparelho de barbear, tesourinha e outros artigos de higiene pessoal que o impediriam de passar pela segurança. Passou pelo detector de metais na primeira tentativa, jogou a mochila sobre o ombro e correu de meias até o portão b-6. Os assentos do lado de fora do portão estavam vazios.

— Aqui está ele — o atendente do portão disse ao supervisor, que segurava uma lista de passageiros.

— Desculpe. — Jack ergueu os sapatos enquanto se dirigia ao balcão.

— Mais trinta segundos e encerraríamos o embarque.

— Obrigado por esperar.

Os funcionários da companhia aérea verificaram o documento de Jack e fizeram a leitura óptica do cartão de embarque.

— Assento 15-E. O voo está cheio.

— Obrigado. — Jack atravessou correndo a ponte de embarque, pulando num pé só enquanto calçava os sapatos, e sorriu para as comissárias de bordo que o esperavam. Tirou a mochila do ombro e a carregou na frente enquanto atravessava o corredor estreito do 737. Ignorou as cem pessoas que não tiraram os olhos de sua pessoa, concentrando-se na passageira sentada no assento 15-D.

Ao vê-la, Jack sorriu. Finalmente, sentou-se com a mochila sobre o colo.

— O que houve? — Becca perguntou. — Já estavam quase fechando a porta.

— Senhor, sua bagagem terá de ser posta sob o assento na sua frente — a comissária de bordo disse a Jack.

— Desculpe. — Em seguida, ele enfiou a mochila sob o assento e respirou fundo algumas vezes.

— E o senhor terá de afivelar o cinto de segurança.

Sorrindo para a comissária de bordo, Jack evitou contato visual com os passageiros ao redor, que o encaravam, e afivelou o cinto.

— O que houve? — Becca repetiu.

Jack apontou para o cinto de segurança afivelado e fez um sinal de positivo com o polegar para a comissária, que estava de olho nele.

— Eu conto mais tarde. Mas vou ter de comprar uma escova de dentes antes de irmos para a casa de seus pais.

— Está nervoso porque vai conhecer meus pais?

— Ah, um pouco... Sim. E vou precisar me barbear quando pousarmos.

— Eles vão gostar de você. — Becca segurou a mão de Jack.

— Vão? Como você sabe?

Ela beijou a boca impassível dele.

— Porque eu sei. Agora, me conte por que você se atrasou.

PARTE II
AUTOAJUDA

12

Kelsey Castle
Summit Lake
8 de março de 2012
Dia 4

A CONVERSA COM MILLIE MAYS FOI O PRIMEIRO VISLUMBRE de luz lançado sobre o mistério sombrio de Becca Eckersley. O casamento revelou um motivo e gerou pelo menos um suspeito. A fuga de Becca para casar era outro caminho que Kelsey precisava trilhar. No entanto, inicialmente, ela quis descobrir quem era aquele rapaz, e se ele tinha algum motivo para matar sua mulher. Com a mente concentrada em torno das novas revelações, Kelsey se dirigiu ao restaurante Water's Edge para encontrar Peter Ambrose e ver se ele conseguira os prontuários médicos e a autópsia.

Kelsey virou numa rua lateral à Maple e encontrou o restaurante na esquina. Peter já estava sentado a uma mesa ao lado da janela, e acenou quando ela entrou.

— Olá — Kelsey o cumprimentou, ao se aproximar.

— Olá — Peter indicou uma cadeira a sua frente. Em vez da vestimenta cirúrgica, usava um paletó esportivo azul sobre uma camisa Ralph Lauren.

Kelsey também se trocara para aquele jantar. Escolhera calça comprida, sapatos de salto alto e blusa branca sob um blazer cinza. Passou rímel nos cílios e puxou os cabelos para trás antes de deixar o Winchester.

— Obrigada de novo por fazer isso por mim, dr. Ambrose.

— Chame-me de Peter. E não me agradeça ainda.

Se não estivessem prestes a discutir a respeito da morte de uma garota, pareceriam mais dois jovens profissionais num encontro amoroso. Com seu queixo anguloso e os olhos castanho-claros, Peter Ambrose era atraente. E se Kelsey não quisesse admitir que notou a boa aparência dele, teria de encontrar outro motivo para explicar por que usara creme bronzeador e batom pela primeira vez em mais de um mês.

— O que aconteceu? Não conseguiu achar nada?

— Pelo contrário. Achei muita coisa. Mas não foi fácil. Alguém está tentando ocultar os detalhes do caso.

— Sério? Foi o que o delegado me disse. — Kelsey pendurou a bolsa no encosto da cadeira. — O escritório do promotor público acha que a polícia de Summit Lake não tem os recursos e a experiência necessários para lidar com um homicídio. Assim, os detetives estaduais assumiram o comando. — Puxou a cadeira para a frente. — O que você achou nos prontuários médicos?

— Conseguir essas informações não foi fácil. E não fui capaz de obter tudo o que você pediu.

— Por que não foi fácil?

— Os prontuários são facilmente acessíveis através de nosso sistema informatizado, mas tive de me esforçar para descobrir informações sobre a noite em que Becca Eckersley foi trazida ao pronto-socorro. Seu arquivo foi classificado num nível de proteção elevado. Ou seja, pouquíssimos médicos têm acesso a ele. A enfermagem e os paramédicos não têm. Tive de procurar uma senha para conseguir chegar aos prontuários.

— Desculpe por incomodá-lo. Achei que você teria apenas de acessar um arquivo. Espero que eu não o esteja metendo em apuros.

— Tudo está informatizado agora. Acessar um arquivo significa procurá-lo num computador. E eu tinha a senha, mas nunca precisei utilizá-la antes.

A garçonete se aproximou.

— Posso lhe servir uma bebida? — ela perguntou a Kelsey.

— Claro. — Kelsey notou a taça de vinho na frente de Peter. — Também quero vinho.

— Sauvignon Blanc — Peter informou.

A garçonete sorriu e se afastou.

— Você é cirurgião, certo? Fiz uma pequena pesquisa a seu respeito.

— Sou cirurgião, sim, Kelsey. Cirurgia geral. Mas desde que aceitei esse emprego, faço mais trabalho administrativo do que operações.

— Há muitos casos cirúrgicos aqui nas montanhas? Achei que com sua especialização você ia querer estar numa cidade grande.

— Já estive. Por alguns anos, dirigi o departamento de cirurgia do hospital St. Luke, em Nova York.

— Então, por que está aqui cuidando de papelada?

Peter esboçou um sorriso.

— Desculpe. Estou acostumada a entrevistar pessoas. Assim, às vezes, sinto dificuldade de conversar sem bisbilhotar.

— É uma boa pergunta. Mas há casos cirúrgicos aqui. As pessoas encontram um jeito de me achar. Estava ficando esgotado em Nova York. Muitos casos, muitas horas de trabalho, muito estresse. Temos muito menos cirurgias aqui, mas os casos que tratamos são complicados e desafiadores. Consigo atender cada paciente com mais atenção, sem delegar muita coisa para os residentes e os colegas.

— Você tem família?

— Não. Bem, uma mulher.

— Como ela está se adaptando à mudança para cá?

Peter franziu os lábios, um tanto relutante.

— Desculpe. Ex-mulher. — Então, interrompeu o contato visual, olhou para o vinho, pegou a taça e a girou. Tomou um gole. — Ainda juntando os pedaços.

A garçonete serviu a taça para Kelsey e anotou os pedidos de jantar deles.

— Me ofereceram esse emprego, e eu decidi que seria bom sair de Nova York por um tempo. Sei que as pessoas dizem outra coisa, mas nenhum casamento acaba bem.

— Lamento, Peter.

Ele tornou a sorrir.

— Não sou o primeiro cirurgião do mundo a se divorciar. Ficarei bem. Então, quero te mostrar o que descobri. — Peter tirou uma pasta de documentos de sua bolsa carteiro de couro. — São os prontuários da noite em que a garota foi trazida para o pronto-socorro. Eu os imprimi. — Entregou as folhas para Kelsey. — Você não pode ficar com isso, mas pode consultar aqui.

Kelsey apanhou os papéis e leu os prontuários do médico do pronto--socorro.

— Preciso de sua ajuda, Peter. Não entendo o jargão médico.

— Examinei os prontuários hoje à tarde. Becca Eckersley foi trazida de ambulância para o PS e chegou às dez da noite, mais ou menos. Realmente, seu estado era muito grave. Sua traqueia estava fraturada.

— O pescoço dela foi quebrado?

— A traqueia-artéria foi esmagada. Becca foi estrangulada.

Kelsey piscou diversas vezes enquanto processava aquela informação. Peter continuou:

— A maioria das mortes por estrangulamento é causada por asfixia. O agressor agarra o pescoço da vítima com força suficiente para interromper o fluxo de ar através da traqueia-artéria, a traqueia. Se isso durar muito tempo, provocará falta de oxigênio no cérebro e nos órgãos, e o consequente óbito. No caso dessa moça, o agressor fez isso de maneira tão brutal que destruiu a traqueia.

Kelsey assumiu uma expressão de horror.

— Isso é terrível...

— Terrivelmente brutal, sim. E, naquela noite, quando ela chegou ao hospital, havia pouquíssima coisa que os médicos pudessem fazer. Os paramédicos da ambulância iniciaram uma traqueotomia, que era a providência correta a tomar, muito tarde.

— O que é isso?

— Uma traqueotomia? Consiste na abertura de um orifício na garganta. Quando os paramédicos perceberam que a traqueia estava fraturada, e não poderiam levar ar para os pulmões através da boca, como normalmente fariam, tentaram uma entubação. Ou seja, inserir um tubo na garganta para levar oxigênio aos pulmões. Mas não puderam fazer isso por causa da fratura. Então, optaram por uma incisão na garganta, abaixo da fratura, para ganhar acesso ao segmento ileso da traqueia, e forneceram oxigênio por meio de uma bomba. Quando chegaram ao hospital, Becca Eckersley quase não tinha mais pulso. O pessoal do PS continuou cuidando dela. Conseguiu estabilizá-la por um tempo, mas a situação era muito ruim. O pessoal a manteve viva até a chegada dos pais. Na manhã seguinte, ela morreu.

A garçonete serviu as saladas, e Kelsey pôs a sua de lado.

— Desculpe. — Ela sorriu, tímida, para Peter. — Perdi o apetite.

— Acho que foi uma má ideia conversarmos sobre isso num jantar.

— Eu não imaginava que tivesse sido tão brutal.

— Vamos levar nosso vinho para o bar. Parece melhor?

— Muito.

Peter conversou com a garçonete e pagou pelo jantar não consumido. No balcão, sentaram-se em bancos de canto, de modo a poderem se encarar. Kelsey voltou a tirar suas anotações e as pôs sobre o balcão.

— Você consegue falar com alguém da equipe médica? Os médicos do pronto-socorro?

Peter fez um gesto negativo com a cabeça.

— Não. Não era meu caso e não há motivo para eu me envolver. Assim, não me sinto à vontade para fazer perguntas... ainda. Tenho de achar um jeito de como abordar meu problema.

— Que problema?

Peter tomou um gole de vinho.

— Os velhos tempos de fraudar prontuários médicos acabaram, Kelsey. Um médico não pode mais abrir o prontuário de um paciente e mudar um diagnóstico, inserir um achado pertinente ou excluir algo que não devia estar ali, algumas vezes semanas depois. Agora tudo é digital, e depois que o prontuário é assinado, não há mais nada a fazer. Para alterar um prontuário depois de oficialmente assinado, você precisa cancelar sua assinatura, fazer as mudanças e, então, assiná-lo de novo. E quando isso é feito, deixa um rastro.

— Houve algum cancelamento de assinatura no prontuário de Becca?

— Dois.

— O que foi alterado?

— Impossível dizer. Só consigo ver que foi assinado na noite em que ela deu entrada no PS, e, então, a assinatura foi cancelada no dia seguinte; e de novo, dois dias depois.

— Mas você não consegue ver o que foi alterado?

— Não. E fiquei curioso por causa do que achei na autópsia.

Kelsey refletia a respeito da ideia de que os prontuários médicos de Becca poderiam ter sido alterados. Ela consultou suas anotações.

— Becca foi trazida ao PS e declarada morta na manhã seguinte. Quando a autópsia foi feita?

— A autópsia envolveu uma situação mais difícil. Como a morte da garota foi consequência de um homicídio, o patologista do hospital aqui

88

da cidade não realizou a autópsia. Ela foi feita pela médica-legista do condado de Buchanan. — Peter tirou mais anotações de sua bolsa e as colocou sobre o balcão. — A autópsia foi realizada no dia seguinte pela dra. Michelle Maddox, mas não consegui obter uma cópia do relatório final. Ainda não foi liberado. O melhor que pude fazer foi um resumo de algumas de suas conclusões.

— E?

— Algumas conclusões externas gerais. — Peter passou um dedo pela folha de papel. — Confirmando o estrangulamento, incluindo petéquias nas pálpebras e hemorragias subconjuntivais.

Kelsey fez um ar de dúvida.

— Hemorragia no branco dos olhos — Peter informou. — Quando a circulação sanguínea é bloqueada durante o estrangulamento, a pressão no interior dos vasos sanguíneos aumenta, arrebentando os vasos capilares. Isso é bem visível nos olhos. E, internamente, também nos pulmões. — Voltou a olhar para suas anotações. — O exame externo também indicou contusão no pescoço, com lesões graves no tecido mole, e fraturas no osso hioide e na cartilagem cricoide. Todas comuns em estrangulamentos. O exame interno do esqueleto da laringe confirmou a fratura traqueal. — Virou a página. — Um tufo faltoso de cabelos na parte posterior do couro cabeludo e um grande hematoma subdural na base do crânio.

— O canalha a golpeou com algo?

— Não, o tufo faltoso foi arrancado manualmente, com base na ausência de folículos e nos padrões aleatórios de perda capilar. O hematoma parece ser o resultado de uma queda. Ela cambaleou para trás, acho, e bateu a cabeça quando caiu. — Peter tornou a fitar a folha de papel. — Também duas articulações dos dedos deslocadas na mão direita da vítima.

— Então, ela perdeu a consciência cambaleando — Kelsey afirmou.

— E arranhando. Havia pele sob as unhas. Também foram constatadas contusões. — Peter fez uma pausa. Então, prosseguiu: — Não sei o quanto você sabe a respeito desse caso.

— Mal comecei a coletar informações. Assim, só sei o que descobri nos últimos dias.

— E você não conhecia a vítima?

— Não. Por quê?

— Havia contusões em sua área vaginal, indicando estupro.

Lentamente, Kelsey recostou-se em seu banco e cruzou os braços.

— Não... Eu não sabia que Becca tinha sido estuprada.

— Sinto muito por ser tão direto.

— Tudo bem. Eu imaginava se tratar de um simples homicídio.

— Não me surpreendo que você não tivesse conhecimento do estupro. Poucas pessoas sabem disso. Não é mencionado nos prontuários médicos do PS, e, se foi mencionado, foi retirado. E esse relatório aqui, o Relatório de Investigação, como é chamado, de autoria da médica-legista do condado, é um resumo da autópsia e deve ser o relatório público. Assim, pelo visto, qualquer jornalista poderia pedir uma cópia dele à médica-legista ou ao patologista.

— Mas?

— O condado ainda não o liberou.

Kelsey fez algumas anotações.

— Não é um absurdo. O condado tem seis semanas, certo?

— Tem. Mas consegui obter o resumo oficial que está pronto para liberação, e não inclui a hipótese de estupro.

Kelsey ergueu a cabeça.

— O Relatório da Investigação que será liberado é diferente daquele que você conseguiu?

— Exatamente.

— Então, como conseguiu essa cópia?

— Tenho um contato no edifício-sede do condado de Buchanan. Ele me fez um favor.

— Por que estão escondendo que Becca foi violentada?

— Bem... Provavelmente, só estão atrasando a informação até obterem uma melhor compreensão sobre a investigação. Mas o Relatório da Investigação é sempre o primeiro documento liberado. Em seguida, o médico-legista tem permissão para liberar uma versão alterada algumas semanas depois. Aí, o relatório final e oficial da autópsia é liberado algum tempo depois, incluindo a causa definitiva da morte e os relatórios toxicológicos.

— Já vi esse filme antes, Peter. "Mais tarde" significa quando ninguém mais estiver prestando atenção.

— Sem jornalistas.

— Nós nunca paramos de prestar atenção, mas o público perde o interesse, e é isso o que eles querem. — Kelsey se lembrou da conversa com o delegado Ferguson a respeito de o pai de Becca se candidatar a um cargo de juiz. Que sua única filha tivesse se casado em segredo e sido estuprada eram coisas que ele haveria de querer ocultar de seus eleitores. Ela voltou para suas anotações e escreveu por um instante. — De acordo com o resumo que você conseguiu, eles acharam algo no corpo?

— Sim. Esperma, pelos e células epidérmicas. A dra. Maddox acredita que alguns dos pelos eram de uma barba.

— Como ela determina isso?

— Havia amostras contendo o bulbo, ou raiz, sugerindo que foram arrancadas durante a luta. Algumas eram longas, provavelmente do couro cabeludo do criminoso. Outras eram curtas. Com base no comprimento, e no fato de que tinham hastes completas ligadas à raiz, concluiu-se que vinham do pelo facial.

Kelsey fez anotações a respeito de pelos longos e barbas enquanto Peter falava.

— Fibras também. Talvez de um casaco de lã.

— Então, o ataque aconteceu pouco depois que ela entrou em casa.

— Sim. O criminoso nunca tirou o casaco.

— O que se encontrou no corpo era tudo o que precisavam para uma condenação?

— Sim. A partir da recuperação do fluido e dos pelos, seria um exame de DNA fácil.

— Se acharem alguém para fazer a comparação. — Kelsey voltou para seus registros e os estudou por um minuto. — Você já ouviu falar de um pai protetor que suprime informação?

— Qual? De ser um estupro?

— Sim.

— Ele teria de ser muito poderoso para fazer isso. E ter muitos contatos nos escalões superiores.

— William Eckersley é poderoso e tem contatos. Um advogado importante, que está se articulando para ser juiz. Também tem muito dinheiro e influência política.

— Não duvido disso. A classificação dos prontuários médicos foi posta num nível de proteção elevado. Os próprios prontuários foram alterados. O arquivamento do relatório resumido da autópsia será abreviado, e o relatório completo da autópsia está em algum lugar. E, sem dúvida, sua liberação será atrasada ao máximo.

— Em algum lugar onde?

— Não sei. Mas a dra. Maddox sabe. E garanto que os detetives estaduais também.

— Quais são as chances de eu conseguir esse relatório completo?

— Não muito grandes. — Peter sorriu.

— Gostaria muito de consegui-lo.

— Eu também, agora que sei que algo estranho está acontecendo.

Kelsey sentiu uma descarga de adrenalina. Sempre sentia quando sabia que uma história tinha um apelo.

— Será que o amigo que o ajudou a conseguir o resumo do Relatório de Investigação não poderia ajudar a obter a autópsia real?

Por um momento, Peter refletiu.

— Duvido que ele queira se envolver no furto de um relatório da autópsia. Verei o que consigo fazer.

— Obrigada por sua ajuda. — Kelsey pegou suas coisas e as guardou na bolsa. — Suas informações foram reveladoras.

— Mantenha-me informado do que você descobrir. Agora fiquei curioso.

— Certo. Mantenha-me informada você também.

KELSEY CHEGOU AO WINCHESTER HOTEL PERTO DAS DEZ da noite, ligou para Penn Courtney e deixou uma mensagem. O plano de Penn de isolá-la nas montanhas para perseguir um caso inexistente fora frustrado, ela explicou no correio de voz dele. Kelsey topou com algo em Summit Lake, e seu radar investigativo lhe dizia que era bem interessante.

Desligou o celular e passou o resto da noite estudando suas anotações e relendo as novas informações que coletou sobre Becca Eckersley. Uma história se formava em sua mente. Era muito cedo para enxergar todo o quadro, mas já passara pelo processo antes. Do nada, uma pequena narrativa tomava forma a respeito da vida e morte de Becca Eckersley. Existiam diversas lacunas na história e muitas perguntas sem resposta. Contudo, o processo se achava em movimento e Kelsey sabia, como um trem que desce morro abaixo, que não havia possibilidade dessa história ser freada e não ganhar as páginas da revista.

Kelsey levou o computador e as anotações para a varanda. O ar noturno, bastante frio, ajudava a clarear as ideias. O hotel se situava na extremidade norte da Maple Street, e da varanda do terceiro andar, a visão de Kelsey abarcava toda a cidade, até a igreja de São Patrício, na extremidade sul, cuja fachada estava iluminada por refletores que destacavam as pedras brancas. Havia postes de luz em todas as quatro esquinas dos cruzamentos, clareando as ruas. Os bordos, que ocupavam o canteiro central, floresciam com o início da primavera. A rua se encontrava coberta com folhas secas, e a brisa do lago que varria a cidade as fazia moverem-se em redemoinhos.

A oeste, Kelsey avistou o farol sobre um ponto do outro lado da água, com sua luz poderosa cortando a escuridão. Ela desviou o olhar para as palafitas situadas nas águas rasas do lago Summit, e por um tempo, fitou a casa dos Eckersley, pensando em Becca e em tudo que ela passara naquele lugar. Um santuário, quente e seguro, transformado num inferno.

Kelsey pegou a pasta do delegado Ferguson e, folheando as páginas, achou a lista detalhando as provas coletadas na propriedade dos Eckersley na noite do assassinato de Becca. A lista era longa e difícil de ler. Entre os itens, incluíam-se:

E-1 — Livro de direito constitucional, aberto no piso da cozinha.

E-2 — MacBook Apple, aberto, virado para baixo sobre o piso da cozinha, com a tela rachada.

E-3 — (5) Páginas de caderno, espalhadas no piso da cozinha; anotações de estudo escritas à mão.

E-4 — iPod e alto-falantes.

E-5 — (1) Meia grossa/chinelo na sala de estar, tamanho pequeno.

A lista prosseguia por duas páginas. Uma série tediosa de itens escritos num garrancho praticamente ilegível. Kelsey estava tão interessada que leu a lista duas vezes. Em nenhum lugar achou menção a um diário.

Ao se dar conta de que era quase meia-noite, Kelsey se espantou com o rápido passar das horas. De repente, sentiu frio e cansaço. Guardou seus papéis, desligou o *laptop* e levou tudo para o quarto, onde se acomodou entre as cobertas.

Inquieta, virava-se de um lado para o outro, com sua mente trabalhando sem cessar. Quando enfim conseguiu dormir, um sonho vívido a colocou no interior da casa de Becca Eckersley. Ela caminhava pelo ambiente — na realidade, flutuava. Na ilha da cozinha, havia um livro, anotações e um computador aberto. Mas também outra coisa: um fichário de capa dura, pequeno e compacto. O diário de Becca? Sim, claro. Kelsey estendeu a mão para pegá-lo, esperando encontrar nele as respostas para todas as suas perguntas. Contudo, seus movimentos congelaram, e quanto mais ela se esforçava para apanhá-lo, para mais longe ele flutuava.

Foi quando Kelsey escutou três batidas ruidosas na porta da antessala. Flutuou até a porta e a abriu, para descobrir o assassino de Becca. No entanto, Kelsey só achou escuridão do lado de fora. Então, algo chamou sua atenção: um lampejo de luz vindo do lago. Kelsey correu para o terraço e viu o farol na outra margem. Foi quando escutou o som de passos, como se alguém estivesse correndo pelo cais. Ao se virar, avistou Peter Ambrose se afastando e desaparecendo na noite. Quando dirigiu o olhar de volta para a casa, um homem estava parado nas sombras. Kelsey tentou gritar, mas só conseguiu expelir o ar com força. Então, começou a correr.

O progresso de correr com água batendo nos joelhos era muito lento. Naquele momento, Kelsey viu-se de volta a Miami, tentando correr em seu percurso habitual, no caminho ao lado da água que ela percorria todas as manhãs. O caminho através da mata, onde sua vida virou um inferno. Ela sentiu a presença dele e tentou correr mais rápido. Num instante, ele a atacou, vindo do bosque, triturando galhos e folhas. A respiração de Kelsey se tornou irregular, hiperventilando exatamente quando o homem a agarrou. Foi o suficiente para assustá-la e despertá-la.

Kelsey se sentou na cama, ofegante como se tivesse realmente corrido. O coração batia tão forte que ela era capaz de escutá-lo. Inicialmente uma ocorrência de todas as noites, os sonhos tinham se aquietado nos últimos tempos, e não haviam se manifestado durante toda sua estada em Summit Lake. Até essa noite. Até ela descobrir que Becca fora estuprada. Naquele momento, o pesadelo voltara, perturbando sua mente com todos os temores daquela manhã na mata, que Kelsey trabalhara tanto para superar.

Kelsey passou o primeiro mês dentro de casa. Não atravessou a porta da frente a não ser nas poucas vezes em que se forçou a voltar ao escritório — por saber que se ficasse em casa mais algum tempo, talvez nunca mais a deixasse. A cura viria com o tempo, como os médicos diziam; mas quanto mais ela esperava, mais longe da recuperação se sentia. O encerramento só viria, Kelsey sabia, quando ela decidisse persegui-lo. E tomar conhecimento do estupro de Becca lhe trouxe de volta seu próprio suplício, que pendia na frente de seu nariz e a desafiava a correr atrás dele. Seu mal-estar aumentou ao escutar os detalhes trazidos por Peter — o primeiro homem além de Penn com quem tinha conversado em semanas.

Ela pousou a cabeça no travesseiro e fechou os olhos. Mas o sono não veio.

13

Becca Eckersley
Summit Lake
22 de dezembro de 2010
Treze meses antes de sua morte

O VOO ENTRE A CAPITAL DOS ESTADOS UNIDOS E CHAR-
lotte foi tranquilo e sem turbulências. Becca dormiu com a cabeça no
ombro de Jack, enquanto a mente dele se ocupava com a ideia de que seu
melhor amigo se apaixonara por sua namorada. Ele e Becca poderiam ter
superado o segredo de seu relacionamento se houvessem confessado
tudo no verão anterior, quando todos voltaram para cursar o último ano.
Mas agora, Jack sabia, meses depois, e com essa nova revelação de Brad,
que o namoro deles seria muito mais difícil de explicar.

Os pais de Becca os pegaram no desembarque. Jack jogou as bagagens no porta-malas do Cadillac Escalade, ficando em segundo plano,
enquanto Becca abraçava os dois.

— Esse é Jack — Becca disse, exultante, apresentando o namorado.

— Olá, Jack. — E a mãe de Becca o abraçou.

Jack apertou a mão do sr. Eckersley. Em seguida, todos embarcaram
no Escalade.

— Obrigado pelo convite para o Natal — Jack disse, quando o carro
começou a se mover.

— Você é muito bem-vindo. — A sra. Eckersley sorriu.

— Então, Jack, Becca nos falou que você está se candidatando a algumas das nossas melhores faculdades de direito.

— As mesmas que Becca, senhor. Quase todas.

— Stanford já o aceitou — Becca revelou, olhando para Jack e sorrindo com seus dentes perfeitos.

— Sério?

No assento traseiro, Jack assentiu, enquanto lançava a Becca um olhar de desaprovação. Ele só contara para ela sobre sua aceitação por Stanford. Nem mesmo seus pais sabiam. E ele, definitivamente, não queria discutir o assunto durante aquela viagem. Jack sabia que William Eckersley era um superadvogado, com seu próprio e poderoso escritório, e corriam rumores de que ele estava se candidatando a um cargo de juiz. Como não tinha interesse real na profissão, Jack preferia evitar conversas a respeito de direito. Ele não pretendia trabalhar arduamente todos os dias num processo judicial difícil, tentando superar outros processos difíceis que tentavam superar o dele.

— Sim, recebi a notícia na semana passada.

— Cedo, hein? — William Eckersley comentou.

— Stanford oferece algumas admissões precoces, para alguns de seus melhores candidatos. — Becca suspirou.

— Isso não é totalmente verdade — Jack contrapôs. — Você precisa ter... Bem, eu simplesmente tive uma boa recomendação.

— Do senador Ward, de Maryland, para quem Jack trabalhou no verão. Ele é ex-aluno de Stanford.

— Bem, parabéns. — Mary tornou a sorrir. — Vai aceitar a oferta?

— Não tenho certeza se quero ir para a Califórnia, senhora.

— Jack não se empolgou. Ele não quer ser advogado. Ele quer escrever — Becca revelou.

— Escrever o quê? — William quis saber.

Jack fitou Becca com os olhos arregalados. Eles haviam combinado não revelar nada sobre isso aos pais dela. O orientador de Jack lhe disse que seu plano de carreira era suicida e que, se ele fosse admitido numa faculdade de direito de primeira classe, deveria trabalhar duro e conseguir um emprego num grande escritório de advocacia depois da pós-graduação. Seu orientador mostrou gráficos com projeções salariais para formados e pós-graduados em direito da Ivy League, e disse a Jack exatamente quanto ele deveria estar ganhando em cinco anos. Tentar ser um escritor de discursos era bastante arriscado, seu orientador afirmou. Ele continuou falando por mais quinze minutos sobre outros garotos que perderam oportunidades e onde estavam agora na vida. Jack desejou perguntar que oportunidade seu orientador perdeu ao longo do caminho, que o prendia agora num escritório onde cuidava de papelada e afastava garotos persuadíveis de seus sonhos.

— Discursos políticos, talvez. Becca e os nossos melhores amigos também vão seguir carreira em direito. Assim, tenho certeza de que um deles acabará no Congresso. E talvez me contrate. — Jack sorriu para Becca.

— Brad é o único que quer se candidatar a um cargo. Gail e eu vamos abrir nosso próprio escritório e nos tornar milionárias antes dos trinta anos.

— Continuem falando assim, e vocês vão provocar um ataque cardíaco neste velho coração — o sr. Eckersley disse.

— Não se preocupe, papai. Vou acrescentar o terceiro Eckersley ao nome do escritório.

— De onde veio essa aspiração para escrever discursos políticos, Jack? — William indagou.

— Há dois verões, trabalhei para a campanha do governador, em Wisconsin, e tive oportunidade de escrever um pouco. E, nos últimos três verões, participei de um curso no Congresso, em Washington.

— Jack escreveu a versão preliminar para o senador Ward quando ele discursou para o Congresso a respeito dos gastos militares — Becca interveio.

— Sério? Milt Ward? — Mary se admirou.

Jack assentiu com um gesto de cabeça.

— Você escreveu o discurso dele?

— Eu e os demais estagiários. E a maior parte do que escrevi foi cortada.

— Você sempre faz isso, Jack. Detesto quando se deprecia.

Jack achou graça.

— Não estou me depreciando, Becca. É um fato. Minha parte falava de gastos em defesa, e a maior parte foi cortada.

— Só por causa das limitações de tempo. — Becca se ʜ ʌu para a frente, entre os assentos, para que seus pais conseguissem ouvir com clareza. — O senador Ward ligou para Jack depois para lhe dizer que tinha mais talento do que os outros estagiários.

— Jura?! — a mãe exclamou, virando-se para trás.

— Acho que foi um telefonema de cortesia. — Jack deu de ombros.

— Ele apadrinhava o curso. Assim, imagino que tenha ligado para todos os estagiários e dito algo parecido.

Becca fez um gesto negativo com a cabeça e se reclinou.

— O senador não ligou para os outros estagiários. Sammi Ahern participou do mesmo curso, e ela nunca recebeu uma ligação de Ward. Você está sendo modesto. O senador Ward enviou uma carta de recomendação para você este ano, ainda que uma centena de estudantes tenha lhe pedido.

— Então por que fazer pós em direito se você quer escrever discursos? — o sr. Eckersley perguntou.

— Vou estagiar nos verões para obter mais experiência. E a faculdade de direito será um bom reforço em termos de currículo. Acho que me deixará mais preparado se for para escrever acerca de questões políticas.

— Bem, o direito é uma profissão fascinante, e talvez você ainda mude de ideia. De qualquer maneira, parece que você é capaz de tomar decisões sensatas. — William Eckersley virou a cabeça para observar Becca enquanto dirigia. — Enfim estou entendendo por que vocês mostraram tanta determinação em permanecer em Washington no verão passado, em vez de trabalharem para mim. É oficial agora? Vocês dois estão namorando?

— Ninguém da nossa turma da George Washington sabe, papai. Mas vamos contar a todos quando voltarmos.

De imediato, Jack sentiu o estômago embrulhar. Ele reprimiu o arroto e fingiu um sorriso para Becca.

William mudou seu foco para o espelho retrovisor, onde podia ver o rosto de sua filha.

— E por que o segredo do namoro de vocês?

— Eu já lhe disse, papai. Somos todos amigos, e só queremos esperar para contar aos demais.

— Esperar até quando, querida?

— Estamos aguardando o momento certo, papai. É uma dessas situações que você não vai entender.

— Ah, claro. Devemos lembrar que você já tinha três anos de idade quando sua mãe e eu falamos a seu respeito para os outros pela primeira vez. Assim, talvez eu entenda mais do que você imagina.

— Pai, você é um babaca.

Durante dez minutos, eles permaneceram em silêncio. Então, o sr. Eckersley perguntou:

— Jack, você tem alguma familiaridade com as montanhas Blue Ridge?

— Não muita. Sou de Wisconsin. Assim, montanhas são algo fora do comum para mim.

— Elas fazem parte da cordilheira das montanhas Great Smoky. De certa forma, são o interior dos Apalaches e formavam uma barreira para os colonizadores originais. Só no final do século XVIII...

— Pai! Acabamos de fazer os exames finais. Não precisamos de uma lição de história.

— Não é uma lição. São informações interessantes sobre aonde estamos indo. Temos uma propriedade nas montanhas, onde gostamos de passar o Natal todos os anos. É uma casa no lago, e também passamos bastante tempo ali no verão. Eu costumava comandar o meu iate em passeios pelo Summit até Becca decidir que era a nova comandante. Agora, apenas sigo ordens. A cidade se chama Summit Lake.

— Becca me falou da casa, senhor. Fica sobre a água, certo? Sobre estacas ou algo assim?

— Se você cair da varanda, mergulhará no lago — Becca afirmou.

— Uma palafita! — Jack sorriu. — Vai ser ótimo conhecê-la.

O IRMÃO DE BECCA ESTAVA NOIVO DE UMA GAROTA CUJOS pais viviam em Manhattan. Assim, ele fora passar o Natal em Nova York. E sendo um membro recém-admitido no escritório de advocacia do pai, voltaria de avião para Greensboro na noite do dia 25, para trabalhar no dia 26. Isso tornava Jack, Becca e os pais dela os únicos participantes da jornada natalina dos Eckersley para Summit Lake.

A mesma pressão para se distinguir ocorreria quando Becca se associasse ao escritório do pai. Mas primeiro ela teria de enfrentar a pós e o exame da Ordem antes de se juntar aos outros advogados, que consideravam uma jornada de trabalho de noventa horas semanais a única maneira de provar seu valor.

Eles se aproximaram de Summit Lake perto das seis da tarde. Mesmo sem a luz do dia, Becca e Jack conseguiam sentir as montanhas a encará-los.

— Está vendo? — Quando eles entraram na cidade, Becca apontou para o lago, onde duas fileiras de dez casas, sobre a água, apoiavam-se em longos pilares.

Decoradas com luzes natalinas, as casas brilhantes eram refletidas no lago abaixo. Um caminho estreito situava-se atrás das residências, e o sr. Eckersley conduziu o Escalade por ali, estacionando numa pequena vaga, perto da última casa da fileira. Todos desembarcaram. Estava mais frio naquela região do que ao nível do mar.

Becca pegou a mão de Jack e o levou ao terraço que circundava a construção. Os dois caminharam até os fundos, onde ficaram observando o lago.

— O que acha?

— É incrível. Agora sei por que você gosta tanto daqui. O que é aquilo? — Jack perguntou quando fitou a luz do outro lado do lago.

— O farol de Summit Lake. Na noite de Natal, a luz alterna entre vermelho e verde. Fica exatamente no lugar onde as montanhas acabam. Do outro lado, o lago se abre ao longo de muitos quilômetros — Becca explicou. — Está vendo a árvore?

Sobre os prédios de dois andares, Jack avistou o topo de um pinheiro brilhando com luzes coloridas e uma estrela cintilante. Becca apertou a mão dele, lendo a mente de Jack do jeito que sempre fazia.

— Não fique triste. No próximo ano, vamos passar o Natal em Green Bay.

— Sei disso. Mas consigo ver minha mãe chorando na manhã de Natal por eu não estar ali.

— No próximo ano, minha mãe é que estará chorando. Quando eu tiver trinta anos, ela ainda irá chorar se eu não estiver por perto na manhã de Natal.

Eles tiraram a bagagem do porta-malas, e em seguida foram para a cidade. Becca segurava uma boneca, enquanto Jack carregava um caminhão de brinquedo. Eles seguiram ao longo do cais, que ficava atrás das palafitas, e então chegaram à Maple Street, que tinha cinco quarteirões e acabava num hotel de três andares. Lojas e restaurantes se enfileiravam na rua, e, no meio da cidade, os dois alcançaram o pinheiro gigante — que não ficaria inapropriado no Rockefeller Center — e colocaram seus donativos debaixo da árvore.

— Venha. Quero lhe mostrar os arredores — Becca disse.

Eles se dirigiram até o fim da Maple Street, deram meia-volta e regressaram pela outra calçada. O fluxo de pedestres era esporádico, já que as pessoas entravam e saíam das lojas carregando presentes alguns dias antes do Natal.

Sem a intromissão das luzes da cidade, o céu noturno estava decorado com estrelas. Lembrando-se de sua cidade, Jack contemplou as casas situadas na encosta da montanha. Estavam enfeitadas com decorações natalinas, e ele imaginou uma vida com uma segunda casa, situada nas montanhas, em que a família e os amigos se reuniam para passar fins de semana, feriados e férias.

Jack passou a conhecer jovens ricos desde que entrou na George Washington; alguns tão abastados que faziam sua vida em Green Bay parecer uma piada. Becca e a família dela, Jack sabia, aproximavam-se desse tipo de riqueza. Os pais de Jack nunca tiveram muito dinheiro, e jamais puderam se permitir o luxo de uma casa de férias no condado de Door, para onde alguns de seus amigos iam durante o verão. Mas nada disso importava para ele. Seus pais deram aos filhos tudo o que tinham, e por isso Jack pôde frequentar a Universidade George Washington. Quem sabe a partir dessa oportunidade uma vida como a que Becca levou por vinte anos talvez fosse possível... Talvez.

Foi quando a dúvida tomou conta de sua mente e nublou o caminho que ele vislumbrava para seu futuro. Enquanto permanecesse naquela cidade, o pensamento de o que teria para oferecer para a garota que amava o deixaria tenso. Os conselhos de seu orientador estariam corretos? Jack imaginou-se encarando semanas de trabalho de noventa horas, realizando pesquisas no porão de um escritório de Nova York. Não, decidiu. Ele viveria à custa dos programas de assistência do governo antes de desistir de seus sonhos, ou de cair na rotina de uma vida com um emprego das nove da manhã às cinco da tarde.

— Essa é a nossa igreja. — Becca apontou para a grande estrutura no fim da Maple Street. — A Missa do Galo é muito bonita.

— Mal posso esperar. — Jack sorriu.

— Você está contente de ter vindo?

— Sim.

Becca passou o braço em torno da cintura dele durante a caminhada pela cidade. Jack a enlaçou pelo ombro e a estreitou junto a si.

14

Kelsey Castle
Summit Lake
9 de março de 2012
Dia 5

KELSEY ACORDOU CEDO E FOI CORRER PELAS RUAS. APESAR
de seu sonho, ou talvez por causa dele, ela decidiu correr naquela manhã.
Às cinco e meia, a cidade dormia quando Kelsey alcançou as margens do
lago. Então, ela pegou uma trilha de terra, que passava pelo hospital e
seguia perto da água, até chegar ao farol, a três quilômetros de distância.

Um caminho pavimentado atravessava o pátio e levava à entrada da
torre. Kelsey subiu a escada em caracol, com degraus metálicos que ressoaram sob seus pés. Respirava com dificuldade quando atingiu o topo e
atravessou a pequena passagem que parecia pertencer a um submarino.
O vento era mais forte no alto da torre, e Kelsey teve de se agarrar ao cor-
rimão para se firmar.

Ela olhou para além do lago. A cidade começava a despertar, com
luzes visíveis nas casas e as chaminés lançando fumaça. Kelsey se dirigiu
ao outro lado da torre, onde o lago se abria para uma vasta extensão de
água, que abrangia diversos quilômetros. De sua perspectiva, pôde ver o
horizonte ganhar as cores do amanhecer. Sentou-se no piso metálico frio
e colocou as pernas entre as barras verticais do parapeito. Segurando as
duas barras, enfiou o rosto entre elas e assistiu ao nascer do sol.

Quando o sol surgiu acima da linha do horizonte e sua luz traçou um
caminho ao longo da superfície do lago Summit, a mente de Kelsey se
fixou em Becca Eckersley. Se sua informação estivesse correta, por que
Becca se casara em segredo? A lista de possibilidades era longa. Os pais
dela não aprovaram o rapaz. O relacionamento era novo, eles eram muito

jovens, e ninguém entenderia um casamento realizado tão às pressas. Ele era mais velho — um professor, talvez, ou quem sabe um advogado —, e o caso deles tinha de ser mantido em segredo.

Qualquer que fosse o motivo, o resultado era o mesmo: os pais de Becca não sabiam nada a respeito do casamento. Ou ao menos não sabiam na noite em que ela fora morta.

Kelsey observou através do lago. As fileiras em arco das palafitas eram visíveis. Na extremidade, a casa dos Eckersley ficou iluminada pela luz matinal. Kelsey franziu os lábios e respirou lenta e longamente, soltando uma fumaça pouco visível no ar frio. Precisava do diário de Becca. Se ele existisse, sem dúvida conteria a identidade do homem com quem ela se casou. E se Becca escreveu nele no café, na noite em que foi morta, alguém tinha conhecimento desse diário.

Kelsey passou meia hora no alto do farol, refletindo sobre os fatos do assassinato de Becca e reconstituindo suas informações. Enfim, com o sol já mais alto no horizonte, ela desceu a escada e pegou a trilha perto do lago.

Ele se ofereceu para encontrá-la às sete da manhã. Poucos minutos depois do horário marcado, Kelsey parou de correr e passou a caminhar, percorrendo o cais perto das palafitas, e o viu na extremidade. Procurou se acalmar durante a caminhada e parou diante da propriedade dos Eckersley. O delegado Ferguson se aproximou, com um cigarro entre os lábios, e o acendeu, tragando por alguns segundos antes de falar:

— Bom dia, mocinha. — A fumaça saiu pela boca e se afastou, levada pela brisa. — Parece que você já teve um dia de atividade intensa.

— Corrida matinal. Não dormi bem. — Kelsey apontou para a casa dos Eckersley. — Obrigada por fazer isso.

— Não tenho certeza do que você vai descobrir lá dentro. Mas façamos isso antes que alguém desta cidade acorde e me veja deixando uma jornalista entrar na cena do crime.

Eles ultrapassaram a fita amarela para isolamento de área que circundava o terraço e ondulava na brisa. O delegado Ferguson chacoalhou algumas chaves e se impacientou com as portas do pátio. Ele empurrou a porta corrediça de vidro para o lado, e Kelsey o seguiu para o interior da residência.

Ela passou pela sala de estar e chegou à cozinha, onde Becca foi atacada. Kelsey estivera ali em seu sonho da noite anterior. Ao olhar em volta, ela viu a ilha longa com quatro bancos. Os armários de pinho alcançavam o teto. Os eletrodomésticos de aço inoxidável e as bancadas de granito davam ao lugar uma aparência refinada. Kelsey notou a porta fora da cozinha, que dava acesso ao vestíbulo: a mesma pela qual o agressor entrou na noite em que Becca foi assassinada.

Kelsey imaginou aquela noite. O material de estudo de Becca sobre a ilha e ela sentada num banco. De alguma maneira, o homem entrou na casa através de uma porta destrancada ou com a permissão de Becca. Depois, uma luta. Articulações dos dedos de Becca machucadas e duas delas fraturadas, na mão direita. Pele sob as unhas e pelos faciais nas palmas das mãos. Papéis e livros espalhados pela cozinha, louça estilhaçada sobre o piso.

Ao imaginar a cena, Kelsey se pegou torcendo para que Becca lutasse de uma maneira a alterar o resultado. A luta aconteceu bem ali, onde Kelsey estava. Os vestígios daquela noite — a louça quebrada e os móveis virados — continuavam presentes. Uma sensação sinistra tomou conta de Kelsey quando ela considerou que estava no mesmo lugar em que outra mulher fora atacada; uma experiência igual à sua própria, de algumas semanas antes.

Tirada de sua trilha de corrida naquela manhã, Kelsey lutou pela vida, como Becca. E as perguntas que vinha fazendo sobre Becca eram iguais àquelas que se escondiam nos cantos sombrios de sua mente. Por que fora atacada? Houve algo que ela fez para provocar aquilo? Por que o canalha a escolheu, e não outra pessoa? Por quanto tempo ele a teria esperado e observado? Ela conhecia o homem por trás da máscara, ou ele era apenas um estranho aleatório escolhendo uma mulher aleatória?

Percorrer a propriedade dos Eckersley fez aqueles cantos sombrios de sua mente brilharem, e todas as questões que vinha evitando passaram ao primeiro plano. E, naquele momento, Kelsey quis saber se Penn Courtney — seu pai substituto — sabia mais do que deixou transparecer do caso de Becca. Se ele tinha consciência de que a única maneira de Kelsey superar seus medos era através do trabalho e por meio de um caso que a forçava a se analisar longamente e de maneira árdua, e considerar o que acontecera.

Mas se ela estava dando a Penn mais crédito do que ele merecia, uma coisa era certa: houve um motivo para Kelsey assumir tão rapidamente aquela história. E quando se viu no mesmo lugar onde Becca Eckersley fora estuprada e morta, ela se deu conta disso. Kelsey sentiu-se ligada a Becca. Houve a noção de saber exatamente o que ela passou. De saber o que ela sentiu aquela noite. Ali, no meio da cena do crime, Kelsey soube que não estava apenas escrevendo um artigo para preencher a cota de laudas de sua labuta mensal. Ela estava à procura de respostas, para devolver alguma dignidade a uma garota inocente. Becca Eckersley merecia uma conclusão para esse suplício, e se Kelsey conseguisse achar as respostas e fornecer essa conclusão, quem sabe *ela* se beneficiaria tanto quanto Becca... Talvez fosse capaz de voltar à sua vida e definir um rumo fazendo o mesmo para si.

O delegado Ferguson precisou de dez minutos para descrever a cena daquela noite. Kelsey anotou os menores detalhes; informação que sozinha jamais solucionaria alguma coisa, mas, reunida com o que ela já possuía, contribuiria para a narrativa.

— Importa-se se eu der uma volta pela residência, delegado?

— O lugar foi arrumado. O que você espera encontrar?

— Uma ideia. — Kelsey sorriu.

— Você tem cinco minutos, e não toque em nada. — O delegado Ferguson sentou-se num banco da cozinha, tamborilando os dedos no granito.

Sabendo que a cozinha era a principal cena do crime, e que todas as provas teriam sido cuidadosamente coletadas dali, Kelsey seguiu por um corredor e chegou a uma sala de lazer. O lugar era constituído por uma mesa, uma cadeira e uma parede com estantes de livros. Ao contrário da cozinha e da sala, aquele recinto estava imaculado e intocado. Contra as ordens, ela, em silêncio, abriu gavetas e manuseou o conteúdo das estantes.

Em seguida, no andar superior, Kelsey entrou em cada um dos três quartos. Passou o maior tempo no aposento de Becca. Primeiro, verificou a mesa de cabeceira e, em seguida, olhou debaixo do colchão. Encontrou o *closet* quase vazio, com o armário sem nada de valor. Passados cinco minutos, ela afastou uma mecha de cabelo do rosto e percorreu com o olhar o ambiente. O quarto silencioso de uma garota morta, que jamais voltaria a usar nada das coisas situadas na penteadeira, nas gavetas ou nas prateleiras. Finalmente, Kelsey voltou para o andar inferior.

— Achou o que procurava? — o delegado Ferguson perguntou quando ela se aproximou.

— Não.

— Bagunçou as gavetas e os armários que eu disse para você não tocar?

— Também não.

— Vamos embora antes que eu perca meu emprego.

Os dois saíram, e o delegado Ferguson trancou a casa. Eles começaram a caminhar pelo cais.

— Muito bem, mocinha, qual é a novidade que você tem para me contar?

— Eu sei o segredo de Becca — Kelsey disse, sem parar de andar.

O delegado voltou a tragar seu cigarro, fazendo certo ar de espanto. Tirou o cigarro da boca e disse:

— Qual é?

— Ela fugiu para se casar. Casou-se sem que seus pais soubessem.

Refletindo a respeito, o delegado deu outra tragada. Olhou para as montanhas, e Kelsey percebeu que a mente dele trabalhava. Aquele era um detetive que tinha um caso não solucionado, que o atormentava sem cessar, pedindo uma solução.

Quando ele tirou o cigarro da boca, a fumaça escapou pelo lábio superior e entrou pelas narinas. Kelsey achou que aquilo podia ser uma nova definição para fumante passivo, e sentiu vontade de dizer ao grande detetive que, se a primeira inalação não matava, a segunda talvez conseguisse. Em vez disso, ela afastou a fumaça fedorenta do rosto com um gesto de mão.

O que trouxe o delegado de volta de seus pensamentos.

— Desculpe. — Rapidamente, apagou o cigarro com a sola do sapato e enfiou a bituca no bolso. Afastou a fumaça residual com um gesto de mão, mas sua mente estava, sem dúvida, em outro lugar. — Isso não faz sentido — ele afirmou, por fim.

— O que não faz sentido?

108

— Becca ser casada. Investiguei seu passado a fundo. Nunca deparei com algum registro que sugerisse isso. Para casar, você precisa de uma licença matrimonial. Após a cerimônia de casamento, uma certidão de casamento é emitida, devendo ser registrada no condado para legalizar a união. É parte de nossa grande burocracia, que, diga-se, não é nada mais do que um negócio rentável para os condados. Nunca achei um registro assim.

Kelsey pensou a respeito.

Eles percorreram a Maple Street e chegaram à Minnehaha Avenue. Então, pararam em frente à sede da polícia de Summit Lake. Millie Mays teria se equivocado? A idosa entendera mal a descrição de sua filha da conversa com Becca? Um pouco de demência e floreio alteraram a história na cabeça de Millie? Era possível, Kelsey concluiu, mas improvável.

Kelsey entrevistara muitas fontes da mesma forma que entrevistou Millie: com naturalidade, sem pressão para obter informações detalhadas. Além disso, Kelsey percebia quando as pessoas deturpavam o que sabiam. Algumas vezes, elas floreavam seu conhecimento para se sentirem mais importantes e talvez colocarem seus nomes numa revista. Em outras, elas não tinham indícios reais a respeito do que Kelsey estava perguntando, mas eram incapazes de admitir isso; assim, criavam uma história do nada. Millie não se enquadrava em nenhuma dessas categorias. Ela relutara em revelar o segredo que guardava, e, sem dúvida, não teria dado nenhuma informação se Kelsey não a manipulasse.

— E se eles foram para Las Vegas e se casaram sem mais nem menos? — ela perguntou.

O delegado Ferguson fez um gesto negativo com a cabeça.

— O casamento poderia ter sido em Las Vegas ou na Jamaica, não faria diferença. O casal tem de registrar a certidão de casamento, e o registro aparece quando pesquisamos o nome de um deles em nosso banco nacional de dados. Se esse suposto casamento tivesse acontecido fora dos Estados Unidos, a certidão precisaria ser encaminhada para cá pela embaixada americana no país estrangeiro. Talvez algumas semanas depois. Assim, quem sabe a certidão ainda esteja no exterior sendo processada. O problema com essa teoria é que não há registro de saída de Becca do país. Assim, se ela se casou, foi aqui nos Estados Unidos, e não há registro disso. Portanto, ou ela burlou o sistema ou você está errada.

— O delegado alisou o cavanhaque: — Onde você obteve a informação de que Becca se casou?

Kelsey sorriu para ele, como se Ferguson devesse saber que não valia a pena fazer essa indagação.

— Tudo bem. Quão confiável é essa fonte?

— Se a história do casamento for verdadeira, ela é bastante confiável. Acho que vamos ter de investigar mais um pouco em busca da resposta.

O delegado Ferguson tirou o toco de cigarro do bolso e o acendeu. Mas tomou cuidado extra para manter a fumaça só para si.

— A única maneira de esse cenário ser possível seria eles terem se casado em segredo, rápido de verdade, sem ninguém saber e sem nunca haverem registrado a certidão de casamento, que eles teriam de fazer juntos.

— Então, Becca deve ter sido morta antes de eles registrarem a certidão?

— Exatamente. É o único jeito.

Por algum tempo, os dois permaneceram calados.

— Examinei com muita atenção as informações que o senhor me deu, delegado.

— Fiz o mesmo com as suas.

— O senhor sabe algo a respeito de um diário?

— De quem? De Becca?

— Sim. Ouvi dizer que ela escrevia um.

— Onde está? Com os pais dela?

— Duvido. — Kelsey balançou a cabeça. — Pelo que parece, ela fez algumas anotações nele poucas horas antes de sua morte. Devia estar entre as provas coletadas na palafita, naquela noite.

— Nenhum diário foi encontrado naquela noite.

— Eu sei.

— E você sugere que devia ter sido?

— O que digo é que, se Becca fez anotações num diário aqui em Summit Lake, ele tem de estar em algum lugar.

— E suponho que você não encontrou em nenhuma gaveta ou armário que acabou de remexer na casa dos Eckersley.

Kelsey fez um gesto negativo.

— Quem coletou as provas naquela noite e criou aquela lista?

— Meus homens — o delegado Ferguson informou. — Sob minha supervisão.

— Não foram os seus amigos da polícia estadual?

— Eles só chegaram muito tarde naquela noite, depois que a maior parte das provas já havia sido documentada. Se o diário estivesse naquela casa, nós o teríamos encontrado.

— E documentado?

— Claro.

Kelsey fechou os olhos e levou as mãos à testa.

— Ainda não nos ajuda muito. — O delegado deu de ombros. — Mesmo se for verdade que Becca era casada.

— Não? O senhor me disse para descobrir o segredo de Becca.

— Disse. Mas descobrir um segredo jamais é a chave. Descobrir por que um segredo é um segredo é o que leva a algum lugar.

15

Becca Eckersley
Summit Lake
28 de dezembro de 2010
Treze meses antes de sua morte

APÓS O NATAL, ELES PASSARAM MAIS TRÊS DIAS EM SUMMIT Lake. Becca e Jack passearam pela cidade, tomaram café no Millie, jantaram com os pais de Becca e passaram noites tranquilas na palafita, vendo filmes e jogando cartas. O sr. Eckersley tentou convencer Jack das maravilhas de exercer a advocacia, em vez de simplesmente possuir um diploma de direito. Jack prometeu não tomar nenhuma decisão até o término da faculdade.

Na última noite, Jack e Becca saíram para jantar sozinhos.

— No próximo verão, gostaria que você fosse comigo para Greensboro, para eu lhe mostrar onde moro, Jack. Iremos até o litoral e veremos as ondas chegando do Caribe. Depois de nos formar, poderemos passar as férias ali.

— Onde?

— No Caribe. Santa Lúcia ou São Tomás. Também será possível alugar um veleiro e navegar ao redor das Ilhas Virgens Britânicas.

— Não sei velejar.

— No próximo verão eu te ensino. Vou levá-lo a Mumford Cove, onde mantemos o nosso iate. É bem na costa.

— Grande ideia — Jack disse.

— Sim — Becca afirmou, sorrindo.

— Não tenho os mesmos hábitos. Nunca tivemos um barco em minha família.

— E daí? Não leva muito tempo para aprender a velejar.

— O que você vai fazer após a faculdade, Becca?

— O que quer dizer?

— Olhe sua vida aqui. Você cursa uma faculdade muito cara. Eu também, mas tenho bolsa integral. Suponho que seus pais assinem um cheque todo semestre. Você tem uma casa de férias nas montanhas, uma mansão em Greensboro e um iate. Dois deles, certo? Um aqui e outro no litoral?

— E? Também temos uma casa em Vail. Que importa?

— Se você visse minha vida em Wisconsin... e não quero dizer isso de um jeito ruim, porque não sinto vergonha. Mas se você visse onde eu moro, a casa em que cresci, o carro que temos, garanto que iria estranhar muito.

— O que isso tem a ver com o que vou fazer depois da faculdade?

— Advogados recém-formados não se dão muito bem, a menos que sigam para Nova York e se vendam como escravos para um grande escritório. Mas sei que isso não é o que você quer fazer. E seu pai é bastante esperto por não empregar sua garotinha no escritório poucos anos após admitir seu filho, e pagar um salário enorme para ela antes de ela fazer por merecer.

— Nesse caso, alugo um apartamento, dirijo um carro usado e me alimento com comidas baratas. Não acha que consigo fazer isso?

— Acho que consegue. Acontece que eu estou acostumado com isso tudo.

— Mas nós estaremos juntos. Portanto, não importará onde iremos morar ou o que teremos. — Becca esboçou um sorriso. — Você é o bastante para mim. Mas tenho uma boa notícia, Jack: você será muito bem-sucedido no que fizer.

Jack deu de ombros, num gesto de desdém.

— Teremos de encarar mais um semestre de faculdade e depois a pós e o exame da Ordem antes de nos preocuparmos com essas coisas.

— É muito estranho, não é? — Becca afirmou. — Pensar a respeito da vida após a faculdade? Não precisar mais enrolar, não precisar mais esconder nada. Poder ter nosso próprio lugar e dormir juntos todas as noites. Eu não ter mais de entrar escondida em casa no meio da noite. Vai ser estranho contar para Gail e Brad, mas acho que Gail suspeita de alguma coisa.

— Sim. — Jack olhou pela janela do restaurante. — Vai ser estranho de verdade.

— Becca Eckersley!

A entonação era grave e forte, e quando Jack ergueu o olhar ficou surpreso de ver alguém de sua idade ligado àquela voz. O rapaz usava uma barba estilosa, meticulosamente mantida, e da qual ele, sem dúvida, sentia muito orgulho.

— Olá. — Becca lançou um olhar rápido para Jack, os olhos dela arregalados. Um sinal para informar a Jack que algo embaraçoso estava acontecendo. Becca ficou de pé e ofereceu ao rapaz um abraço obrigatório. — O que faz por aqui?

— Da escola para casa e aqui com meus pais. E a George Washington?

— Tudo bem. Realmente, tudo bem. E Harvard?

— Também tudo bem. É o que se espera que seja. Um ponto de partida, certo?

Jack viu Becca secar as mãos na saia. Outro de seus sinais.

— Este é Jack — Becca apresentou.

Jack se ergueu. Era alguns centímetros mais baixo e consideravelmente menor que o sujeito a sua frente. Ele ofereceu a mão.

O rapaz a pegou e a apertou. O macho alfa.

— Richard Walker. Becca e eu somos velhos amigos — ele disse, como se eles tivessem quarenta anos e não se vissem havia vinte.

— Richard e eu fizemos o colégio juntos — Becca informou.

— Sim. Nós namoramos — Richard prosseguiu, encarando Jack. — Éramos o que chamam de *namoradinhos eternos do colégio*.

Jack não desviou o olhar de Richard, impassível.

— Estou familiarizado com a expressão. — Jack também estava agora familiarizado com Richard Walker. Era o idiota que aparecia em Washington de vez em quando para perturbar Becca e fazê-la chorar. Quando Jack e Becca se conheceram, ela estava tentando desatar o nó que a uniu a Richard no colégio. Quatro anos depois, ela ainda se dedicava àquilo. Jack se lembrou dos olhos chorosos de Becca nos fins de semana em que aquele babaca aparecia para jurar de novo seu amor por ela e explicar o quão partido estava seu coração sem ela. Jack também se lembrou das discussões com Becca a respeito do fato de a família do sujeito ser dona de uma casa em Summit Lake, onde os dois passavam todos os verões durante o colégio.

— Há quanto tempo você está aqui? — Richard quis saber.

— Quase uma semana. Viemos para o Natal. Vamos embora amanhã.

— Vocês dois vieram?

Becca assentiu com um gesto de cabeça.

— Como vocês se conheceram?

— Fazemos faculdade juntos, Richard — Becca afirmou.

— Somos o que chamam de *namoradinhos eternos da faculdade*. — Jack arqueou uma sobrancelha.

Por um instante, Richard ficou paralisado e, em seguida, deu um sorriso forçado. De imediato, Jack percebeu que aquele sujeito tinha uma autoestima exagerada.

— Entendi. Parabéns. De onde você é, chefe?

Chefe?

— Green Bay.

— Wisconsin? — Richard assumiu uma expressão esquisita. — No meio do nada, hein? Bem-vindo à civilização.

Jack continuou a encará-lo, mas nada disse.

Richard voltou a se dirigir a Becca:

— Posso conversar com você um minuto?

— Claro — Becca respondeu, com certo espanto.

— Em particular?

Becca sorriu amarelo, olhou rapidamente para Jack e, depois, de volta para Richard.

— Estou jantando, Richard. Não vou correr para o canto com você, como na escola.

Jack deu um sorriso discreto. Ele tinha motivos para amar aquela garota.

— Entendi — Richard repetiu. — Não pretendi interferir. Foi legal revê-la. De verdade.

— Também gostei. — Becca deu-lhe um abraço relutante.

— Passe bem, chefe.

— Até mais, Dick.

— Como disse?

— Dick. É o diminutivo de Richard.

— Sou conhecido por Richard.

Jack sentou-se e pôs o guardanapo no colo.

— A gente se vê, Richard.

Richard esboçou outro sorriso forçado.

— Realmente um sujeito fino, Becca. Tenho certeza de que seu pai está feliz com o fato de você estar saindo com ele.

— Tchau, Richard — Becca o despachou. — Feliz ano-novo.

Richard a encarou. Por fim, ele deu um passo para trás.

— Sim.

Jack o observou partir.

— Qual é o problema dele?

— Não sei. Meu Deus, foi difícil.

— O cara sempre falou assim, com voz de locutor?

— Ele quer ser promotor. Suponho que ache que isso ajudará no tribunal.

— Ajudará os jurados a acharem que ele é um idiota. E você namorou esse cara? Esse é o cara?

— Pare — Becca pediu, sorrindo.

— Ele parece meio doido, não? — Jack perguntou.

— Sim, parece um pouco estranho. Ele ainda… Sabe, ele nunca superou o fim de nosso namoro.

— Você acha?

— Por que o chamou de Dick?

— Por nada.

Sorrindo, Becca fez um gesto negativo com a cabeça.

— O que eu vou fazer com você?

ELES TERMINARAM DE JANTAR E PEGARAM A MAPLE STREET para voltar para a palafita.

— Meus pais gostam de você, Jack. Não se preocupe com Richard. Ele estava tentando irritá-lo.

— Posso não me tornar o advogado com quem seu pai quer que você case, mas, comparado a Dick Walker, tenho certeza de que seus pais acham que sou um bom partido. A não ser que eles tenham se deixado seduzir por aquele sorriso falso que quase apaguei.

— Meu pai sempre gostou dele no colégio, mas só porque eu o estava namorando. O pai de Richard é um grande advogado, portanto, meu pai o conhece. Richard costumava tirar proveito disso. Mas já chega de falarmos do colégio. Vamos ver com quem deparamos no próximo ano, quando visitarmos os seus pais.

Jack sorriu.

— Não tenho nenhum Dick Walkers em meu armário. Acredite em mim.

— Bem, Richard foi a primeira pessoa para quem falamos do nosso namoro, além de nossos pais. O que faremos quando voltarmos para a faculdade? Iremos contar a todos, certo? Gail e Brad?

Jack deu de ombros, em sinal de dúvida.

— Sim.

— Você não parece muito certo.

— Acho que precisamos conversar a esse respeito.

— A respeito de quê?

— Creio que iremos ter alguns problemas quando voltarmos para a faculdade.

— De que tipo? Você está começando a me deixar preocupada.

— Não são problemas entre mim e você. São problemas com nossos amigos. Mantivemos o segredo por muito tempo. Estou começando a achar que devíamos ter contado tudo desde o início, desde o verão passado, quando tudo aconteceu entre nós. Teria nos poupado de várias situações complicadas que estamos prestes a encarar.

Eles entraram numa rua secundária e rumaram para o lago.

— Entendo o que está dizendo, Jack. Mas acho que tudo dará certo. Talvez seja um pouco estranho no início, mas é só isso.

— Gail é uma coisa — Jack disse quando eles começaram a percorrer o cais. — Brad é outra.

— Como assim?

Jack não teve tempo para responder. Quando ele e Becca se aproximaram da casa, viram Brad sentado em um banco do pátio. Brad assumiu uma expressão confusa quando viu Becca chegando ao lado de Jack.

— Brad? — Becca não entendia o que estava acontecendo. — Ah, meu Deus! O que vocês estão aprontando, rapazes? — ela perguntou para Jack, sorrindo. — Você sabia disso?

— Droga... — Jack murmurou, soltando a mão de Becca.

Becca se aproximou de Brad e tentou lhe dar um abraço.

Brad impediu o avanço dela com o braço, olhando só para Jack.

— Você contou para ela? — ele perguntou.

— Não — Jack respondeu. — Não disse nada.

— Brad, o que está acontecendo? — Becca parou de sorrir. — O que há, meninos?

Brad encarou Jack, incapaz de olhar para Becca. Finalmente, ele dirigiu o olhar para ela.

— Vim para falar o quanto gosto de você. Achei que você sentia o mesmo por mim. Foi o que você falou na outra noite. — Brad balançou a cabeça. Em seguida, deixou escapar um sorriso forçado. — Vim para falar que estou apaixonado por você. Mas vejo que você está saindo com Jack pelas minhas costas. — Tornou a fitar Jack. — Achei que sua mãe o mataria se você não fosse para casa no Natal.

— Planejamos isso há poucas semanas, Brad — Becca disse.

Brad semicerrou os olhos quando captou a mensagem.

— Vocês estão juntos ou algo assim?

Becca fez que sim com a cabeça, sem nenhuma expressão.

— Desde o verão — ela revelou. — Mas não foi de repente, Brad. A gente já se gostava fazia algum tempo.

— Então, todas as conversas que tivemos sobre meu pai e todas as sacanagens dele... todas as vezes que ficamos acordados até o nascer do sol, durante tudo isso você estava com Jack? Pensando em Jack?

— Pensando... não — Becca afirmou. — Estava pensando em você e em sua situação. Porque somos amigos, Brad. Você e eu sempre ficamos acordados até tarde conversando sobre coisas. É o que você e eu sempre fizemos. Você é um grande ouvinte e um de meus melhores amigos.

— Eu vou entrar. Fiquem conversando — Jack disse.

— Por que você não me contou no outro dia, no almoço? — Brad quis saber.

Jack deixou escapar o ar com força.

— Não sei, Brad. Fiquei aturdido ao escutar o que você estava me contando. Do mesmo jeito que você ficaria se eu lhe contasse.

— Quer dizer que você deixou que eu ficasse falando como um idiota, dizendo como achava que Becca e eu iríamos ficar juntos. E me deixou passar todo o recesso de Natal achando que eu tinha alguma chance com ela. Tentando descobrir uma maneira de revelar meus sentimentos para ela, e o tempo todo você sabia que ia estar com ela no recesso, rindo de mim?

— Ninguém riu de você, Brad. Eu nunca faria isso. E aquele dia não era o momento certo de lhe contar. Eu precisava pensar direito.

— E você veio para cá, pelas minhas costas, para pensar direito?

— Não — Jack negou com mais firmeza. — Vim para cá para passar o Natal com Becca, porque ela e sua família me convidaram. Nada disso foi feito pelas suas costas, porque antes de nossa conversa eu não sabia que meu relacionamento com Becca tinha algo a ver com você.

— Certo, rapazes, vamos fazer uma pausa de um minuto — Becca pediu.

— Gail sabe?

— Ninguém sabe — Becca informou. — Não sabíamos como contar a vocês.

Lentamente, Brad passou por eles, encaminhando-se para a frente da casa, onde estacionara seu carro alugado. Embarcou nele e deu a partida no motor.

— Aonde você está indo? — Becca se aproximou do veículo.

— Não vou ficar aqui.

— Entre em casa, Brad. Conheça meus pais. Passe a noite aqui. Assim, podemos conversar.

— Já conheci seus pais. Na certa eles me acham um tremendo idiota. — Brad deu ré pelo acesso de veículos.

Becca e Jack viram o amigo se afastar sem se despedir. Foram deixados ali, parados diante das palafitas decoradas com luzes de Natal.

16

Kelsey Castle
Summit Lake
10 de março de 2012
Dia 6

OS NÚMEROS VERMELHOS DO DESPERTADOR DIGITAL PIS-
caram de novo: quatro e quarenta e cinco da manhã. Após se revirar por uma hora, Kelsey enfim se sentou na cama, tirando as pernas de debaixo das cobertas até os pés desnudos tocarem o carpete. As mãos tremiam enquanto ela encarava o quarto escuro. Por alguns minutos, permaneceu sentada em silêncio, procurando controlar a respiração e as emoções. Então, cobriu o rosto com as mãos e começou a chorar. Por toda a noite, sua mente trabalhou para encontrar respostas ao motivo pelo qual ela resistiu a um ataque selvagem e sobreviveu, enquanto Becca Eckersley não teve a mesma sorte.

Forçar-se a voltar ao trabalho e, em seguida, vir a Summit Lake para enfrentar a história de Becca pareceu uma traição, por estar usando a garota como meio para reparar seu próprio espírito. No entanto, Kelsey não tinha conhecimento de uma maneira melhor. Sua reação imediata para sua sobrevivência fora se queixar por Penn Courtney lhe dar um mês remunerado fora do trabalho, e se prontificar a atacar como uma cascavel qualquer um que lhe oferecesse compaixão, ou ousava lhe perguntar como ela estava se sentindo. Contudo, naquele momento, após ter estado na casa dos Eckersley e seguido os passos de Becca, a perspectiva de Kelsey mudou. Ela tinha sua vida. Estava viva, saudável e se restabelecendo.

Sentada num quarto escuro de hotel, numa cidadezinha nas montanhas Blue Ridge, Kelsey Castle sabia estar sendo chamada: se não pela própria Becca, então por alguma entidade superior, para descobrir respostas para algo que tinha desconcertado aquela localidade.

Respirando fundo, ela saiu da cama e vestiu um jeans e um suéter. Trancou a porta do quarto e pegou a escada vazia para a recepção. Fora do hotel, uma brisa fresca vinda do lago a saudou, trazendo a fragrância da lenha queimada nas lareiras das casas. Ainda não havia nenhum indício do nascer do sol. Apenas as lâmpadas de rua ofereciam um brilho amarelado nos cruzamentos. Summit Lake estava pacificamente silenciosa.

Caminhando pela rua principal, na direção do lago, Kelsey aspirava o ar limpo da montanha. Na esquina da Maple com a Tomahawk, ela percebeu luzes acesas acima do café, num contraste surpreendente com a escuridão do resto da cidade. Viu que as cortinas estavam abertas e, quando chegou mais perto, escutou um barulho na janela do segundo andar, que se abriu. Rae projetou a cabeça para fora.

— O que faz aí fora?

— Não conseguia dormir — Kelsey respondeu.

— Entre aqui. Vou abrir a porta.

Pouco depois, Rae destrancou o café e a deixou entrar. Kelsey notou que ela já estava de banho tomado e arrumada. Seus olhos tinham jovialidade e brilho, sem marcas de sono ou inchaço. Seus cabelos ruivos estavam recém-secos e mostravam um brilho suave de condicionador.

Ao adentrar o café, Kelsey passou a mão pelos cabelos desarrumados e umedeceu os lábios secos e rachados.

— Você parece perfeita, jovial e bem-disposta. A que horas costuma se levantar?

— Pouco antes das quatro. O forno precisa ser ligado às quatro e meia.

— Isso é insano.

— Talvez para algumas pessoas, mas eu adoro — Rae afirmou. — Venha até a cozinha. Preciso tirar os bolinhos de aveia. O café está pronto.

Kelsey seguiu Rae, e elas atravessaram a abertura existente no balcão de mogno, próxima da caixa registradora, para entrar na cozinha. Lá, Rae gesticulou para que Kelsey pegasse café na cafeteira de aço inoxidável situada na bancada. Kelsey encheu duas xícaras, e Rae, após vestir um avental vermelho, tirou uma bandeja de bolinhos do forno. Faltava pouco para as cinco, mas Kelsey observava Rae se mover pela cozinha como se fosse meio-dia.

— Tomo com um pouco de creme e muito açúcar — Rae disse.

Kelsey preparou o café e, em seguida, pôs a xícara na ilha, onde Rae cobria os bolinhos com açúcar.

— Estão com um cheiro ótimo — Kelsey afirmou.

— Não é mesmo? — Rae dirigiu o olhar a Kelsey e, depois, de volta para os bolinhos de aveia. — Você me olha como se eu fosse uma maluca.

— Eu? Não, de jeito nenhum.

— Não se preocupe. Dou essa impressão para a maioria das pessoas, quando descobrem que acordo tão cedo e às vezes durmo tão tarde. Você pode achar que me acostumei com isso, ou que me causa tédio, mas não. Não os cheiros, o trabalho ou os frequentadores. Há muitos clientes que passei a conhecer bem e com quem adoro conversar. É assim que descobrimos que estamos fazendo o que estávamos destinados a fazer: quando nunca nos entediamos e não queremos fazer nenhuma outra coisa.

— Já pensou em abrir seu próprio café?

— Ah, sim! O tempo todo. Eu já disse para Livvy Houston que pretendia me tornar sua concorrente. Mas o certo é o seguinte: Livvy não quer este lugar. Ela decidiu mudar para algo novo. Assim, Millie, a mãe de Livvy, ofereceu o café para mim. Este ano é meu período de teste, para ver se consigo cuidar do estabelecimento sozinha e garantir que tenho certeza do que quero.

— E?

— Por enquanto, tudo bem. Livvy quase não passa por aqui, e Millie é muito velha para fazer muita coisa no café. Desse modo, sinto que o lugar já é meu. — Rae terminou de preparar os bolinhos de aveia e os pôs de lado para esfriar. Colocou um segundo lote no forno e ajeitou os *bagels* num fatiador automático. — E você? Gosta do que faz?

Kelsey pensou por um minuto.

— Sim, gosto. Não consigo me imaginar fazendo outra coisa.

— Você não se apieda daqueles que odeiam seus trabalhos? Quer dizer, acordar todo dia e fazer algo que você não gosta não é um bom jeito de viver. Acho que é resultado de uma criação inadequada dada pelos pais. Quando você é criança, não sabe o que quer. Nenhum menino de dez anos sonha em ser um contador. Nenhuma garotinha quer crescer e ser uma promotora de vendas. Certo? Mas se ninguém lhe diz para sonhar quando você é criança, então você simplesmente atravessa a vida e aquilo que todos fazem, às vezes as coisas que seus pais fazem. — Rae pegou a xícara e tomou um gole. — Não sei, fico muito filosófica de manhã. Mas você sabe do que estou falando? Faça o que gosta de fazer. E se você acabar não gostando, faça outra coisa.

Kelsey sorriu ante o entusiasmo da garota.

— Sei exatamente do que está falando, Rae, e é um bom conselho. Vejo que você está muito feliz com sua vida. Talvez um pouco pilhada por causa da cafeína às cinco da manhã, mas não há nada de errado com isso.

Rae achou graça.

— Acho que você e eu vamos nos entender. Então, por que não consegue dormir?

Kelsey fitou o teto.

— Por que não consigo dormir? — ela disse para si mesma, refletindo sobre a pergunta. — Você tem algumas horas?

Assentindo com um gesto de cabeça, Rae afirmou:

— Ah, parece que tem a ver com problemas com um menino.

— Nada disso. — Kelsey fez um ar de espanto.

— Eu soube que há um médico do hospital que a está ajudando numa pesquisa ou algo assim.

— Sério? Como ficou sabendo disso?

— Também soube que ele é bem atraente.

— Do que você está falando? — Kelsey sorriu. — Ele tem o dobro da minha idade.

— Não é verdade. Ele tem quarenta anos. Talvez quarenta e cinco. Quantos anos você tem?

— Trinta.

— O dobro de sua idade é sessenta. Assim, pare de exagerar e de evitar a questão. Ele é bonito?

— Como você está obtendo suas informações?

Rae sorriu.

— Administro o único café numa cidade muito pequena, onde todos estão falando da morte de Becca Eckersley. E todos sabem que há uma jornalista da revista *Events* bisbilhotando por aí. As pessoas falam, e, nesta cidade, elas geralmente falam comigo. Portanto, se você pretende manter algum segredo enquanto estiver aqui, não conseguirá.

— A menos que você assassine uma jovem estudante de direito. Nesse caso, será capaz de desaparecer na calada da noite.

— *Touché!* Mas a questão é: se não quer que eu saiba que você está saindo com um médico bonitão, não jante com ele a uma quadra de distância daqui.

— Ele me ajudou com alguns prontuários médicos que eu estava procurando.

— Só isso? Nada mais?

— Como assim?

— Quando encontro você vagando pelas ruas de madrugada, suponho que um homem seja o motivo.

Kelsey balançou a cabeça.

— Eu lhe asseguro que Peter Ambrose não está me fazendo perder o sono. Nós só nos encontramos.

— Ah! — Rae arregalou os olhos. — Então, isso se denomina problemas "pré-românticos" com um menino, e podem ser mais complicados do que problemas *românticos* já estabelecidos com um menino. — Ela deixou cair o último *bagel* no fatiador. Então, apontou para o forno onde outro lote de bolinhos de aveia estava sendo preparado. — Demora cerca de quarenta minutos para assar. Vamos voltar para o salão.

Ainda antes do amanhecer, o poste de luz da esquina lançava sombras pelo café através da janela. Rae acendeu uma luminária de chão perto da lareira, o que banhou as cadeiras de couro com luz castanho-avermelhada. Ela pôs lenha na lareira e a acendeu. Quando Rae e Kelsey se sentaram nas cadeiras, as toras resistiam às chamas com ruídos sonoros de rachadura.

— Bem, se não é um homem, por que você não consegue dormir, Kelsey?

— Porque Becca Eckersley está me mantendo acordada à noite.

— Sério? Isso é arrepiante.

— Sou desse jeito. Uma vez que um caso me fisga, só consigo pensar nele. E as coisas que descobri sobre esse caso estão fazendo minha mente viajar a duzentos quilômetros por hora. E não consigo parar...

— Parar o quê?

— Não sei... Parar de pensar a respeito de vida e morte e como tudo pode ser tirado de nós tão rápido.

Rae encarou Kelsey, lendo sua expressão.

— Esse caso a fez pensar em tudo isso?

— Fez.

— Me diga o que está acontecendo com você.

Kelsey fez uma cara engraçada.

— Pare — Rae pediu. — Li tudo que você já escreveu. Seus dois livros e todos os seus artigos, que incluem muitos homicídios. No ano passado, você escreveu sobre o desaparecimento de um menino de seis anos, que acabou muito mal. E também sobre o maluco da Flórida que fez a filha cheirar clorofórmio, a matou acidentalmente de overdose e, depois, a enterrou a um quilômetro de distância de casa. Assim, não venha me dizer que você não consegue lidar com o fato de vir a uma cidadezinha e escrever a respeito da morte de uma estudante de direito. Isso não me convence. Então, o que há? Por que está tão incomodada com esse caso?

Kelsey tomou um gole de café. Era estranho como as pessoas podiam conhecê-la tão bem por meio de seus textos.

— Você já pensou em ser psicóloga?

— Nunca. Fale.

Kelsey não tinha certeza de por que queria falar para aquela garota das coisas que a estavam incomodando. Ou por que, apesar de mal conhecê-la, sentia que podia confiar nela. Não era capaz de explicar o motivo pelo qual se achava prestes a revelar para aquela jovem algo que se recusara a revelar para o psicólogo. Mas havia algo em relação a Rae... Um carisma que fazia Kelsey se sentir à vontade. Assim, respirou fundo.

— Fui até a palafita ontem.

— A dos Eckersley? — Rae apontou o lago pela janela.

— Sim.

— Achei que estivesse com a entrada proibida.

— Está. Mas o delegado me deixou dar uma olhada.

— Como conseguiu isso?

Kelsey deu de ombros.

— Ele se sente frustrado porque os detetives estaduais assumiram o caso. Não está gostando do rumo que a investigação vem tomando. Assim, até certo ponto, sou seu jeito particular de conseguir fazer as coisas direito.

— O que você descobriu?

— Não sei. Nada, acho. Mas fiquei onde Becca ficou. Segui as pegadas de uma garota que foi estuprada e, depois, assassinada. E me peguei pensando que a mesma coisa quase aconteceu comigo.

Devagar, Rae projetou o queixo. Ela não precisou fazer outra pergunta ou pressionar mais.

Kelsey expeliu o ar aos poucos, de modo vacilante.

— Esse trabalho teve o propósito de me tirar da redação e me fazer retornar à vida normal após algum tempo de licença. Fui obrigada a tirar essa licença depois de ter sido... Sabe, atacada. Como Becca.

— Meu Deus, Kelsey. Quando?

— Há algumas semanas.

— O que aconteceu?

Os olhos de Kelsey perderam o brilho por causa das lágrimas, mas ela se recusou a derramá-las pelo rosto.

— Certa manhã, eu estava correndo, pelo mesmo caminho de sempre. Usava meus fones de ouvido, mergulhada em meu pequeno mundo sob efeito da endorfina. Ele surgiu da mata, me agarrou e me arrastou do jeito que já tinha descrito antes em meus artigos, mas, de repente, aquilo estava acontecendo comigo. Inicialmente, fiquei surpresa e confusa. Quando enfim entendi, era tarde demais. Lutei por minha vida. Acordei no hospital um dia depois.

Por um instante, Rae apenas encarou Kelsey.

— Não sei o que dizer. Em geral, sou franca e direta, mas não pretendo... Você não tem de me dizer mais nada.

— Não, não. Você não arrancou isso de mim. A verdade é que preciso falar a respeito. Na realidade, não falei com ninguém sobre isso, incluindo o psicólogo que me indicaram. — Kelsey forçou um sorriso.

— Você devia se sentir honrada, Rae. É uma confissão de proporções épicas para mim.

Rae sorriu.

— Fico feliz que tenha conseguido uma atitude positiva.

— A alternativa é deixar isso me controlar. Estou determinada a não deixar.

— Pegaram o sujeito?

Kelsey fez um gesto negativo com a cabeça.

— Ele usava uma máscara. Não conseguiram identificá-lo.

Durante um breve tempo, elas permaneceram caladas.

— Como você está? — Rae finalmente perguntou.

— Seguindo adiante... me recompondo. E vinha fazendo um trabalho muito bom em relação ao caso Eckersley, estava mesmo. Até entrar na casa ontem. Isso tornou tudo muito real e muito próximo. — Kelsey fitava o fogo da lareira. — A mesma coisa podia ter acontecido comigo, e outra pessoa talvez estivesse escrevendo sobre a minha morte.

— Sim, mas não aconteceu.

— Não, não aconteceu. Mas por que não? Por que Becca, e não eu? A pergunta é: por que não consigo dormir? No meio da noite, dei-me conta de que tenho de achar uma maneira de ajudar essa garota. Tenho de chegar a alguma conclusão por ela.

— Também parece uma boa maneira de você se ajudar.

— Provavelmente. — Kelsey encolheu os ombros em sinal de dúvida, e tomou outro gole de café.

Elas ouviram uma batida na porta da frente e viram um casal parado na calçada.

— Droga! — Rae consultou o relógio de parede. — Já são seis horas. Tenho de abrir o café e tirar os bolinhos do forno.

— Desculpe por importuná-la.

— Você não me importunou. Obrigada pela companhia esta manhã e por confiar em mim. Continue lutando, Kelsey. Você é uma garota forte.

Sorrindo, Kelsey se dirigiu para a saída.

— Vou destrancar a porta. Não deixe os bolinhos de aveia queimarem.

— Obrigada. E, Kelsey, venha me visitar de vez em quando. Quero ouvir mais daquilo que você tiver vontade de me contar.

— Certo.

— Posso até conseguir ajudá-la no caso Eckersley.

— Ah, sim? Como?

— Você se lembra do grupo de fofocas? Da outra manhã? As pessoas intrometidas que se sentam ao balcão?

Kelsey fez que sim com a cabeça, lembrando-se da discussão que ocorreu no balcão.

— Elas estão dizendo que Becca tinha um diário.

Kelsey se deteve e se virou.

Rae sorriu.

— Vou bisbilhotar e ver o que consigo. Dê-me um dia, mais ou menos.

— E ela desapareceu na cozinha.

Kelsey destrancou a porta da frente e deixou o casal entrar. Em seguida, pegou a Tomahawk na direção do lago, para contemplar o nascer do sol.

17

Becca Eckersley
Universidade George Washington
14 de março de 2011
Onze meses antes de sua morte

ELES ESTAVAM PASSANDO O SEMESTRE EQUACIONANDO os horários para descobrir a melhor maneira de se evitarem. De encontros embaraçosos, porém, era difícil escapar. A última vez que conversaram foi no terraço da palafita, e, após um mês de insucessos, Becca e Jack pararam de tentar superar as dificuldades com Brad. Nada era capaz de mudar sua opinião a respeito deles. Assim, Becca e Jack o evitavam tanto quanto possível. Quando obrigado a voltar para casa, Jack fazia isso tarde da noite. Em geral, a porta do quarto de Brad já estava fechada, e nas raras ocasiões em que Jack entrava no apartamento e o encontrava na sala de estar, Brad se levantava do sofá, desligava a tevê e fechava a porta de seu quarto atrás de si.

Becca pediu para Jack se mudar, mas ele estava preso ao apartamento pelo resto do semestre, e sua bolsa incluía quase tudo, exceto quarto e refeições. O que seus pais enviavam por mês mal dava para pagar metade do aluguel, e ele cobria o resto com seu trabalho no *campus*. Jack recusou a oferta de ajuda financeira de Becca. Aguentaria mais dois meses e terminaria o último ano no apartamento. Não foi difícil achar um lugar alternativo para ficar. Gail ficou feliz de verdade por eles, e não se importava com o fato de Jack passar quase todas as noites no quarto de Becca.

Em março, Becca recebeu a carta de aceitação da George Washington. Então, ela e Jack celebraram com um jantar festivo. Duas semanas depois, Gail foi aceita pela Stanford, e ela e Becca comemoraram com cervejas no Bucky's. As duas choraram quando se deram conta de que ficariam muito longe uma da outra. A carta de Harvard para Jack chegou um dia depois, e os três brindaram no apartamento de Becca, onde colocaram as cartas de aceitação uma ao lado da outra e brindaram ao que tinham pela frente.

Jack se sentiu apreensivo durante essas celebrações, mas camuflou a apreensão com sorrisos e bravatas. Ele tomou conhecimento quando a primavera começou na costa leste, e surpreendeu-se por ter demorado tanto. Esperara por aquilo em seu retorno do recesso de Natal, e nem mesmo a dissolução da maior amizade que já tivera conseguiu distrair seu radar interno do que estava por vir.

Ninguém soube como vazou, quem vazou ou de que maneira chegou àqueles que não deveriam ter descoberto. No entanto, Jack não precisava de um artigo no jornal ou de um blogueiro do *campus* detalhando os acontecimentos que provocaram a suspeita de Milford Morton. O que era destinado para os quatro se espalhara para algumas pessoas que Brad esperava impressionar, e elas espalharam para mais algumas, e mais algumas depois disso, até que, no fim, setenta e quatro dos cento e vinte e dois alunos do último ano do curso de direito comercial de Milford Morton tinham uma cópia do exame roubado.

Uma investigação foi realizada, e os detalhes descobertos se espalharam pelo *campus*. Apenas um trabalho sério e a provável aplicação de penalidades poderiam apagar os grafites que um escândalo assim deixaria sobre os muros da universidade. Era necessário um bode expiatório. Alguém para culpar e comprometer o futuro. Como um exemplo para os outros estudantes que tomam decisões tão equivocadas, mas, sobretudo, para mostrar ao mundo acadêmico que a George Washington era uma universidade fora de série, que não tolerava tal traição em relação aos padrões.

A universidade conhecia as perguntas certas para fazer os estudantes falarem, sobretudo aqueles com cursos de direito e futuros políticos em risco. Sem mencionar pais proeminentes, que esperavam evitar constrangimentos públicos. Naquele momento, Jack entendeu por que demorou até março para aquilo estourar. Quando as cartas de aceitação das faculdades de direito começaram a chegar, seriam usadas para fazer os estudantes certos se abrirem. Na época em que as tulipas se preparavam para florescer e a grama começava o processo nutritivo que a traria de volta à cor verde, uma trilha venenosa, bastante oposta à transformação da primavera, alcançava a porta de Brad e Jack. O reitor da universidade ligou e pediu que cada um deles comparecesse às três horas daquela tarde para uma reunião.

Brad e Jack não se falavam desde o Natal, mas a emergência os fez superarem rapidamente o embaraço.

— Meu pai vai me matar quando isso vier à tona — Brad afirmou.

Ele e Jack estavam sentados no capô do Volvo batido de Jack, estacionado na margem do rio Potomac. Eles viram um grande rebocador passar puxando areia do Maine. Ainda fazia muito frio para barcos de passeio, e a água parecia uma tela vazia que reluzia com o sol do meio da manhã do início de março.

Brad cobriu o rosto com as mãos.

— Acabamos de ferrar com nossas vidas.

Jack detectou o desespero na voz de seu amigo, e viu isso quando Brad enfim ergueu os olhos com lágrimas brotando neles.

— É o seguinte. — Jack olhou bem em frente, na direção do Potomac e do rebocador que se movia em sua superfície. — Eu invadi o escritório de Morton sozinho. Peguei o exame e o distribuí. Mais de setenta outros caras viram o exame. Você é apenas um deles. Nada mais. Não vão expulsar setenta alunos do último ano. Eles querem uma pessoa para pôr a culpa.

— Do que você está falando?

— Estou assumindo a culpa por isso.

— Não. Isso não está acontecendo.

Jack deu uma risada.

— Vai acontecer. É você ou sou eu. Acredite no que digo, Brad. Os caras com quem eles conversaram jogaram a culpa em nós. O reitor os fez se sentarem, mostrou as cartas de aceitação ou as ofertas financeiras deles, e, em seguida, lançou sua oferta. O que acha que eles fizeram? Ficaram quietos? Por favor… Eles nos dedaram para se safarem. Não há motivo para nós dois nos ferrarmos.

O rebocador deixou escapar um apito longo e grave, e a um quilômetro e meio rio abaixo uma ponte levadiça começou a se erguer.

— Escute, Brad, isso não tem nada a ver com Becca ou com o que aconteceu no recesso. A verdade é que sou um garoto pobre de Wisconsin, que, realmente, não dá a mínima para se Harvard vai ou não cancelar sua oferta. Era para fins de currículo, e não por causa de alguma grande paixão que tenho de ser um advogado. Há dezenas de outras faculdades que aceitariam com prazer um renegado de Harvard, e não tenho um pai psicótico para satisfazer. Quero escrever discursos algum dia, e uma mancha em meu histórico acadêmico não impedirá isso. Concorrer a senador, talvez. Mas não escrever para um.

— Jack, eu mostrei para você a chave. Pedi para você vir comigo para pegar o exame.

— E eu disse sim. Quis a descarga de adrenalina de uma invasão. E estou assumindo a culpa, Brad.

— Você nem mesmo usou o exame. Quer dizer, foi o que Becca disse. Você nem mesmo usou, e quer levar a culpa por roubá-lo?

— Não se tratou do exame, Brad. Foi a aventura. E eu roubei o maldito exame tanto quanto você.

— Não sei, Jack…

Mas Jack sabia. Seu amigo aceitaria a oferta. Brad também sabia. O resto era apenas um jogo, uma maneira de aceitar na surdina. Sem de fato querer uma coisa assim, mas só aceitando porque foi oferecida de modo tão firme.

— Não sei o que dizer, Jack.

— Diga sim quando a Universidade da Pensilvânia o convidar. Ou Harvard; mas sei que a Pensilvânia é sua primeira opção. — Jack saltou do capô do carro. — E diga sim de novo quando o velho Jackie Boy vier lhe pedir um emprego, dentro de alguns anos — ele completou, abrindo a porta do motorista. — Venha. Vamos acertar nossas histórias antes de vermos o reitor.

Quando embarcaram no carro, Jack agarrou a direção e olhou para Brad.

— Dizem que não é o crime que abala as pessoas. Você sabe disso?

— Sim — Brad respondeu, sorrindo. — É esconder a verdade.

— **O QUE É ISSO? – JACK, NO APARTAMENTO DE BECCA,** apontou para um envelope rasgado sobre a mesa da cozinha e a carta ao lado dele.

— Cornell — Becca respondeu.

— Sim? Não?

Becca fez que sim com a cabeça.

— Que diabos! — Jack exclamou, empolgado. — Por que não me contou?

Ela deu de ombros, em sinal de dúvida.

— Não sei. Estou muito preocupada. Chegou há dois dias, mas temos toda essa pressão sobre nós com a coisa de Morton, e não tive vontade de comemorar. E agora você está prestes a ver o reitor para confessar algo que não foi sua ideia. Não é uma boa estratégia, Jack.

— Primeiro, é algo que já foi decidido. Segundo, puta merda! Você foi aceita numa escola da Ivy League!

Becca respirou fundo.

— Ainda acho que vou ficar na George Washington. Já estou aqui, bem familiarizada com o pedaço, sinto-me à vontade. E para ser honesta, se estou falando sério a respeito de me ligar ao escritório de meu pai, não faz diferença entre a George Washington e a Cornell. Talvez algum cliente esnobe só queira alguém pós-graduado numa faculdade da Ivy League para trabalhar no caso dele, mas é improvável.

— Sério? Bem, é bom ter opções.

— Além disso, sabe-se lá o que pode acontecer. Eu trapaceei num exame final, e se isso transpirar... Creio que não tenho de contar. Por esse motivo acho que você não deve fazer isso, Jack. Sim, você roubou o exame, mas nem mesmo o usou. Por que está assumindo toda a culpa?

— Não há outra maneira de isso funcionar, Becca. Brad não assumirá a culpa sozinho. Simplesmente não é assim que ele funciona. E se nenhum de nós confessar, você sabe o que acontecerá? A culpa começa a se espalhar. Adivinhe quem será a próxima pessoa depois de Brad e de mim.

Becca desviou o olhar.

— Adivinhe.

— Eu.

— Certo. Você, e depois Gail. Quer saber por quê? Porque todos que trapacearam sabem que Brad e eu roubamos o exame. Brad não foi capaz de ficar de bico calado. E eles sabem que você e Gail deram a primeira olhada. E se a universidade pressionar, contarão ao reitor, ao presidente e a qualquer outra pessoa que perguntar o que eles sabem. Assim, sou eu ou somos todos nós.

— Por que não Brad?

Jack riu.

— Fala sério, Becca. Isso não vai acontecer. — Ele ficou de pé. — Tenho uma conversa com o reitor às três. Assim, preciso ir. Parabéns por Cornell.

Becca ficou de pé e passou o braço pela cintura de Jack, pondo a cabeça em seu ombro.

— Boa sorte.

Ele beijou-lhe a testa.

— Me conte quando coisas boas acontecerem para você de agora em diante, certo?

Becca assentiu com um gesto de cabeça, chorando em silêncio sobre o peito dele.

18

Kelsey Castle
Summit Lake
11 de março de 2012
Dia 7

NAQUELA SEMANA PASSADA EM SUMMIT LAKE, CURIOSA
com a história que perseguia e cativada pela garota que foi morta, Kelsey
encontrou um oásis para seu próprio problema. No entanto, desde a visita
à propriedade dos Eckersley, uma espiral repetitiva de lembranças vagas
e imagens confusas da manhã em que fora atacada a cercava. Do homem
que ela não conseguia reconhecer, um rosto mascarado que não era capaz
de identificar.

No último mês, Kelsey passou muitas horas tentando evocar com
mais nitidez essas lembranças, arranjando-as em ordem cronológica e trabalhando para reconstituir os acontecimentos daquele dia. Era como se
sua mente usasse uma coleira elétrica, incapaz de ir muito longe sem
tomar um choque. Kelsey chegava até um ponto específico de sua memória, mas sem conseguir ir além.

Em parte, Kelsey não *queria* ir além. Não desejava ver os detalhes
daquela manhã, nem reviver o horror. Por um lado, ela acreditava que
seria capaz de enterrar aquelas lembranças, esperando que elas se decom-
pusessem. Por outro, Kelsey sabia que isso não seria tão fácil.

Ao ver-se na posição de vítima em vez de investigadora, Kelsey
odiou o processo e o procedimento de coleta dos fatos. Desprezou as perguntas dos detetives e as conotações sobre o que ela vestia naquela
manhã, quem estava vendo fora do trabalho e como ela se portava na
redação. Sem jamais falar com franqueza ou apresentar suas suspeitas,
Kelsey entendia muito bem que os detetives queriam descobrir se ela era

uma mulher promíscua, que flertava com os colegas e usava roupas inadequadas. Eles não tiveram a coragem de lhe perguntar se ela talvez tivesse provocado toda a situação, mas, após dois dias de interrogatório, Kelsey entendeu o que eles sugeriam. E sentiu-se aliviada quando eles a deixaram a sós e saíram para procurar inutilmente o homem sem rosto, sem nome e sem chance de ser pego.

Então, Kelsey desligou o telefone, trancou a porta da frente e não saiu de casa durante um mês. Certa tarde, durante sua licença do trabalho, desligada do mundo, Kelsey não resistiu e pesquisou a respeito do que ela passara. A leitura atenta do material de referência e a decifração de volumes de informações eram a maneira como Kelsey descobria as coisas em seu trabalho; assim, tentou a mesma estratégia em sua vida pessoal. Na livraria, comprou alguns livros de autoajuda que abordavam o processo de cura de mulheres que sofreram estupro. Leu todos em três dias de pouco sono, muito café e comida chinesa.

Após sua jornada de leitura, Kelsey se confortou ao saber que as emoções que atravessavam sua mente e seu corpo não eram exclusivas. Outras mulheres compartilhavam sua dor. Os livros sugeriram que ela sentiria solidão e isolamento. E ela sentiu. Em parte porque Penn Courtney não permitiu sua ida à redação da revista por um mês, mas também por sua recusa a atravessar a porta de casa por temer o que poderia estar a sua espera.

Ela também leu que raiva e ressentimento em relação aos homens seriam parte do processo. E ainda que não houvesse amargura em seu coração ou mente, Peter Ambrose foi o primeiro homem para quem ela ficou disponível. E seu sonho estranho da outra noite, com Peter correndo pelo cais diante da casa dos Eckersley, a fez se questionar a respeito de confiar num homem. Kelsey se permitiu essa emoção.

As noites seriam especialmente difíceis, os livros lhe disseram. Seus pesadelos confirmavam isso. No entanto, ela se orgulhava do fato de que, quando não estava dormindo, as horas sombrias da noite eram seus momentos preferidos. Era quando Kelsey assistia a filmes antigos e terminava os romances que estava lendo. Naquela hora, ela sabia que o resto do mundo dormia, e só então se sentia à vontade, relaxando, sabendo que não estava perdendo nada.

Kelsey teria medo, os livros lhe disseram, e talvez levasse meses ou até mais tempo para caminhar pela calçada, andar de carro ou correr pelas ruas. Para algumas mulheres, essas coisas nunca mais seriam possíveis de novo. E aquilo era verdade: ela *sentia* medo, não podia negar. No entanto, correr era sua paixão. Um momento particular, quando revisava casos e artigos em sua mente. Quando ficava obcecada por um artigo, o isolamento da corrida permitia que Kelsey ordenasse seus pensamentos. E quando ela se sentia subjugada ou muito próxima de uma história, os quilômetros eram vencidos fugindo de todos aqueles pensamentos que atravessavam sua mente. Ela os apagava por uma ou duas horas e voltava revigorada.

Nas semanas seguintes ao estupro, porém, a ideia de correr em qualquer lugar — quanto mais no bosque onde o ataque aconteceu — era inconcebível. No entanto, ali em Summit Lake, Kelsey tomou uma decisão. Recusou-se a permitir que o medo roubasse o que ela tanto gostava. Assim, forçou-se a caminhar pela cidade e a correr pela mata que levava à cachoeira. O horror daquela manhã ainda a acossava, mas cada quilômetro percorrido a levava um pouco mais para longe dele.

Mais do que tudo, segundo os especialistas, Kelsey experimentaria uma sensação de perda — semelhante à que se tem com a morte de alguém querido —, e isso era fundamental para o renascimento que ela precisaria experimentar para se curar completamente. Talvez essa fosse a sensação que a oprimira na palafita, na outra manhã.

O que Kelsey concluiu lendo os livros de autoajuda foi que cada um se cura à sua própria maneira e em seu próprio ritmo. Alguns refletem mais do que os outros a respeito das coisas que enfrentam na vida, e avaliam esses acontecimentos de maneira distinta. Por fim, Kelsey decidiu que selecionaria os acontecimentos que moldaram sua vida e definiram sua personalidade. Aquele dia único e terrível não seria um deles. Simples assim.

Kelsey não conseguiu jogar fora os livros. Assim, atirou-os numa caixa de retorno da biblioteca local e voltou para o trabalho no dia seguinte. Uma semana depois, estava em Summit Lake, no rastro de Becca Eckersley, que passara pela mesma coisa que ela, mas não fora tão afortunada a ponto de acordar numa cama de hospital no dia seguinte. Sempre confiante no destino, e uma estudiosa da persistente voz interior que a orientava e a ajudava a encontrar seu caminho, Kelsey sabia estar em Summit Lake por um motivo maior do que ela mesma. Por algo mais do que um artigo para o qual fora enviada para escrever.

A noite caiu, e às oito horas o céu estava repleto de estrelas. Kelsey puxou a gola da jaqueta para se proteger da brisa do lago, na frente do Winchester Hotel, e observou a chegada de um utilitário esportivo preto. A janela do lado do passageiro baixou — era Peter Ambrose atrás do volante.

Kelsey se aproximou do carro e apoiou os cotovelos na moldura da janela.

— Você tem certeza disso? — ela perguntou.

— É a sua história. Então, é você quem tem que ter certeza. Mas sou um participante disposto.

— Não vai se meter em apuros?

— Se formos pegos, nós dois vamos nos meter em apuros.

Kelsey deu uma olhada na Maple Street. Em seguida, abriu a porta e embarcou. Alguns minutos depois, estavam numa estrada sinuosa fora de Summit Lake.

— Me diga de novo como você conseguiu essa informação — Kelsey pediu.

— Liguei para um amigo patologista, que trabalha para o condado. Ele sabia do caso Eckersley. Não os detalhes, apenas que tudo é muito confidencial. Eles, os outros patologistas e técnicos, receberam ordens de ficar fora do caminho dessa investigação, deixando o caso para as autoridades estaduais. Apenas a médica-legista do condado de Buchanan tem alguns direitos especiais.

— Aquela que escreveu o resumo da autópsia que você conseguiu para mim há alguns dias?

— Sim. Meu amigo me falou que há outra coisa acontecendo com esse caso. Os boatos e as especulações são anormais.

— Quais são os boatos?

— Algo está sendo encoberto. A médica-legista está prestes a renunciar ao sigilo, o que vem causando uma confusão tremenda na sede do condado. Todos estão comentando. Por isso, quando liguei para o meu amigo, ele ficou bastante feliz de saber que alguém estava investigando essa história.

— E como ele irá nos ajudar?

— Ele não o fará diretamente, no caso de alguém lhe perguntar. Mas conseguiu para mim um cartão de acesso à sede do condado e uma senha para o arquivo do caso Eckersley. Acho que conseguiremos o relatório completo da autópsia.

Percorreram a estrada sinuosa das montanhas durante meia hora e, finalmente, chegaram à cidade de Eastgate, onde se situava a sede do condado de Buchanan. Eram quase nove da noite quando pararam no estacionamento de uma pizzaria. Acharam uma mesa ao lado da janela e pediram cervejas e uma pizza de calabresa.

Kelsey tomou um gole da cerveja.

— Por que está fazendo isso por mim, Peter? Você pode se meter numa tremenda enrascada.

— Por sua causa, acabei me interessando pelo caso. Se alguma coisa está sendo encoberta, quero ajudá-la a descobrir o que é. Além do mais, gostei de você, que me parece uma boa pessoa, com boas intenções. — Peter também tomou um gole.

— Obrigada. Só espero que isso não lhe cause nenhum problema.

Peter sorriu.

— Não estamos roubando documentos secretos do governo, e sim procurando o relatório de uma autópsia, que deveria ser público. Me conte o que você descobriu desde que nos falamos pela última vez.

— Por onde começo? Que tal pelo fato de Becca ter se casado pouco antes de ter sido assassinada?

— Com quem?

— Estou trabalhando nisso.

— Você não sabe?

— Ainda não.

— Não há uma certidão de casamento?

— Não consegui achar. Não faz sentido, mas tenho confiança total em minha fonte.

A garçonete trouxe uma pizza e pôs uma fatia no prato de cada um.

— Minha teoria é que Becca fugiu para se casar e foi assassinada antes de registrar a certidão de casamento. Portanto, não deixando registro.

— Não deixando registro, mas deixando um suspeito.

— Pois é. Se eu conseguir descobrir com quem ela se casou. — Kelsey comeu um pedaço de pizza. — Além disso, Becca mantinha um diário, no qual ela escreveu no dia em que foi morta. Ou pelo menos leu.

— Não menciona o nome do rapaz com quem ela casou?

— Imagino que sim, mas ninguém parece saber onde está o diário. — Kelsey limpou a boca com um guardanapo de papel. — Becca foi vista com o diário duas horas antes de ser morta, quando estudava no café local. No entanto, não há registro de um diário catalogado na lista de provas. E quando tive a oportunidade de bisbilhotar a casa dos Eckersley, não vi nenhum sinal dele.

— Então onde ele está?

Kelsey encolheu os ombros.

— Alguém está com o diário. Ou as autoridades estaduais o encontraram e o deixaram fora da lista de provas, ou...

— Ou?

— Ou quem a matou pegou o diário porque sabia o quão comprometedor ele seria.

— Se a polícia achou esse diário, por que decidiu escondê-lo?

— Não sei. Talvez pelo mesmo motivo pelo qual estamos prestes a xeretar a sede do condado, procurando um relatório da autópsia que não vão publicar.

— O que o seu chefe diz sobre tudo isso?

— Ele está interessado, mas nem um pouco empolgado com minha abordagem.

— Achei que você disse que é exatamente o que sua revista publica. Ele não deveria estar babando por causa de um homicídio com possíveis encobrimentos da verdade?

— Ah, ele está... Acredite-me. O que o está deixando maluco é o prazo. Ele me mandou para cá para me manter longe por um tempo, para me amarrar a um artigo sem valor por algumas semanas. O que não esperava era que eu topasse com algo importante.

— Sério? E por que seu editor quis afastar sua principal repórter?

Kelsey bebeu sua cerveja e cruzou involuntariamente os braços, balançando a cabeça.

— É uma história para outra hora.

— Gostaria de ouvi-la algum dia, pois fiz uma investigação por conta própria e constatei que você é alguém muito importante. Sei que escreveu um livro sobre um crime real que se tornou *best-seller*, e tem uma legião de seguidores dos seus artigos para a *Events*. Então, por que seu chefe desperdiçaria seu talento num artigo sem valor?

— É uma longa história. Digamos que ele me quis fora da redação por um tempo.

— Você se dá bem com ele?

— Sim. Eu o amo.

Peter deu uma mordida na pizza e fez um ar de espanto.

— Não me entenda mal — Kelsey disse. — Ele tem setenta anos. Eu o amo como um pai. E o odeio da mesma maneira de vez em quando.

Kelsey continuava com os braços cruzados. Peter apontou para a fatia de pizza dela, quase intacta.

— Não gostou?

— Estou muito nervosa.

Peter olhou pela janela, para a sede do condado, no outro lado da rua. O prédio estava quase totalmente escuro, exceto por algumas luzes isoladas no terceiro andar. Ele pousou o garfo no prato e limpou a boca.

— Pronta, então?

Kelsey fez que sim com a cabeça.

— Vamos.

Peter pagou a conta, e juntos eles atravessaram a rua, deixando o carro no estacionamento da pizzaria. A área do edifício estava iluminada com lâmpadas amarelas. Quando alcançaram a frente do prédio, Peter tirou o cartão do bolso e o inseriu na fenda. A luz vermelha mudou para verde, e ele abriu a porta. Kelsey respirou fundo e o seguiu para o interior do prédio.

Passaram pelos elevadores e entraram no poço de escada. Os três lances fizeram o pulso de Kelsey se elevar mais ainda. Peter abriu a porta do poço de escada, com a maçaneta fazendo um ruído estridente. Tudo, desde os passos deles até a maçaneta da porta, era intensificado em comparação com a quietude do prédio vazio.

— Tudo bem — Peter afirmou. — Ele me disse 3C.

Os dois pegaram o corredor. Havia uma parede de vidro à esquerda deles, através da qual podiam ver a área de trabalho escura de uma repartição do governo. Uma grande recepção com cadeiras atrás de um balcão. Além dele, cubículos com alguns monitores de computador.

Alcançaram a sala 3C. Peter inseriu novamente o cartão de acesso e escutou a porta se abrir. Kelsey olhou para o corredor uma última vez antes de entrar na sala.

A 3C tinha uma única mesa e um computador. Peter se sentou diante dele, e Kelsey se agachou ao seu lado. Ele tocou no mouse, e o computador voltou à vida. Em seguida, digitou a senha que seu amigo tinha fornecido para acessar o sistema e digitou: ECKERSLEY, BECCA.

Um som baixo soou, e logo surgiu a mensagem: ENTRADA INVÁLIDA.

Peter olhou para Kelsey.

Ela puxou o teclado em sua direção e digitou: ECKERSLEY, REBECCA ALICE.

Um som mais alto e mais agradável soou. Então, surgiu uma caixa, pedindo uma senha. Peter a digitou de memória e, um segundo depois, o relatório completo da autópsia e do exame toxicológico de Becca apareceu na tela.

— Não imprima, Peter. Isso certamente deixaria um rastro. Pode apostar que a digitação acendeu uma luz vermelha em algum lugar. Você lê e eu anoto. Prossiga. — Kelsey tirou seu bloco de anotações.

Peter leu o texto na tela:

— "Causa oficial da morte: asfixia. A traqueia e a laringe colapsaram por causa do trauma, e isso impediu o oxigênio de chegar aos pulmões. Averiguou-se que o dito trauma foi causado por pressão manual no pescoço. Muito provavelmente pelas mãos de alguém. Nenhuma laceração no pescoço, ou outras indicações de objetos de aperto, tais como cintos, cordas ou ataduras."

Enquanto Kelsey anotava às pressas, Peter interrompeu a leitura por um tempo.

— Prossiga.

Peter leu a respeito de algumas coisas sem importância abordadas previamente no resumo do laudo.

— Aqui fala mais amplamente a respeito do dano vaginal, que confirma o estupro. — Peter rolou o texto para baixo na tela. — Aqui. Página quatro. Não vimos isto. "Provas retiradas do corpo e transferidas para a polícia: sêmen, pelos (da cabeça, faciais e púbicos), fibras (lã — casaco ou luvas), pele raspada de sete unhas nos dedos das mãos."

Peter rolou o texto um pouco mais para baixo.

— "Os materiais genéticos retirados de todas as provas coincidem, indicando um único agressor. Ver toxicologia." Espere. — Peter clicou em outra tela. Então, o relatório toxicológico apareceu. — Certo, parece que tiraram amostras de DNA do pai, do irmão e de três primos de Becca. Nenhuma coincidência com o material genético retirado das provas — Peter murmurou, lendo rapidamente e mudando de telas. — Muito bem. Parece que um pessoal que trabalhou em obras na casa também teve de fornecer amostras. Cinco homens; nenhuma coincidência.

— Então, nenhuma coincidência de DNA?

— Não no relatório toxicológico.

— Nenhuma outra amostra de DNA tirada, como de um marido?

— Não está registrada nesse relatório.

No corredor, o elevador se movimentou, e ao ouvi-lo eles ficaram paralisados de medo. Tinham deixado a porta da sala 3C entreaberta, e Kelsey agarrou o braço de Peter quando escutou a porta do elevador se abrir. Rapidamente, Peter ficou de pé e se dirigiu até a porta da sala. Girou a maçaneta e, em silêncio, fechou a porta por completo. Ficou parado e encostou o ouvido na madeira.

Kelsey se manteve perto dele, com o ouvido também na porta. Os rostos de ambos ficaram a poucos centímetros de distância um do outro. Tentaram controlar as respirações e escutar. Por fim, escutaram um som abafado de conversa e, em seguida, um assobio, que, após um minuto, desapareceu.

Peter pôs o dedo sobre a boca e sussurrou:

— Silêncio!

Ele agarrou a maçaneta e abriu a porta, pondo a cabeça para fora. Kelsey fez o mesmo, pouco abaixo dele. Viram uma carreta de limpeza no corredor, com esfregões e panos. Os dois recuaram para o interior da sala.

— Rápido! — Kelsey disse.

Peter voltou correndo para o computador e examinou o resto da autópsia.

— Há mais resultados internos. Maiores detalhes acerca do hematoma subdural. — Peter revelou rapidamente alguns fatos acerca de inchaço cerebral e padrões de sangue. Conteúdos do estômago que ajudaram a reduzir o tempo de ataque. A localização do sêmen no canal vaginal superior indicou que Becca nunca ficou de pé após o ataque. Peter clicou em algumas telas até voltar ao relatório toxicológico. Às pressas, leu algumas notas finais e, em seguida, parou. — Ah!

— O que foi? — Kelsey desviou o olhar de seu bloco de anotações.

— Eis o relatório toxicológico e o exame de sangue que fizeram em Becca.

— O que deu? Não me diga que ela estava drogada.

— Não, nenhum traço de drogas em seu organismo. Apenas gonadotrofina coriônica humana.

— O que é isso?

— hcg.

Kelsey piscou os olhos.

— O hormônio da gravidez?

19

Becca Eckersley
Universidade George Washington
7 de abril de 2011
Dez meses antes de sua morte

TODOS DA TURMA DE MILFORD MORTON FORAM SOLICITA-
dos a refazer o exame. A decisão gerou protestos dos estudantes inocentes, e alguns dos mais inconformados tiveram permissão de se livrar em silêncio. A escola sabia que aqueles que discutiram mais, e cujos pais se envolveram, eram provavelmente inocentes, enquanto os que discutiram menos e não informaram os pais eram culpados.

Jack recebeu nota zero e não teve permissão de refazer o exame. Essa também foi uma decisão estratégica da direção da escola, pois uma análise detalhada do histórico acadêmico de Jack revelou que ele cursou mais créditos que o necessário durante o primeiro e o segundo anos, e uma nota zero em direito comercial de Milford Morton ainda o deixaria com os requisitos necessários para a graduação. Porém, a nota zero mancharia seu histórico acadêmico e reduziria a média geral de suas notas, o que talvez afetasse sua vida após a graduação. Sobretudo, revelaria uma punição evidente, mas permitindo que a universidade graduasse um estudante de baixa renda e evitasse a atenção indesejável de grupos que reagiriam e atacariam de maneira pública se um garoto pobre de Wisconsin tivesse sido expulso da faculdade meses antes da graduação, quando todos sabiam que a maioria dos estudantes trapaceava nos exames.

Jack não tinha certeza do que aquilo acarretaria em relação à sua carta de aceitação de Harvard. No primeiro ou segundo dia depois do veredito, ele decidiu não examinar a questão. Três semanas depois da conversa com o reitor, Jack deixou a biblioteca e foi para casa, no começo da noite, e encontrou Brad à mesa da cozinha, com um envelope rasgado a sua frente, junto com uma carta dobrada. Jack desacelerou quando entrou no apartamento. Pela expressão de Brad, soube o que aquilo significava, mas teve de perguntar:

— Então?

Brad deu um sorriso falso.

— Rejeitado! — disse numa voz estranha, cujo propósito era ocultar sua tristeza, mas conseguiu o efeito contrário. — Exatamente como tudo o mais em minha vida.

— Merda! Pensilvânia?

Brad fez que sim com a cabeça.

— Foda-se! Você vai conseguir ser aceito em outras, Brad.

Brad ficou de pé, com os lábios contraídos.

— Não, Jackie Boy. Era a última. Todas as faculdades da Ivy League me rejeitaram — ele revelou, arregalando os olhos com excitação simulada. — Ah, mas consegui ser aceito pela Universidade de Maryland. Mal posso esperar pela expressão de satisfação de meu pai. Ele ficará muito orgulhoso de seu garoto educado pelo estado. Serei uma grande atração em todas as suas festas repletas de celebridades do mundo jurídico, com todos os seus malditos amigos juízes.

— Todos passaram? — Jack perguntou, baixinho.

— É um dia de orgulho na família Reynolds.

— Por que você não me contou?

— Você estava um pouco fora de alcance, Jack. Você e Becca.

Jack não respondeu àquele comentário. Nem mencionou que aguentar firme aquela pequena aventura deles muito provavelmente lhe custara seu ingresso para Harvard. Em vez disso, sugeriu:

— Então, espere um ano, ache um estágio.

As palavras de Jack permaneceram no ar, intactas e despercebidas.

— Achei que a Universidade de Maryland tinha um bom curso. Por isso você se candidatou.

— Só me candidatei porque meu orientador me obrigou. — Brad deslizou o braço pela alça da mochila. Em seguida, olhou para Jack. — Na realidade, é uma escola de merda, que vai provocar um maldito ataque cardíaco em meu pai se eu decidir cursá-la.

146

Jack viu Brad sair devagar pela porta, sem fechá-la. Escutou os passos dele descerem mecanicamente os degraus da escada. Jack pegou seu celular e ligou para Becca.

— Oi, problemas importantes aqui.

— O que houve? — Becca quis saber.

— Brad foi rejeitado por todas as faculdades de direito em que se candidatou, exceto Maryland. Nunca contou para ninguém, a não ser que você ou Gail soubessem.

— Ele não fala comigo há dois meses, Jack. Tenho certeza de que Gail também não sabe de nada. Todas as faculdades?

— Todas as da Ivy League.

— E estávamos todos comemorando as nossas aceitações...

— Brad não pareceu se importar com o fato de que minha aceitação em Harvard na certa será cancelada. Mas, de qualquer jeito, alguém precisa conversar com ele, que está bem confuso.

— Estou indo.

— Ele saiu.

— Aonde foi?

— Não faço a mínima ideia. Pegou a mochila e caiu fora.

— Vou ligar para o celular dele — Becca disse. — E se Brad não quiser conversar comigo, vou pedir para Gail ligar.

— Me avise.

GAIL E BECCA SE SENTARAM EM UM LADO DA MESA, E JACK no outro. Hambúrgueres e refrigerantes cobriam o tampo. Era uma reunião de estratégia sobre como ajudar seu amigo, que, eles tinham certeza, sentia que o mundo desabava sobre sua cabeça.

— Acho que devemos ir ao apartamento de vocês e esperar por ele — Gail sugeriu. — Brad tem de voltar para casa alguma hora. Meia-noite, duas da manhã, não importa. Vamos ficar acordados e esperar por ele.

— Brad não vai gostar da tocaia. Ele tem falado com você ultimamente, Gail? — Jack perguntou.

— Sim.

— Não filtra suas ligações como faz com Becca e comigo?

Gail sorriu.

— Ele não está zangado comigo. Até hoje, toda vez que liguei para Brad, ele atendeu. Ele tem estado um pouco distante nos últimos tempos, e creio que tem a ver com... Vocês sabem, não? Mas neste momento sei que é porque ele estava suportando o peso sem falar com ninguém. — Gail tomou um gole de seu refrigerante. — Achei que ele tivesse um contato na Universidade da Pensilvânia, por meio de seu pai ou de outra pessoa.

— Lembro-me de ele dizer algo assim. — Jack balançou a cabeça. — Pelo visto, não funcionou.

— Tente entrar em contato com ele de novo — Becca pediu.

— Mandei três mensagens na última hora. Brad sabe que o estou procurando.

— Certo — Becca disse. — Então, vamos esperar no apartamento. E depois?

— Depois vamos pôr todas as cartas na mesa. — Gail ergueu as mãos. — Isso é muito absurdo. Há alguns meses, éramos todos bons amigos. Agora, ninguém fala um com o outro.

— Nem tudo é nossa culpa. — Becca franziu a testa.

— Não — Jack concordou. — Mas uma parte é, sim. E Gail tem razão. Temos de abrir o jogo. Falar a respeito de tudo. Depois, precisamos apoiar Brad, que acha que sua vida simplesmente acabou. E a maior parte disso é responsabilidade de seu maldito pai, que põe uma pressão insuportável sobre ele. E é muito louco o fato de Brad odiá-lo num momento, e no seguinte não ser capaz de aguentar a ideia de desapontá-lo. — Deu de ombros. — Tanto faz. Vamos esperá-lo no apartamento.

Eles pagaram a conta e deixaram o restaurante. Era uma noite fria de abril, com os ventos vindos do Potomac trazendo o cheiro de salmões e caranguejos. O celular de Jack vibrou em seu bolso com a chegada de uma mensagem de texto. Eles estavam no pé da escada de seu prédio.

As garotas começaram a subir os degraus, enquanto Jack tirava o celular do bolso. A mensagem era de Brad.

Você a tirou de mim, Jack.
Mas acho que ela realmente nunca foi minha.

— É uma mensagem de Brad? — Becca perguntou do alto da escada.

Jack hesitou por um instante e, em seguida, fez um gesto negativo com a cabeça.

— Não. É de um professor a respeito de uma dissertação.

Enquanto as garotas permaneciam no alto da escada, Jack tornou a ler a mensagem. Elas ficaram impacientes.

— Ei, Jackie Boy! — Gail se achava no patamar da escada em frente ao apartamento dele. — Vamos, está frio aqui!

Jack olhou para o texto uma última vez, lendo-o antes de pôr o celular no bolso. Queria responder ao amigo. Algo que reconhecesse a dor de Brad, ou que admitisse sua suposta traição.

Lentamente, subiu os degraus, pensando no que dizer. Enfiou a chave na fechadura e abriu a porta. Nesse momento, uma série fragmentada de imagens varreu sua mente como um videoclipe em branco e preto, com pequenas partes estáticas. A expressão de Brad mais cedo, quando ele deixou o apartamento. A carta de rejeição sobre a mesa. Suas palavras… *Rejeitado! Exatamente como tudo o mais na minha vida.* Antes de a porta se abrir por completo, Jack sabia o que havia do outro lado. Uma mensagem de resposta ao amigo não seria possível.

Becca soltou um grito. À soleira, Jack ficou paralisado como uma estátua. Ele nunca olhou para o rosto de Brad, ou talvez sua mente tivesse bloqueado a imagem inchada, vermelha como sangue, em sua memória. Mas o que ficou marcado para sempre na mente de Jack foram os pés do amigo, girando devagar a trinta centímetros do chão, com uma cadeira virada sobre o piso.

PARTE III

OLÁ, DETETIVE

20

Kelsey Castle
Summit Lake
12 de março de 2012
Dia 8

NUVENS BRANCAS COMO A NEVE CORRIAM PELO CÉU, estendendo-se sobre o lago e na direção do horizonte, como um teto do mundo. Na distância, uma abertura se formou, como se um solvente despejado do céu tivesse aberto um buraco nas nuvens, e, através dele, brilhassem raios vibrantes de luz solar, que pousavam sobre a cachoeira e ricocheteavam no granito. Então, a água adquiriu um tom alaranjado. Kelsey não tirou os olhos da cena misteriosa. A cachoeira do sol da manhã.

Kelsey acordou cedo, com a gravidez de Becca fazendo sua imaginação correr solta com as possibilidades. Muitas perguntas lhe ocorreram, deixando seu sono novamente inquieto. Naquele momento, ela estava na base da cachoeira, com todas as questões a respeito de Becca Eckersley organizadas na mente. Dirigiu seu olhar para a origem da cachoeira, onde duas rochas arredondadas se situavam no topo do penhasco e ladeavam a água que passava entre elas. Provavelmente a força da água desgastou o penhasco ao longo do tempo, Kelsey imaginou, até que, no fim, a torrente cresceu e um pequeno filete escoou entre as pedras. Anos depois, a pressão implacável forçou uma abertura nas rochas, até que, por fim, a porção mais fraca se dissolveu e permitiu que a torrente vertesse da beira do penhasco. Aos poucos, o fluxo incessante foi polindo as rochas, criando um circuito através do qual a água passava livremente antes de cair da montanha. A evolução daquele cenário magnífico era incrível. Encarando a cachoeira, Kelsey soube que, não importando quão complexos fossem, todos os mistérios podiam ser traçados de volta até sua origem.

Kelsey chegava cada vez mais perto do mistério ali em Summit Lake, mas retroceder ao ignorado para revelar a verdade acerca da morte de Becca Eckersley exigia que ela dominasse grandes lacunas que não conseguiria preencher sozinha. Os pais de Becca trabalhavam para manter em silêncio os detalhes do caso, e, naquele momento, Kelsey confirmara que Becca também guardara segredos. Ser casada era um deles. Estar grávida era outro, e, sem dúvida, o suficiente para explicar por que Becca nada informara aos pais acerca de seu casamento.

Após alguns minutos, o brilho alaranjado desapareceu. A água lançou espuma na área sob a cachoeira. Depois, amansou, convertendo-se na lagoa que refletia as nuvens em forma de bolas de algodão. A névoa cobria o musgo da encosta da montanha.

— Vejo que você se tornou uma admiradora.

Kelsey se virou e avistou Rae parada atrás de si. O rosto dela estava vermelho por causa da corrida pela mata.

— Realmente é muito bonito aqui — Kelsey afirmou, sorrindo.

Pouco antes de ela conseguir terminar sua frase, Rae a abraçou. Kelsey permaneceu imóvel por alguns instantes e, então, lentamente, passou os braços em torno da amiga.

— Você está bem, Rae?

Rae manteve o abraço por vários minutos antes de soltar Kelsey.

— Estou. Mas devia ter dado um abraço assim em você na outra manhã. É o que amigas fazem quando contam coisas pessoais, privadas, que são difíceis de falar. Elas se abraçam e se apoiam, e eu gostaria de ter agido assim naquele dia. Mas você me pegou desprevenida quando me contou sobre... o que lhe aconteceu.

Kelsey engoliu em seco, surpresa de ficar tão comovida pelo gesto. Talvez por Rae ter sido a primeira pessoa — além de uma breve e incômoda conversa com Penn Courtney — a reconhecer sua situação e a confortá-la.

— Obrigada. — Os olhos de Kelsey ficaram úmidos, e ela piscou para conter as lágrimas. — Você é uma boa pessoa, Rae. E uma boa amiga. Sinto-me realmente feliz por conhecê-la.

Rae sorriu.

— O sentimento é mútuo. Venha, vamos mergulhar os pés.

Kelsey seguiu Rae, e as duas se sentaram na beira da água, no alto de grandes pedras ao redor da lagoa. Desamarraram seus tênis de corrida e mergulharam os pés.

— Por que a água está tão quente? — Kelsey perguntou.

— Fontes naturais. Emergem do subsolo, onde são aquecidas. Sem a cachoeira, a lagoa seria muito quente. A água do alto da cachoeira, que é gelada, mistura-se com a água quente, e esse é o resultado. As pessoas nadam aqui durante o ano todo, mesmo quando neva e a superfície está fumegante. — Rae se inclinou para trás para ver a cachoeira, e a fitou por instantes antes de prosseguir: — Às vezes, venho para cá antes do movimento matinal, para recuperar o fôlego e limpar a mente. Ao longo do tempo, aprendi que este é um ótimo lugar para ordenar meus sentimentos. Mas se eu me aprofundar muito neles, talvez fique com a mesma expressão com que você está agora.

— E qual seria?

— Preocupação — Rae respondeu. — Tem muita coisa acontecendo no interior desses seus grandes olhos castanhos. Sou capaz de jurar que você está tendo problemas com um menino.

Kelsey fez um gesto negativo com a cabeça.

— Sinto desapontá-la. E depois que você chega a certa idade, para de chamá-los de "meninos", sabia?

— Como eu deveria falar? Problemas com um homem adulto?

Kelsey sorriu.

— Não sei. Problemas com um "rapaz"?

— Ótimo. Sua expressão revela que você está tendo problemas com um *rapaz*. Fale.

— Falar o quê? — Kelsey arqueou uma sobrancelha. — Não há nada para falar.

— Aquele médico. Você o tem visto ultimamente?

— Sim, Rae. Na realidade, nós nos vimos ontem à noite.

— Eu sabia!

— Sabia o quê? — Kelsey deu uma risada. — Peter está me ajudando no artigo sobre Becca Eckersley. Ele tem boas fontes na cidade.

Rae olhou para Kelsey com um ar misterioso e um sorriso reprimido.

— O que significa isso?

— Você acha que sou apenas uma garota que chama homens de "meninos" e acorda antes do amanhecer para assar bolinhos de aveia. Mas sou muito intuitiva.

— Não duvido disso, Rae.

— Então, o que está acontecendo com vocês dois?

Kelsey arregalou os olhos.

— Não há nada acontecendo entre nós. Estamos invadindo prédios do condado e procurando relatórios da autópsia, e não namorando. A propósito, isso é segredo. A coisa da invasão. Não é para ser contada para ninguém.

— Mas você gosta dele?

— Eu o quê?

— Eu sabia.

— Sabia o quê?

— Nunca responda a uma pergunta de sim ou não com outra pergunta. É uma confissão. Um sinal óbvio.

Por um instante, Kelsey permaneceu calada.

— Peter me ligou e me ofereceu ajuda para algo em que eu estava obcecada. Ontem à noite, fomos para Eastgate e conseguimos entrar na sede do condado de Buchanan para achar o relatório da autópsia de Becca. — Depois de uma breve interrupção, Kelsey continuou: — Fiquei tocada com o fato de ele ter se disposto a me ajudar. É isso.

— Você pensou nele esta manhã?

— Sim. — Kelsey deu de ombros.

Rae abriu bem os braços.

— É isso aí! Você está tendo problemas com um *rapaz*. Por que mais pensaria nele? E não é uma coisa ruim. É legal.

Kelsey surpreendeu-se com a capacidade da garota de arrastá-la até um ponto onde ela não tinha escolha a não ser concordar.

— Mudando de assunto… Vocês acharam algo na autópsia?

— Muita coisa.

— Como, por exemplo?

Kelsey fitou a água em queda, e, em seguida, dirigiu o olhar de volta para Rae.

— Somos amigas?

— Claro.

— Você manteria um segredo se eu lhe pedisse, certo?

— Até o túmulo.

— Nesse caso, estou lhe pedindo.

Rae assentiu com um gesto de cabeça.

Kelsey mexeu a água com os pés e tornou a fitar Rae.

— Becca estava grávida quando morreu.

— Não!

— Cheia de hcG, um hormônio produzido durante a gestação. E quando falei com Millie Mays há alguns dias, ela me contou que Becca confessou a Livvy que fugira para se casar com um rapaz que estava namorando. Então, temos um casamento sobre o qual ninguém sabia, uma gravidez secreta e uma garota morta.

Lentamente, Rae projetou o queixo.

— E você acha que o cara com quem ela se casou a matou.

— Ele está liderando a corrida de suspeitos, sim.

— Quem é ele?

— Nenhuma pista. Assim, isso me põe numa grande encruzilhada. Preciso conversar com conhecidos de Becca. Como sua família na certa não irá me contar nada, e não consigo chegar às postagens do Facebook ou aos e-mails de Becca, restam-me duas opões: ir para Washington e começar a perguntar, ou achar alguns amigos dela dispostos a falar...

— Ou?

— Achar o diário de Becca. — Kelsey fez uma pausa. — Por acaso, você fez algum progresso a esse respeito, Rae?

— Talvez. Conversei com Millie. Ela é velha e parece estar perdendo a memória às vezes, mas sabe mais do que está revelando sobre a noite em que Becca foi morta. Eu disse a Millie que os membros do grupo de fofocas ficaram agitados por descobrir que Becca mantinha um diário. Só falam disso. Perguntei a Millie se ela sabia algo a respeito. Se Livvy disse alguma coisa acerca de um diário.

— E?

— Ela só encolheu os ombros, meio impaciente. O que significa que sabe tudo a esse respeito. Contei-lhe que a polícia nunca achou um diário na palafita, e você sabe o que Millie disse?

Kelsey ergueu as sobrancelhas.

— "Como a polícia poderia achar, Rae? Como a polícia poderia achar?", ela falou, me encarando, e depois se levantou e preparou chá doce.

Kelsey mudou de posição sobre a pedra.

— O que isso significa?

— Não tenho certeza, mas parece que ela sabe onde o diário está.

— Sério? Como conseguimos pôr nossas mãos nele?

Rae sorriu.

— Estou trabalhando nisso.

Elas tiraram os pés da água e vestiram suas meias.

— Quer um café? — Rae ofereceu.

— Estou suando.

— Café gelado, então.

— Topo!

Elas voltaram correndo pelo bosque, e, ao chegarem à Maple Street, começaram a caminhar até o café. Lá dentro, Kelsey tirou uma mancha do balcão, enquanto Rae preparava as bebidas. Perto de Kelsey, o grupo de fofocas marcava presença. A ruiva discutia com a senhora corpulenta quando Kelsey se sentou. Mas a conversa delas foi interrompida por um homem de quarenta anos, que ergueu um dedo para silenciar o grupo. Em seguida, ele apontou para Kelsey.

— Você não é Kelsey Castle?

O grupo todo, seis pessoas naquela manhã, virou-se e arregalou os olhos, como se uma estrela de cinema tivesse acabado de honrá-los com sua presença.

Antes de Kelsey conseguir responder, o homem disse:

— Você está aqui por causa de Becca, certo? — Ele olhou em volta, para o grupo. — Eu lhes disse que ela estava aqui. Isso é incrível. Nossa pequena cidade chamando a atenção da *Events*?

— Tudo bem. — Rae pôs o café gelado na frente de Kelsey e ficou parada atrás do balcão de mogno. — Não importune meus clientes.

— Rae, você sabia que Kelsey Castle estava na cidade e não nos contou? — o homem a repreendeu.

— Para um grupo de detetives como esse, vocês não são tão observadores. Kelsey já está em Summit Lake há uma semana, e veio aqui quase todas as manhãs.

— Você sabe quem fez aquilo? — a mulher corpulenta perguntou, como uma criança implorando por uma sobremesa.

Kelsey sorriu.

— Devo saber tanto quanto vocês.

— Por que a polícia não quer dar nenhum detalhe? — A ruiva balançou a cabeça.

— Eu não saberia dizer ao certo, pois a polícia também não quer me contar nada.

— Quando seu artigo vai sair? — o homem indagou.

— Também não sei informar. Ainda não tenho nada para escrever.

— Mas você não está aceitando o argumento do estranho aleatório, está? — ele prosseguiu.

— Tanto quanto vocês — Kelsey respondeu.

O homem sorriu e olhou para o grupo de fofocas.

— Não falei que era muito aleatório? — E olhou de volta para Kelsey.

— Então foi... Quer dizer, você acha que foi alguém que Becca conhecia, certo? Talvez alguém próximo dela?

Kelsey tornou a sorrir.

— Ainda não sei o que eu acho. Não cheguei muito longe.

— Eis o que pensamos. — Ele deu uma olhada rápida para a mulher corpulenta na extremidade do balcão. — Ao menos o que a maioria de nós pensa. Becca se enrolou com alguém, como um advogado do escritório do pai ou algum outro advogado importante. Talvez para ajudá-la posteriormente em sua carreira, ou só porque se apaixonaram. O caso converteu-se em algo, sabe... ilícito, sigiloso, escandaloso. Tanto faz. No fim, ela quis cair fora, ou ele quis cair fora. O outro não aceitou. Bum! Eis seu motivo!

— Teoria interessante — Kelsey afirmou. — Vocês trabalharam bastante nisso, hein?

— Todas as manhãs. — Rae suspirou. — Nunca pararam.

— Becca era jovem, bonita e inteligente. Tem de ser um crime de paixão, não?

— É possível. — Kelsey deu de ombros. — Consigam alguns suspeitos para eu entrevistar, ou algo importante para publicar, e colocarei vocês em meu artigo.

— Sério?! — A mulher corpulenta arregalou os olhos.

— Você contou para ela sobre o diário, Rae? — O homem alisou seu cavanhaque e sorriu como se guardasse um segredo.

— Não comentei com Kelsey nenhuma de suas teorias. Ela é muito boa no que faz. Não precisa das informações do grupo de fofocas.

— Não é uma teoria — ele disse para Kelsey. — Ouvi isso de mais de uma pessoa. Becca tinha um diário. Aposto que a polícia está com ele. Deve ser por isso que nada comenta a respeito do caso. Está investigando cada pessoa do diário, até descobrir algo de valor. Mas não quer que ninguém saiba o que ela está fazendo. Não quer assustar nenhum dos suspeitos.

— Certo — Rae interveio. — Continuem trabalhando. Acho que vocês estão quase lá. Vamos beber nosso café junto à lareira.

— Prazer em conhecê-los — Kelsey se despediu.

— Se você precisar de alguma declaração, é só pedir. Você pode mencionar qualquer um de nós — a mulher corpulenta disse.

— Obrigada. — E Kelsey se retirou com Rae para as cadeiras de couro perto da lareira.

— Desculpe por isso. É o que tenho escutado todos os dias, nas últimas semanas. As teorias ficam cada vez mais estranhas, e mudam completamente com base no que sai no jornal a cada manhã.

— Adoro isso, Rae. Um grupo de teóricos da conspiração.

Rae deu uma risada.

— Isso é Summit Lake. Antes de fofocarem a respeito de Becca, o assunto era a água estar contaminada e todo funcionário do governo saber disso, mas não querer gastar dinheiro para reparar o problema. Câncer, encobrimento da verdade e ações judiciais. Sempre alguma coisa.

— Mexericos matinais em cafeterias de todo o mundo, certo? — Kelsey tomou um gole de café. E abaixou a voz: — Eles sabem mesmo algo a respeito do diário.

— Estou chocada. Eles descobriram algo útil.

— E se um grupo de fofocas está perto, a polícia está ainda mais perto. Precisamos de um plano para achar o diário de Becca antes que alguém o ache.

Rae sorriu.

— Já lhe disse: estou trabalhando nisso.

21

Becca Eckersley
Universidade George Washington
13 de maio de 2011
Nove meses antes de sua morte

O *CAMPUS* COMEÇOU A ENCHER NA QUINTA-FEIRA. NA sexta, o trânsito vespertino ficou congestionado quando os pais convergiram para lá e ocuparam as ruas da Universidade George Washington para ver a formatura de seus filhos. Houve boatos da presença de agentes do serviço secreto no *campus*, pois o vice-presidente deveria proferir o discurso de paraninfo no sábado. Era um momento emocionante para os formandos, que tinham quase se esquecido do colega que se enforcara pouco mais de um mês antes. Para a maioria, era apenas uma estatística, mas, para Becca e Jack, era algo muito mais tangível, pois ambos haviam tomado parte; tratava-se de um acontecimento em que cada um sentiu que desempenhou um papel distinto no resultado. E como eles eram tão próximos daquilo, ignorar o fato ou deixar que ele fosse carregado para o passado era uma tarefa impossível.

Em 7 de abril, Brad Reynolds se enforcou; ou seja, cinco semanas antes do dia da cerimônia de entrega de diplomas na George Washington. Desde então, a vida de ninguém fora a mesma. Brad enviara a mensagem de texto para Jack pouco antes de chutar a cadeira debaixo de si. Ele ficou pendurado durante exatos sessenta e três segundos antes de a porta da cozinha se abrir e Becca vê-lo balançando, pendurado à viga.

As semanas que antecederam a formatura foram de silêncio e isolamento para Becca e Jack, que passaram a maior parte do tempo juntos. Eles se sentiram perturbados com o fato de ficarem no apartamento de

Jack. Toda vez que abriam a porta, viam os pés de Brad girando sobre o piso da cozinha. Dormir ali era simplesmente impossível.

Em meados de abril, Jack recebeu um telefonema do escritório de admissões da faculdade de direito de Harvard. Uma carta oficial chegou quatro dias depois, e Jack a colocou ao lado de sua carta de aceitação, recebida meses antes. Becca pousou a cabeça no ombro dele e chorou quando o abraçou. Ele não demonstrou nenhuma emoção. Era o jeito como Jack lidava com as coisas. No entanto, apesar de Jack reagir daquela maneira à notícia, alheio à realidade de que nunca entraria para Harvard, nem para nenhum outro curso de direito naquele outono, Becca sabia que, no fim, aquilo o afetaria profundamente.

— Bem, alguém da lista de espera acabou de receber a melhor notícia de sua vida — Jack comentou com Becca.

Becca escutou a filosofia de Jack sobre como a vida funcionava: o infortúnio de um significava a realização do sonho de outro, quer esse sonho fosse ser admitido na faculdade de direito ou conseguir a garota de seus sonhos. Becca escutou, mas não acreditou nas palavras dele. Sabia que, apesar de toda a conversa de Jack de não querer exercer a advocacia, ele se sentiu muito mal com a notícia. Por isso, sem hesitação, ela concordou em ir com ele.

Becca terminou de empacotar suas coisas na sexta-feira à noite. A cerimônia de formatura seria na manhã seguinte. Seus pais estiveram com ela no fim de semana anterior, para levar seus pertences de volta para Greensboro, para o verão. Passava um pouco das dez da noite quando ela entrou no apartamento de Jack.

— Tem certeza de que você não quer participar da cerimônia? — Jack perguntou.

Becca fez que sim com a cabeça.

— Não preciso dos cochichos e olhares fixos quando chamarem nossos nomes.

— Não creio que alguém vá cochichar e olhar fixo, mas não quero descobrir. Seus pais estão de acordo com isso?

— Sim. Não ficaram felizes, mas vieram na semana passada para pegar minhas coisas. Estão me apoiando. Sabem que tudo foi muito difícil e que nós só estamos tentando descobrir como lidar com isso.

— Este ano deveria ser bem diferente, não é?

— É uma pergunta retórica, certo?

— É... — Jack estava sentado na cama de seu quarto vazio.

— Olhando para trás, percebo que tudo estava indo muito bem até roubarmos aquele maldito exame. A partir daí, tudo mudou. Quer dizer, a vida de Brad desde que roubamos aquele exame...

— Jack, não fizemos nada contra Brad. Ele fez contra si mesmo. Dizer isso parece insensível e terrível, e sinto falta dele como sentiria a falta de meu irmão. Mas você e eu não somos responsáveis pelo que aconteceu. Para proteger a todos nós, você assumiu a responsabilidade por algo que Brad fez. Assim, isso deveria absolvê-lo de sua culpa. Harvard foi tirada de você, que considero muito pior do que uma não admissão. E sei que foi uma decisão sua e, assim, nunca me envolvi, mas acho que foi um completo absurdo Brad deixar você assumir a responsabilidade pelo exame.

Jack tirou o celular do bolso e acessou as mensagens de texto.

— Ele me enviou isto, pouco antes — disse, entregando o aparelho a Becca.

Você a tirou de mim, Jack.
Mas acho que ela realmente nunca foi minha.

Por um tempo, Becca fitou o celular, lendo e relendo a mensagem em silêncio.

— Meu Deus, Jack! — Ela se sentou ao lado dele. — Por que não me disse nada?

— Dizer o quê? Você sabia que Brad estava puto por estarmos namorando pelas costas dele. Isso só adiciona um pequeno elemento ao fato de ele achar que roubei você dele.

— É quase... assustador. Estou começando a pensar em Brad de um jeito diferente. Droga... Só quero achar uma maneira de seguir adiante.

— Entendo. — Jack se levantou e pegou suas mochilas. — Pronta?

— Vamos.

Jack carregou escada abaixo as duas mochilas, que representavam tudo o que ele possuía no mundo, e as ajeitou no porta-malas do carro. Jogou a bolsa de viagem de Becca no assento traseiro e fez uma última inspeção no apartamento, pegando a tevê em seus braços e deixando tudo o mais que não tinha chance de caber no Volvo.

No mês anterior, os pais de Brad passaram pelo apartamento para apanhar os pertences do filho, deixando apenas lembranças e um quarto vazio. Jack e Becca se detiveram antes de partirem. Lágrimas rolaram pelo rosto dela. Eles ergueram as cabeças, observando a viga de ferro situada no teto da cozinha. As últimas cinco semanas geraram muitos cenários em suas mentes, expondo como as coisas poderiam ter acontecido de maneira diferente. Jack poderia ter desistido do voo no dia em que Brad confessou seu amor por Becca, e ficado com seu amigo, quando este precisava muito dele. Becca poderia ter contado tudo a Brad durante uma das conversas deles até o amanhecer e desarmado a bomba-relógio em seu íntimo. Eles poderiam ter revelado a verdade desde o início, quando Gail e Brad voltaram para o último ano da escola. Jack poderia ter tirado a chave de Brad e dito a ele o quão absurdo era roubar um exame, e, juntos, poderiam ter avaliado mais a sério as consequências de serem pegos. Talvez essas atitudes tivessem impedido o ano de se desenvolver da maneira como se desenvolveu. Talvez nada tivesse mudado.

Enfim, Becca e Jack desceram a escada, deixando a porta do apartamento escancarada. Jack pôs a tevê no assento traseiro. Em seguida, os dois embarcaram no velho Volvo. Quando o motor pegou, Jack saiu com o carro do estacionamento.

Duas horas depois, Washington era algo ausente no espelho retrovisor. Só havia uma rodovia escura diante deles, como suas vidas, iluminada pelos faróis do Volvo apenas por um curto trecho, com a escuridão e o desconhecido além do imediato.

Dirigiram sem cessar a noite toda, com muito pouca conversa, até o sol encher os espelhos e estender o Volvo numa longa sombra, que deslizava sobre a estrada adiante. Mais ou menos na hora em que seus nomes estariam sendo chamados na formatura, eles cruzaram o rio Mississípi.

Dois dias após terem deixado Washington, Becca e Jack acabaram em Wyoming. Em Yellowstone, compraram uma barraca e pagaram por um local de acampamento. Acharam seu terreno na área de camping de Bay Bridge, onde montaram a barraca e dormiram por doze horas seguidas.

Passaram dois dias percorrendo trilhas sob o céu azul. Na primeira noite, Becca e Jack, sentados observando as chamas alaranjadas da fogueira, pensaram em Brad e no jeito como tudo acabou. Conversaram até o sol se pôr e a escuridão cair sobre o vale. Então, entraram na barraca e se aconchegaram um no outro no saco de dormir. Além das coisas que não conseguiam controlar e não tinham poder para mudar, Becca e Jack decidiram que o pior que haviam feito fora terem se apaixonado e mantido segredo disso. Conseguiriam conviver com aquilo.

No outono, Becca começaria seu primeiro ano da pós na George Washington. Conheceria novas pessoas e faria novos amigos. A pós-graduação estava fora de cogitação para Jack, e seu futuro era menos garantido. A notícia do roubo do exame e de sua rejeição pela Harvard se espalhou, o que não pressagiou coisas boas para a possibilidade de encontrar um emprego em Washington. Embora não tivesse dado muita importância a isso naquele momento, sob a noite estrelada do Parque Nacional de Yellowstone, Jack considerou como sua vida mudara nas últimas semanas. E quando ele se permitiu considerar seu futuro, começou a entender que assumir a responsabilidade pelo exame roubado poderia ter afetado sua vida muito mais do que considerou originalmente.

A noite esfriou. Becca e Jack cobriram as cabeças com o saco de dormir e adormeceram.

22

Kelsey Castle
Summit Lake
13 de março de 2012
Dia 9

— **O SENHOR ME PEDIU PARA DESCOBRIR POR QUE O** segredo de Becca era um segredo — Kelsey disse ao delegado Ferguson, junto ao lago, num pequeno restaurante que servia o café da manhã. — Eu descobri por que Becca casou.

Sentados ao balcão, eles tomavam goles de café amargo, enquanto o delegado comia um *donut* amanhecido.

— Estou escutando.

— Ela estava grávida.

O delegado parou de comer o *donut* e percorreu com os olhos o restaurante, para assegurar que ninguém estava prestando atenção neles.

— De onde tirou essa teoria?

— Não é uma teoria — Kelsey afirmou, baixinho. — De acordo com Michelle Maddox, a médica-legista do condado que fez a autópsia, é um fato. O exame de sangue de Becca deu positivo para hCG, o hormônio produzido durante a gestação. — Tirou uma folha de papel da bolsa e a pôs no balcão, na frente do delegado Ferguson. Era uma página impressa do relatório da autópsia, descrevendo o exame interno e a descoberta da dra. Maddox de um feto feminino, supostamente no quinto mês de gestação.

— Filho da puta! — o delegado Ferguson ergueu o documento e olhou para Kelsey com as pálpebras caídas e a fisionomia congestionada de um homem que bebia e fumava muito. — Devo me dar ao trabalho de perguntar como você conseguiu um relatório da autópsia que eu ainda não tinha visto?

Kelsey tomou um gole de seu café.

— Não.

O delegado fez um leve gesto negativo com a cabeça e sugeriu um sorriso. Pouco depois, relaxou e assumiu uma expressão impassível, considerando aquela nova informação.

— Quer dizer que ela engravidou, depois fugiu e casou com o rapaz bem rápido?

— É plausível. Talvez explique por que a família tenta encobrir as coisas. Um pai que tem um escritório de advocacia importante e está se preparando para se candidatar a um cargo de juiz não quer que descubram que sua filha solteira e grávida foi estuprada.

— Mas ela *era* casada.

— Mas ninguém sabia disso. Talvez fosse pior ainda para um advogado importante que sua filha fugisse para se casar. Mas preciso de alguma ajuda. Essas são todas peças importantes do quebra-cabeça, mas sozinhas não me deixam mais perto de descobrir quem arrombou a casa dos Eckersley naquela noite.

— Bem... — Ferguson brincou com sua xícara sobre o balcão. — Primeiro, você tem de lembrar que ninguém arrombou a casa. Não há sinal de entrada forçada. O que significa que uma recém-formada na George Washington e pós-graduanda, na época, ou era ignorante demais para não saber que não devia abrir a porta para um estranho estando sozinha na casa de férias de sua família, ou conhecia a pessoa e permitiu que ela entrasse.

— Muito bem. Então, Becca desliga o alarme e abre a porta. Para quem? Ela estava casada e grávida, mas quem diabos a matou?!

O delegado Ferguson tomou mais um gole e, em seguida, tornou a olhar em volta. O restaurante estava quase vazio.

— Pode ser que sua fonte esteja errada a respeito do casamento. Ou talvez a garota Eckersley estivesse equivocada sobre as intenções do rapaz: ela queria se casar e achou que quem a engravidou quisesse a mesma coisa. Becca contou isso para algumas pessoas, ou pelo menos para sua fonte. O único problema? O rapaz não quis se casar com ela.

Também não queria um filho. E encontrou apenas uma única maneira de resolver a encrenca.

Kelsey considerara um cenário similar. Era uma boa teoria, mas com personagens ausentes. E eles se moviam em ordem inversa — em geral, acha-se um suspeito, e depois se procura um motivo; não o contrário.

O delegado Ferguson deixou escapar uma de suas risadas grosseiras enquanto a observava pelejar com as possibilidades.

— Ninguém disse que seria fácil solucionar esse crime. No entanto, à medida que você avança nesse caso, quero que se lembre de uma coisa.

— Do quê?

— Em minha experiência, você pode encaixar a pessoa que faz algo tão terrível contra uma bela jovem em duas categorias. A primeira é daquela que odeia a vítima.

— Considerei isso, delegado. E até agora fui incapaz de descobrir alguém que pudesse ter odiado Becca Eckersley. A garota não tinha inimigos.

— O que nos conduz à única outra categoria de alguém capaz de assassiná-la.

— Que é...?

— Alguém que a amava.

MAIS TARDE, NAQUELA NOITE, APÓS SEU ENCONTRO COM o delegado Ferguson, Kelsey, em sua suíte no hotel, ligou o computador. Estava sentada à mesinha de jantar, coberta com material de pesquisa do caso Eckersley. Um quadro se achava apoiado numa cadeira e decorado com fotos da casa dos Eckersley, com fluxogramas escritos à mão por Kelsey dos movimentos de Becca no dia em que morreu: começando no *campus* da George Washington, passando pelas montanhas de Summit Lake e pelo Café Millie, e chegando até a palafita dos Eckersley. Os horários vinham escritos em cada lugar para manter as coisas bem claras em sua mente.

Kelsey considerou as informações que recebeu do delegado Ferguson. Uma hora depois, as outras cadeiras estavam cobertas com pilhas de papéis que ela organizou num sistema coerente só para si. Passou a estudar as informações a respeito das viagens de Becca: um resumo de seus movimentos nos meses anteriores à sua morte.

Becca começou a pós-graduação em agosto, seis meses antes de seu assassinato, e a polícia rastreara apenas três viagens a partir de Washington naquele período. A primeira foi em novembro, para Greensboro, presumivelmente para comemorar o dia de Ação de Graças em família. A seguinte foi para Green Bay, em Wisconsin, de avião, no Natal. A última viagem foi para Summit Lake, no dia em que foi morta.

Kelsey começou por Greensboro, cruzando informações de recibos de cartão de crédito e registros de caixas eletrônicos com o endereço residencial dos Eckersley. Sem dúvida, uma viagem para comemorar o dia de Ação de Graças. Em seguida, ela passou para a viagem para Green Bay. O que havia em Green Bay que faria Becca ir até ali no recesso de Natal? Um rapaz, Kelsey concluiu. O que mais afastaria uma estudante de vinte e dois anos de sua família no Natal?

Kelsey passou mais uma hora estudando os registros telefônicos de Becca, procurando ligações feitas para códigos de área de Wisconsin. Nenhuma ligação. Embora Kelsey tenha achado, no período de três dias que abrangia o Natal, um telefonema por dia para o número da casa dos Eckersley, em Greensboro. Todas essas ligações passaram por uma torre de celular em Green Bay. Kelsey estava perto, mas precisava de um nome, de um número de telefone, de um endereço ou de algo para rastrear.

Em seu computador, Kelsey examinou a turma do primeiro ano da pós da George Washington: quase cem nomes. Excluiu as mulheres e se fixou nos cinquenta e dois homens que cursavam a faculdade com Becca Eckersley. Uma pesquisa cuidadosa lhe informou que apenas três eram de Wisconsin, e nenhum de Green Bay.

Por mais três horas, ela investigou os outros estudantes do sexo masculino das turmas do segundo e terceiro anos. Nenhum era de Green Bay. Kelsey até examinou de relance os perfis dos advogados no escritório de advocacia de William Eckersley, flertando brevemente com a teoria do grupo de fofocas, que dizia que Becca talvez tivesse se envolvido com um dos colegas de seu pai. No entanto, logo desistiu, pois nenhum era de Wisconsin.

Kelsey colocou de lado suas anotações sobre a faculdade de direito da George Washington e voltou para os registros do delegado Ferguson. No verão após a formatura de Becca, ela viajou num jatinho pertencente a Milt Ward, senador de Maryland. Kelsey folheou algumas anotações. Milt Ward estava em todas as notícias.

— Por que um senador de Maryland a levaria a bordo de seu jatinho?

Sentindo estar diante de uma informação importante, Kelsey pegou outra pilha de papéis e começou a investigar. Contudo, uma batida na porta a interrompeu. Ela olhou para o relógio: vinte e três e dezoito.

Pelo olho mágico, Kelsey viu um homem de terno, com a gravata afrouxada e torta.

— Srta. Castle? — O homem tornou a bater na porta. — Sou o detetive Madison. Vi a luz acesa, por isso imaginei que a senhorita estivesse no quarto.

Kelsey abriu a porta, tanto quanto a corrente permitiu.

— Sim?

— Você ainda está acordada. Podemos conversar? — o detetive perguntou.

— A respeito do quê?

— Becca Eckersley.

— Posso ver sua identificação?

— Claro. — O detetive tirou seu distintivo e o passou pela fenda entre a porta e a moldura. Ele também apresentou sua carteira de motorista. — Podemos conversar no saguão se a senhorita se sentir mais à vontade lá.

Kelsey examinou o distintivo e reconheceu que era legítimo. Ela falaria com o delegado Ferguson a respeito daquele sujeito. Madison era um dos detetives estaduais que tinham tirado o caso da polícia de Summit Lake.

— O que há de tão importante para você bater em minha porta às onze da noite?

— Houve uma evolução importante.

Kelsey fechou a porta e soltou a corrente.

— Pegue. — Ela devolveu-lhe o distintivo e a carteira de motorista.
— Algo sobre Becca?

168

— Posso entrar?

— Sim — Kelsey disse. — O quarto está uma bagunça.

O detetive Madison entrou na suíte e olhou em volta, percebendo a papelada amontoada desordenadamente sobre a mesa e as cadeiras.

— Você estava ocupada.

— Estou aqui a trabalho.

— Eu soube. — O detetive foi até a mesa e mexeu em algumas folhas de papel.

— Por favor, não mexa em nada disso, detetive. A menos que tenha um mandado de busca.

— Não tenho. — Ele se virou e encarou Kelsey. — O que você está tentando fazer aqui?

— Estou escrevendo um artigo a respeito de Becca Eckersley.

Madison voltou a observar a mesa e as cadeiras cobertas com papéis e esboços.

— Um artigo ou um livro?

Kelsey permaneceu impassível.

— Um artigo.

— Por que tanto trabalho para um simples artigo?

— A história de Becca é complicada.

— Com certeza.

— Então qual é essa evolução que o trouxe até aqui tão tarde da noite?

O detetive sorriu.

— Gostaria que você parasse de bisbilhotar em lugares onde não deve.

— Sou uma jornalista escrevendo um artigo, detetive Madison. Bisbilhotar é parte de meu trabalho. E como vocês estão sendo tão reservados acerca dos detalhes desse caso, tenho tido de montar o quebra-cabeça por meio de uma investigação peça por peça.

— Monte o quebra-cabeça do jeito que quiser, mas, se você violar a lei, pagará o preço.

— Fazer perguntas em Summit Lake não é uma atividade que viola lei alguma.

— De acordo. Mas invadir um prédio do governo é uma violação.

Kelsey não hesitou.

— Quem invadiu algum prédio?

O detetive Madison voltou a sorrir.

— Estou trabalhando nisso. Confie em mim. O vídeo de uma câmera de segurança mostra duas pessoas usando um cartão de acesso roubado para entrar na sede do condado. O mesmo cartão foi usado para entrar numa sala e acessar documentos confidenciais.

Desta vez, Kelsey sorriu.

— Confidenciais? O condado de Buchanan é responsável por algum programa nuclear secreto?

— Que gracinha. Onde você estava duas noites atrás?

— Detetive, não venha até meu quarto para tentar me intimidar.

— Estou simplesmente fazendo uma pergunta.

— Que contém a implicação de que forcei a entrada nesse prédio a que você se refere.

— Você fez isso?

— Se quiser me interrogar, então me prenda e faça isso na delegacia.

Por um instante, o detetive Madison pareceu refletir.

— Quando você retorna a Miami?

— Quando terminar meu artigo.

— Ah! — o detetive exclamou, rindo e fazendo um gesto negativo com a cabeça. — Não acho que irá conseguir. Assim que eu tiver certeza de que é você no vídeo, vou prendê-la. Se ainda estiver em Summit Lake. E também vou prender quem estava com você. Entendeu?

— Para ser franca, não, porque não sei de que diabos você está falando.

— E reparei que parte de seu material de investigação está com o carimbo do departamento de polícia de Summit Lake. Também roubou esse material?

Kelsey não respondeu.

— Não — o detetive afirmou. — Aposto que você não precisou. Stan Ferguson deve ter lhe entregado os documentos, porque ele está sendo um pé no saco desde que foi convidado a se afastar do caso. Vazar informações para a imprensa sobre uma investigação em andamento é uma péssima ideia. — Dirigiu-se à porta. — Boa noite, srta. Castle.

O detetive Madison fechou a porta. Kelsey correu até o olho mágico e o viu percorrendo o corredor e entrando no elevador. Ela pegou o celular, ligou para Penn Courtney e deixou uma mensagem no correio de voz pedindo para ele ligar. Também enviou uma mensagem de texto para Penn com a mesma mensagem do telefone fixo dele.

Kelsey vestiu uma jaqueta e saiu do quarto. Venceu apressada os cinco quarteirões que a separavam do Café Millie, que sabia estar fechado havia um bom tempo. Ergueu os olhos na direção do segundo andar. As luzes estavam apagadas. Nos fundos do prédio, subiu a escada e bateu de leve na porta. Como não obteve nenhuma resposta, bateu com mais força. Então, a luz da cozinha finalmente se acendeu. As cortinas foram puxadas para o lado e, em seguida, a porta foi aberta.

— O que houve? — Rae perguntou.

— Preciso de sua ajuda.

— Entre. — Rae usava calça de pijama de flanela, camiseta e chinelos. — O que está acontecendo?

— O chefe dos detetives do caso Eckersley acabou de me fazer uma visita.

Com ar sonolento, Rae observou com os olhos meio fechados o relógio da parede.

— Que horas são?

— Quase meia-noite.

— Por que a polícia apareceu em seu quarto de hotel à meia-noite?

— Porque acho que estou metida numa encrenca. O nome do sujeito é Madison, e ele quis saber por que eu estava bisbilhotando tanto por aí.

— Diga a ele que você está escrevendo um artigo. Isso não é crime.

— De acordo. Porém, entrei ilegalmente no prédio do condado, na outra noite com Peter, e examinei um relatório da autópsia que não foi tornado público.

— Achei que era um segredo.

— Pois é. Deixou de ser quando uma câmera de segurança na frente do prédio me filmou.

— Ah, não!

— Sim.

— Os melhores jornalistas se tornam os piores criminosos. Não é o que diz o ditado?

Kelsey fez um gesto negativo com a cabeça.

— Tudo bem. Não entre em pânico agora, Kelsey. O que ele quer?

— Que eu vá embora de Summit Lake.

— Quanto falta para você terminar o artigo sobre Becca?

— Não muito. No mínimo, estão me ocorrendo algumas ideias que não correspondem às da polícia. Só preciso de algum tempo para desenvolvê-las. O delegado Ferguson disse que os detetives estaduais estão obcecados com a teoria de um estranho que apareceu na cidade naquela noite e entrou na casa dos Eckersley ao acaso.

— Sem dúvida, você discorda dessa teoria.

— Totalmente. Becca foi assassinada por alguém que ela conhecia.

— Quem?

— Não sei. Estou bem perto de descobrir, mas não tenho os recursos de que preciso. Em outra situação, eu conversaria com a família para obter um quadro da vida dela, algum vislumbre pessoal dessa garota. Descobrir quem eram seus amigos, quem ela namorou... Mas não há nenhuma chance de conversar com a família.

— E os amigos dela?

— Não sei quem eram seus amigos. Não tenho acesso aos seus e-mails. E sua conta do Facebook está indisponível. Podia ir para Washington e começar a investigar na George Washington até alguém me contar algo útil. Mas, após a visita do detetive Madison, tenho a sensação de que ir a Washington não será uma opção para mim.

— Então, qual é o seu plano?

Kelsey respirou fundo.

— Você e eu irmos à casa de Millie e conseguirmos aquele diário.

Rae sorriu.

— Não vamos pôr o carro na frente dos bois.

— Millie não está com o diário?

— Acho que sim, mas não tenho certeza.

— Ora, vamos descobrir! Tenho de conhecer a vida de Becca. Aí, poderei juntar as peças e propor uma teoria de quem a matou. Não consigo falar com a família dela, nem tenho tempo para localizar seus amigos. Neste momento, o diário de Becca é minha única esperança. Caso contrário, perco a história. — Kelsey se aproximou de Rae. — Preciso de sua ajuda nisso.

Enquanto pensava, Rae fixou o olhar no teto.

— Tudo bem, Kelsey. Mas se Millie está com o diário, e o escondeu todo esse tempo da polícia, na certa não vai entregá-lo para nós.

— Sem chance. Então, qual é o plano?

Rae deu uma risada.

— Não tenho um plano! A ideia foi sua!

— Pare com isso. Você sabe que estamos falando a mesma língua.

Rae assentiu com um gesto de cabeça.

— Estamos.

— Rae, como vamos pôr as mãos naquele diário?

— Sejamos criativas.

23

Becca Eckersley
Parque Nacional de Yellowstone
19 de maio de 2011
Oito meses antes de sua morte

O TELEFONEMA DO SENADOR, QUE ACORDOU JACK E BECCA
na quinta-feira logo cedo, não salvou a vida deles — nada tão dramático
assim —, mas a modificou bastante. Naquela manhã, o toque do celular
foi um som anormal, que perturbou o silêncio e o sossego que prevalecia
em Yellowstone. Jack se virou, tirando o braço de Becca de seu peito, sentou-se e procurou o aparelho em sua mochila. Não reconheceu o número.

— Alô?

— Jack? — um homem perguntou com um sotaque sulista.

— Sim. — Jack pigarreou e apertou o celular cheio de ruídos contra
o ouvido.

— Jack, aqui é o senador Milt Ward. No ano passado, você trabalhou
para mim num programa de estágio da Universidade George
Washington.

Jack endireitou-se.

— Sim, senhor. Como vai?

— Precisando de uma opinião jovem. Como você sabe, vou me candidatar para a eleição de novembro, e preciso de ajuda em minha
campanha.

— Senhor? Não estou ouvindo direito.

— Estou lhe oferecendo um emprego, filho. Você vai colocar palavras
em minha boca, com um de meus redatores de discursos.

Por alguns segundos, houve uma interrupção de comunicação.
Então, o senador disse:

174

— Filho, está me escutando?

— Sim, senhor.

— Acabei de lhe oferecer um emprego, Jack.

— Sim, senhor. É uma honra.

— Ótimo. Vou colocá-lo em contato com minha chefe de campanha. Ela o atualizará sobre como as coisas acontecem aqui. E eu gostaria de encontrá-lo amanhã para jantar.

— Desculpe, senhor, mas estou na região oeste do país, e não conseguirei voltar até amanhã. Estou no Parque de Yellowstone para passar alguns dias.

— Então podemos nos ver na próxima semana?

— Sim, senhor.

— Vou lhe passar o número de Shirley Wilson. Ela arranjará tudo para você voltar aqui.

— Eu vim de carro, senhor. Quando sair do parque demorarei dois dias para chegar a Washington.

— Shirley organizará as coisas. Vou mandar meu avião para buscá-lo. Será muito mais rápido do que voltar de carro. Precisamos nos encontrar o quanto antes. Vejo você dentro de alguns dias.

— Senador, eu... O senhor deve estar a par... — Jack fez uma pausa, sem saber se devia prosseguir.

Naquele momento, Becca se sentou, escutando o fim da conversa.

— Tive alguns... — Jack procurou uma palavra apropriada — ... problemas na faculdade antes de me formar.

Não houve resposta do outro lado; então Jack continuou falando:

— Por causa de um exame roubado.

— Ouvi dizer que o professor Morton é um idiota, filho. Eu também teria roubado aquele exame, se tivesse a oportunidade. — O senador riu. — Você foi checado, Jack. Sei mais a seu respeito do que você mesmo. E não há nada que eu não goste. Roubar um exame para passar numa matéria que não consegue enfrentar é uma coisa. Roubar um exame e não usá-lo é totalmente outra.

— Como o senhor sabe que não o usei?

— Tenho ouvidos nos lugares certos, Jack. Anote este número.

Jack anotou em sua mão o número de telefone da chefe de campanha do senador Ward.

— Vejo você na próxima semana, filho.

Jack desligou o celular e olhou para Becca.

— Será que isso acabou de acontecer?

— Me conte!

— O senador Ward. Do meu estágio do verão passado.

— Sim?

— Ele está se candidatando a presidente.

— E?

— Quer que eu escreva para ele.

24

Kelsey Castle
Summit Lake
14 de março de 2012
Dia 10

KELSEY CAMINHAVA PELA MAPLE STREET COMENDO UMA banana. Era uma manhã sem nuvens, fazia já um pouco de calor e era possível sentir o cheiro da primavera em todas as direções.

Kelsey tinha de advertir o delegado Ferguson a respeito do problema que estava prestes a alcançá-lo. Ela virou na Minnehaha Avenue, subiu os degraus e adentrou o prédio antigo da polícia. Não havia ninguém guarnecendo a frente; assim, ela seguiu direto para a sala do delegado. Encontrou-o de joelhos, atrás de sua mesa, procurando algo na gaveta inferior. Uma grande caixa de papelão estava sobre a mesa.

— Delegado?

Ferguson colocou a cabeça acima do tampo da mesa.

— Srta. Castle, bom dia.

— Desculpe a visita sem aviso prévio, mas preciso falar com o senhor.

Ele acenou para ela.

— Venha cá um minuto e me ajude a ficar de pé. Meu joelho não está bom.

Kelsey contornou a mesa e o ajudou a se levantar.

— O que o senhor está fazendo? — Ela notou, naquele momento, a total bagunça reinante: papéis espalhados atrás da mesa e pregos se projetando das paredes nuas, onde antes quadros se achavam pendurados. Continuando a percorrer o ambiente com os olhos, Kelsey entendeu. — O senhor está esvaziando sua sala?

— É hora — ele afirmou, sorrindo.

— Por causa de Madison?

— Por causa de muitas coisas.

— Ontem, tarde da noite, Madison apareceu na minha suíte no Winchester. Disse para eu voltar para Miami. Ele viu meu material de investigação. Parte dele tinha o carimbo do departamento de polícia de Summit Lake.

O delegado sorriu de novo.

— Não importa como Madison descobriu. E, honestamente, minha saída não é resultado disso. A aposentadoria era inevitável. Fiquei aqui o máximo que pude, mas agora preciso ir. Esperava ficar tempo suficiente para descobrir o que aconteceu com a garota dos Eckersley, mas isso não vai acontecer.

— Então Madison o está pondo para fora?

— Faça-me o favor! Um garoto que mal saiu das fraldas não tem autoridade para isso. Mas o promotor público tem. Ele me ligou e pediu para eu sair. Fiquei feliz.

— Sinto-me péssima, delegado.

— Mocinha, não se culpe por meus problemas. Os sinais de perigo já eram evidentes há algum tempo. — O delegado jogou mais alguns itens na caixa já repleta sobre sua mesa. — Mas me faça um favor, sim?

— O que o senhor quiser.

— Não deixe que a enxotem daqui como fizeram comigo. Tenho questões políticas e aposentadorias com que me preocupar. Você segue um conjunto diferente de regras. Sei como está perto de solucionar esse caso. Assim, não pare até que aconteça, certo?

— Sim, senhor.

O delegado Ferguson tornou a sorrir e percorreu sua sala com o olhar.

— Bem, acho que chega. Todo o resto pode ficar. Vou deixar para os rapazes decidirem o que fazer.

— Quem assumirá seu lugar?

— O departamento de polícia de Summit Lake ficará em boas mãos, para quem quer que o entreguem. Me ajuda a levar para o meu carro?

— Claro.

Kelsey carregou uma caixa para fora e a colocou na traseira da caminhonete de Ferguson.

O delegado esfregou as mãos e olhou para o velho prédio de tijolos onde passou toda a sua carreira.

— Acabou.

— Para onde o senhor vai?

— Trabalhei ininterruptamente durante quarenta e três anos, mocinha. Nunca tirei uma licença médica. Sei que é difícil de acreditar olhando para mim, mas é verdade. Vou relaxar por algum tempo.

— Onde?

— Só Deus sabe. Mas estou pronto, com certeza. — Ele tirou um maço de cigarros do bolso interno do paletó. — Me faça mais um favor. — E entregou o maço para Kelsey.

Ao pegá-lo, ela fez um ar de espanto.

— Jogue-o fora para mim.

— Sem dúvida — Kelsey disse.

Ferguson embarcou na caminhonete e fechou a porta. Seu cotovelo esquerdo pendeu para fora da janela aberta.

— Tome cuidado, srta. Castle. Madison está em seus calcanhares. Assim, termine logo seu trabalho e caia fora daqui — ele alertou, entregando um cartão para Kelsey. — Meu celular. Ligue se precisar de alguma coisa. Faltam apenas mais duas peças, no máximo, para resolver o caso. Depois, tudo vai se encaixar. Boa sorte. — Ferguson deu a partida.

Kelsey acenou enquanto o delegado se afastava pela rua e virava na Maple. Por alguns instantes, o motor diesel rugiu. Então, o som desapareceu, assim como ele.

25

Becca Eckersley
Universidade George Washington
4 de agosto de 2011
Seis meses antes de sua morte

NUM DIA QUENTE DO COMEÇO DE AGOSTO, TRÊS MESES após a aventura no Parque de Yelllowstone, Becca se mudou para seu novo apartamento no bairro de Foggy Bottom, imediatamente a oeste do *campus* da faculdade de direito da Universidade George Washington. Era, por coincidência, o mesmo bairro onde Jack se estabelecera mais cedo, no verão. A caminhada de dois quarteirões entre os apartamentos deles era fácil de vencer.

Em 16 de agosto, começaria a orientação para os estudantes do primeiro ano da pós-graduação. As aulas teriam início no dia 22, o que dava a eles duas semanas antes de a agenda de Becca a enlouquecer.

Jack já estava trabalhando durante muitas horas na campanha de Milt Ward, mas lhe foi concedido o fim de semana para ajudar Becca a se instalar. Ele viajava esporadicamente, mas, nas duas semanas seguintes, permaneceria em Washington. O trabalho duro só começaria no final do outono, com os preparativos para a convenção partidária de Iowa, em janeiro.

Após o café da manhã e um passeio pelo *campus* da faculdade de direito, os pais de Becca foram embora no domingo de manhã. Abraçados, Jack e Becca acenaram quando os Eckersley embarcaram no carro e partiram. De mãos dadas, passearam pelo *campus*, imaginando o ano vindouro.

— Você vai passar muito tempo aí dentro. — Jack apontou para a biblioteca.

— Vai ser estranho estudar sem você. Fiquei tão acostumada em tê-lo à mesa diante da minha... Precisarei me virar sozinha ou encontrar outro cara para estudar comigo.

Jack sorriu.

— Acho que você vai ser uma loba solitária.

— Não terei tempo para namorados. Recebi o currículo do primeiro ano por e-mail, e parece intenso.

— Vou acreditar no que você está dizendo. Para mim, neste momento, a ideia de estudar durante muitas horas é bem difícil de lidar.

— Isso porque você foi chutado de Harvard e, agora, é um redator de discursos bem-sucedido, só três meses depois da última vez em que fez um exame escrito.

— Redator de discursos, sim. Bem-sucedido, longe disso. Mais um trabalhador braçal novato, à disposição de Bill Myers, que escreve quase tudo sozinho. Exceto, ocasionalmente, quando ele reescreve o que escrevi.

— Você está ganhando um salário e tem alguma estabilidade no emprego. Há alguém no partido de Ward que pode ser considerado adversário de verdade nas primárias?

— No momento, não. Se Ward conseguir a indicação, terei de trabalhar dia e noite até a eleição em novembro. Assim, nós dois estaremos bastante ocupados. Só que eu vou ser pago pelo meu trabalho.

Becca agarrou o braço de Jack ao se afastarem do prédio da biblioteca.

— Não precisa ficar repetindo isso! — ela resmungou, brincalhona.

Deixaram o *campus* na direção de Foggy Bottom.

— Vamos parar no 19th para beber uma cerveja — ela sugeriu. — Como nos velhos tempos.

Jack balançou a cabeça.

— Vamos achar algo diferente. Precisamos de um novo lugar, você e eu.

Eles caminharam pela Providence e acharam um bar chamado O'Reilly's. Sentaram-se a uma mesa ao lado da janela, pediram duas cervejas Guinness e começaram sua própria tradição.

As duas semanas que antecediam o início das aulas foram especiais para Becca Eckersley. Pela primeira vez, além da breve experiência no Parque de Yellowstone, ela expunha abertamente seu amor por Jack. No último ano da faculdade, eles caminhavam juntos sem se dar as mãos, e só se beijavam em corredores vazios dos prédios do *campus*. No entanto, após um verão em que só se viram ocasionalmente, com Jack trabalhando na campanha do senador Ward e Becca na Carolina do Norte, o reencontro deles representava um tempo diferente em suas vidas. Eles se encontravam para jantar sem a preocupação de serem vistos, e ficavam juntos durante a noite, sem precisar voltar furtivamente para casa na manhã seguinte.

No domingo anterior ao início das aulas — o fim não oficial do verão —, eles se sentaram à mesa ao lado da janela no O'Reilly's pela quarta vez em quinze dias. De fato, decidiram que era o novo lugar deles. A comida era boa, e Becca estava aprendendo a tolerar a cerveja Guinness. Tocava música pop, e num volume que permitia conversas. Alguns estudantes frequentavam o lugar, mas predominavam os jovens profissionais liberais.

A pizza de pimentão e azeitonas foi servida, e eles a atacaram.

— Estava pensando em nossos arranjos de moradia. — Becca mordeu uma fatia de pizza. Ela usava uma blusa branca sem mangas, que mostrava seus braços bronzeados. Os olhos de Becca refletiam uma natureza sedutora, que Jack percebeu imediatamente.

— Sim? — ele indagou.

— Parece idiota termos dois lugares quando ficamos em meu apartamento todas as noites.

Jack estreitou os olhos.

— O que está tentando me dizer, Eckersley?

— Devemos morar juntos.

— Sem chance.

Becca abriu a boca em surpresa dissimulada.

— Por quê?

— Vejamos, por onde devo começar? Primeiro, nós dois temos contratos de locação de doze meses. Assim, não podemos sair dos apartamentos. Segundo, tudo isso é muito legal: sair para jantar, ficar acordado até tarde e dormir juntos. Mas a faculdade começa amanhã, e, em pouco tempo, você vai ter de estudar feito uma louca. Eu terei de começar a trabalhar duro, e, quando isso acontecer, nós dois ficaremos felizes por um lugar próprio. Ah, sim! Não nos esqueçamos do seu pai e de como ele arrancaria o coração do meu peito se fôssemos morar juntos.

Becca tomou um gole de cerveja.

— Tudo bem. Por enquanto, vamos deixar as coisas do jeito que estão. Voltamos a nos falar no ano que vem, antes de assinarmos quaisquer contratos de locação.

— Fechado.

Eles terminaram sua refeição e voltaram caminhando para o apartamento de Becca. Ali, ela foi ao quarto para se trocar. Ao mesmo tempo, Jack abriu seu MacBook e verificou os e-mails. Havia alguns de seus chefes, pedindo para Jack rascunhar algo para a próxima semana. Ele leu as especificações e, em seguida, verificou a agenda das próximas viagens.

— Na semana que vem, terei de ir para a Califórnia com Ward. Vou na terça e volto na sexta — ele disse, lendo o itinerário na tela, sem olhar para Becca, que saiu do quarto.

Como não obteve nenhuma resposta, ele finalmente levantou os olhos. Ela estava à soleira da porta, usando apenas uma calcinha. A luz do quarto se refletia em suas coxas bronzeadas e na pele lisa e morena.

— Acabei de falar com meu pai — Becca comentou, mantendo a pose. — Ele concorda com você sobre essa coisa de morar juntos. E acrescentou que prefere que você não fique em meu apartamento depois das dez da noite. O que é o caso. — Ela deu meia-volta e entrou no quarto balançando os quadris. — Feche a porta quando sair.

A imagem do corpo nu de Becca tomou conta da mente de Jack. Ele não tinha certeza se as garotas sulistas, em geral, sempre achavam uma maneira de obter o que queriam, ou se Becca Eckersley, em particular, conseguia isso. De qualquer jeito, ele fechou o *laptop* e se dirigiu às pressas para o quarto dela, onde já havia tirado a calcinha. Ela fingiu surpresa.

— Meu pai pediu para você ir embora — ela falou, parada, nua, ao lado da cama.

— Mensagem recebida. — Jack se aproximou de Becca, enlaçou-a pela cintura e a beijou, enquanto ela desabotoava sua camisa.

Os dois caíram na cama.

26

Kelsey Castle
Summit Lake
14 de março de 2012
Dia 10

KELSEY NÃO SE ARRISCOU A SER VISTA NA FRENTE DO WIN-
chester por temer que o detetive Madison estivesse observando nas sombras. Ela estava ficando paranoica, sabia disso. Também sabia que a paranoia a mantinha longe das confusões.

Assim, Kelsey fechou o casaco de couro, saiu pela porta dos fundos do hotel e seguiu até uma rua secundária, que levava às margens do lago. O sol já tinha quase desaparecido. E enquanto ele mergulhava atrás das montanhas, as nuvens ganhavam uma cor púrpura, e o lago adquiria um brilho rosa.

Kelsey pegou o celular e tentou falar com Penn Courtney. Fazia mais de uma semana que ela chegara a Summit Lake, e duas desde que assumira a história de Becca. Penn atendeu ao primeiro toque. Sem parar de caminhar, Kelsey o atualizou sobre os avanços mais recentes do caso. Penn não se mostrou satisfeito com a encrenca em que ela estava se metendo, mas Kelsey sabia que a ideia da *Events* superar a concorrência com a história de Becca seria suficiente para acalmá-lo, por ora.

A questão real da viagem de Kelsey para Summit Lake era clara: tratava-se de uma oportunidade para ela se curar e se restabelecer. Tirar algum tempo livre e ficar na moita. Jamais houve nenhum mal-entendido a esse respeito. E após um protesto inicial, Kelsey se dispôs a passar um mês sob o ardil de perseguir uma história.

O problema era que, enquanto farejava uma história que ela achava que não existia, Kelsey descobriu uma de verdade. E, naquele momento, achava-se mergulhada nela; possivelmente metida numa encrenca e prestes a piorar a situação.

Ela manteve vagos os detalhes de seu plano quando Penn a pressionou por pormenores. Quando ele pediu-lhe algo de conteúdo — um rascunho ou um esboço —, Kelsey prometeu que lhe mandaria algo em breve.

— Hoje à noite — Penn ordenou.

— Vou tentar.

— Tentar? Acabei de lhe dar um prazo. Quero ver o que você tem.

— Estarei ocupada hoje à noite, Penn. Amanhã envio alguma coisa para você. Prometo.

— Quero só ver.

— Confie em mim. Ficarei em contato.

— Antes de desligar, lembre-se de uma coisa.

— Do quê?

— Eu autorizei todos os seus gastos nessa viagem.

— Na realidade, você a incentivou.

— Tudo bem, vou até o fim. Mas saiba disto: dinheiro para pagamento de fiança não está incluído. Assim, não me ligue às duas da manhã se os seus planos derem errado.

— Não vamos nos precipitar.

— Estou falando sério, Kelsey.

— Sei disso. Eu te ligo.

— Tem mais.

— Sim?

— Você é a melhor jornalista que tenho. Assim, tome cuidado. Certo?

— Sempre. Obrigada, Penn.

Kelsey guardou o celular na bolsa e se aproximou da esquina da Spokane Avenue. Consultou o relógio: dezessete e cinquenta e três. Estava prestes a se sentar num banco quando o veículo utilitário esportivo apareceu. A janela do lado do passageiro baixou.

— Temos de parar de nos encontrar dessa maneira — Peter brincou.

Kelsey esboçou um sorriso nervoso, abriu a porta e embarcou.

— Tem certeza de que está bem em relação a isso?

— Na realidade, não, pois não sei exatamente no que me meti. Por que não pude pegar você no hotel?

— Vamos cair fora daqui e eu explicarei.

Peter dirigiu por quinze minutos pelas montanhas e estacionou num mirante. A vastidão do lago se achava na frente deles, com as casas de Summit Lake aninhadas abaixo, num bolsão perfeito, brilhando na escuridão do anoitecer.

— Alguém apareceu para falar com você? — Kelsey perguntou.

— Alguém quem?

— Alguém da polícia, para falar com você a respeito da invasão do prédio do condado?

— Não. Por quê? O que está havendo?

— Um dos detetives do caso Eckersley me procurou ontem à noite. Ele me disse para parar de bisbilhotar e voltar para Miami.

— Sério? Duvido que ele tenha autoridade para mandá-la embora da cidade.

— Em outras circunstâncias, eu concordaria com você. Mas ele começou a fazer perguntas sobre documentos roubados do prédio do condado, e onde eu estava naquela noite.

— O que você disse?

— Agi como se eu não soubesse do que ele estava falando, mas não acho que foi um blefe muito bom. Ele me falou que estavam sendo analisados os vídeos das câmeras de segurança, que mostravam duas pessoas entrando no prédio depois do horário de expediente com um cartão de acesso roubado.

— Putz...

— Sim, estamos metidos numa encrenca. Eu quis alertá-lo. Você também deve avisar ao seu amigo que lhe deu o cartão que a polícia talvez o procure.

— Com a polícia prestes a cair sobre nós, você acha que é uma boa ideia invadir outra casa?

— Não é uma boa ideia, mas é minha única chance de terminar o que comecei aqui.

— O que há nesse caso, Kelsey? Por que ele é tão importante para você?

Através do para-brisa do veículo, Kelsey viu o sol poente deixar uma trilha tremulante cor de cereja sobre Summit Lake. Sentia empatia por Becca, que, como ela, sofrera um ataque brutal. Que ninguém pagasse pelo crime era algo que Kelsey não podia aceitar. Sentia-se ávida pelo desfecho do caso, e não conseguiria deixar Summit Lake sem isso.

— Não tenho certeza — por fim ela afirmou. — Sei muita coisa a respeito dessa garota, mas ainda não o suficiente para encontrar as respostas. Não posso ir embora com todas essas questões pairando no ar.

— Por isso você me pediu ajuda para invadir a casa de uma mulher hoje à noite?

— Sim. Sei que você está se arriscando por mim de novo, algo que não precisa fazer, Peter. Estou nervosa demais para tentar isso sozinha. E espero que você não se meta numa encrenca por aquilo que fizemos na outra noite.

Peter sorriu.

— Você vale uma pequena encrenca.

O celular de Kelsey vibrou. Ela baixou os olhos e leu a mensagem de texto.

— Tudo bem. Rae a tirou de casa. Foram jantar fora. Temos cerca de uma hora. Uma hora e meia, no máximo.

— Vamos. — Peter deixou o estacionamento do mirante e começou a descer a estrada da montanha. — Onde a velhinha mora?

Dez minutos depois, Peter estacionou na frente da casa de Millie e desligou os faróis. Ele e Kelsey ficaram dentro do carro, olhando para a residência, iluminada apenas por duas lâmpadas na varanda e uma luminária na sala de estar.

— Tudo bem, Kelsey. E agora? Você tem uma chave?

— Não se preocupe com isso. Vamos.

Caminharam devagar pela calçada, certificando-se de que nenhum vizinho os via. Quando alcançaram a porta da frente, Kelsey simplesmente girou a maçaneta e a abriu.

— Você só pode estar brincando comigo — Peter disse.

— Rae garantiu que deixaria a porta destrancada. — Kelsey entregou a ele uma pequena lanterna. — Venha.

Entraram e fecharam a porta atrás de si.

— Sem luzes, para o caso de os vizinhos a terem visto sair. Uma casa iluminada levantará suspeitas.

— Entendi. O que estamos procurando desta vez, Kelsey?

— Um diário. Vamos para o andar de cima primeiro.

No quarto de Millie, levaram quinze minutos para examinar gavetas da penteadeira, mesas de cabeceira, caixas velhas no armário embutido e sob os colchões.

— Se eu achar algo impróprio, juro por Deus que vou gritar. — Peter abriu uma gaveta do criado-mudo.

Kelsey deu uma risada.

— Ela já tem mais de oitenta anos, Peter.

— Então, vou gritar mais alto.

— Depressa! — Kelsey gargalhava ao entrar no *closet*.

— Nada aqui — Peter disse, por fim.

— Sim. — Kelsey saiu do *closet* um minuto depois. — Nada também.

Eles se dirigiram para o segundo quarto e adotaram a mesma rotina, esforçando-se muito para deixar tudo o que mexiam na posição exata de origem. Outros quinze minutos se passaram. Fizeram um exame rápido no armário do corredor. Nada.

Já estavam ali havia trinta minutos quando desceram a escada para o primeiro andar e se dirigiram para o armário da sala de jantar. Kelsey achou que tinha encontrado o diário quando topou com um livro de capa dura numa gaveta, mas era o álbum de casamento de Millie. Dez minutos foram gastos na sala de jantar, e outros dez na sala de estar. Em vão.

Kelsey começou a suar, e as palmas de suas mãos ficaram úmidas. Estavam ali fazia quase uma hora.

Entraram na cozinha, com as lanternas iluminando armários, despensa e potes plásticos com cereais. Nenhum sinal do diário. Ela ficou frustrada. Sem o diário, não tinha como prosseguir em sua investigação. Um plano antigo de localizar Livvy e perguntar acerca do diário tomou conta da mente de Kelsey, mas ela sabia que seria difícil. Primeiro, teria de achar Livvy, e depois convencê-la a falar. Não havia nenhuma garantia disso. E mesmo que Livvy concordasse em se encontrar com ela, talvez não soubesse de nada. Isso tudo supondo que o detetive Madison já não tivesse feito uma visita a Livvy. Kelsey passou a mão no rosto e fez um gesto negativo de cabeça.

Peter se aproximou dela.

— Oi.

Kelsey o fitou.

— Sinto muito. Gostaria de poder encontrá-lo para você. — Ele deu de ombros.

Kelsey concordou e fechou os olhos. Peter se aproximou mais um pouco e a abraçou. Ela pousou o rosto no peito dele, e se surpreendeu retribuindo o gesto e o abraçando também. Por instantes, pensou nos livros de autoajuda que sugeriram que ela talvez não fosse capaz de tolerar o toque de um homem durante certo período, mas se sentiu bem nos braços de Peter. Até segura.

— Gostaria de poder fazer mais por você — Peter afirmou junto ao ouvido dela.

— Tudo bem. Eu procurava por algo para me ajudar nessa história. Que daria a informação que não consigo encontrar por minha própria conta. O diário de Becca era tudo que me restava.

— Alguns segredos devem ser mantidos.

Kelsey se endireitou e encarou Peter. Seus rostos estavam próximos. Os olhos dele, na cozinha mal iluminada da casa de Millie, eram atenciosos e autênticos. Ele cheirava a loção pós-barba. Kelsey analisou-lhe a boca carnuda. O que sentiria se o beijasse? Será que estava pronta e seria capaz de lidar com aquilo? Além disso, aquele seria o lugar mais adequado ou deveriam simplesmente sair dali?

Esses pensamentos atravessavam sua mente quando Peter inclinou a cabeça mais um pouco e seu rosto tocou no dela.

Kelsey piscou algumas vezes antes de arregalar os olhos. Ela levou as mãos às faces dele e sorriu.

— Diga aquilo de novo.

— O quê?

— O que você acabou de dizer.

— Gostaria de poder fazer mais para ajudá-la?

— Não, não. Depois disso.

Por um instante, Peter pensou.

— Alguns segredos devem ser mantidos?

— Sim!

Com as mãos ainda no rosto de Peter, Kelsey inclinou a cabeça para trás e riu. Lembrou-se da ocasião, naquela cozinha, alguns dias atrás, em que se sentou com Millie, bebeu chá doce e escutou a velhinha revelar detalhes acerca da noite em que Becca foi morta. Da noite em que sua filha, Livvy Houston, sentou-se com Becca no café e conversou com ela poucas horas antes de ela morrer. Houve algo naquela conversa que a incomodou, algo que Kelsey não pôde definir até escutar Peter dizer aquilo.

Ela olhou para a lanterna, que, sobre a mesa, iluminava a bancada da cozinha. Capturada em seu raio de luz, havia uma fileira de livros de receitas. Kelsey reconheceu um deles como o fichário de receitas secretas de Millie.

Ela se lembrou de Millie parada junto à bancada misturando seu chá doce.

— Sua receita está disponível para o público? — Kelsey perguntara.

— Ah, não, querida. Este livro é estritamente confidencial. Se eu deixasse as pessoas tomarem conhecimento do conteúdo, todos os meus segredos seriam revelados. Tenho oitenta e seis anos. Meus segredos são tudo o que me resta.

Kelsey se livrou do abraço de Peter, pegou a lanterna e se aproximou rapidamente do fichário. Tirou-o da fila e o colocou sobre a bancada. Abriu a capa, folheou dezenas de folhas de papel laminado, até não restar nenhuma. E ali estava. No bolso do verso do fichário de receitas, um pequeno diário de capa dura. Numa letra manuscrita de garota, estava escrito: *Becca Eckersley.*

27

Becca Eckersley
Universidade George Washington
12 de outubro de 2011
Quatro meses antes de sua morte

SÓ SE TORNOU UMA COISA INCRÍVEL DEPOIS. INICIAL-
mente, foi um choque e um espanto.

As aulas começaram num dia quente, no fim de agosto, em que a umidade pairava no ar, ensopando o rosto de Becca quando ela saía dos prédios com ar-condicionado do *campus*. Setembro era um mês mais ameno, e, em outubro, os dias de grande calor tinham passado, e todos esperavam o inverno frio e brutal bem conhecido de Washington.

Becca vinha investindo de doze a quinze horas por dia em aulas e estudo. Em setembro, Jack viajara muito ou trabalhara até tarde no escritório político do senador Ward. Ela não se preocupara em contar para ele dos vômitos, pois ocorriam somente pela manhã. Na primeira semana, achou que fosse gripe, mas quando o dia 14 se aproximou, ela ficou desconfiada. A faculdade — direito processual civil e contratos, em particular — a mantinha tão preocupada que ela não conseguia se lembrar dos detalhes de sua menstruação no mês anterior, mas, sem dúvida, àquela altura, estava atrasada.

No caminho para casa, Becca comprou um teste de gravidez na farmácia da esquina. Naquele momento, sentada na tampa fechada da privada, esperava pelos resultados. Quando ele veio, ela tentou de novo. Após cinco minutos, sua vida e os próximos dez anos, que foram planejados e alinhados como um conjunto preciso de dominós, tombaram. Becca tentou o celular de Jack, mas caiu no correio de voz, onde ela deixou uma mensagem frenética pedindo um retorno. Em minutos, enviou uma mensagem de texto e, depois, finalmente, pegou o carro e dirigiu até o escritório dele.

Becca estivera lá antes, durante a fase em que o senador Ward cortejou Jack, no verão, quando ela e o namorado fizeram a grande excursão para o Parque de Yellowstone. Era sua primeira visita durante o horário de expediente, e sua primeira com Jack como funcionário de verdade da campanha "Milt Ward para Presidente". O senador Ward mantinha um escritório no Dirksen Senate Office Building, e ali era onde Jack passava a maior parte do tempo quando não estava viajando. Ela parou o carro no estacionamento dos funcionários, na Constitutional Avenue, e entrou no prédio.

— Olá — Becca cumprimentou a secretária, com a voz mais tranquila que conseguiu, e perguntou por Jack. — Eu sou sua... — Fez uma pausa, como se tentando descobrir o que ela era exatamente. Amiga? Namorada? Não importava, porque ela não era mulher dele, e isso significava um grande problema quando chegasse o momento de discutir isso com seus pais. — Preciso falar com ele.

— Jack estava com o senador Ward no Capitólio, mais cedo. Mas deixe-me ver onde está agora. — A secretária pegou o telefone. — Ah, você está de volta! Há uma jovem aqui que quer vê-lo. — Em seguida, cobriu o bocal do telefone com a mão e olhou para Becca com uma expressão que pedia um nome.

— Becca... Eckersley.

— Becca Eckersley — a secretária disse, lentamente. — Tudo bem. — E desligou. — Passe pela segurança e, depois, pegue o corredor. À esquerda no cruzamento, e a segunda porta à direita.

Becca sorriu e passou pelo detector de metal. Em seguida, entrou no corredor. Antes de alcançar o cruzamento, Jack apareceu com um sorriso largo, usando a gravata com que ela o presenteara quando ele aceitou oficialmente o cargo.

— Você acredita que estou usando esta gravata pela primeira vez? Justo quando você vem ao escritório?

Becca forçou um sorriso.

— Ficou bonita. Precisamos conversar.

Jack fez um ar de espanto.

— Tudo bem, vamos ao meu escritório.

192

Caminharam um pouco e chegaram à sala de Jack. Seu *laptop* estava sobre a mesa, com pilhas baixas de papéis num semicírculo. Ele fechou a porta e ofereceu uma cadeira para Becca.

— O que houve?

Ela respirou fundo.

— Estou grávida.

Jack permaneceu mudo, com a testa enrugada.

— É isso — Becca disse.

— Bem, a reação trivial seria "Como isso aconteceu?", mas vou começar com "Você tem certeza?".

— Fiz dois testes de gravidez.

— Eu nem mesmo sabia que isso era uma suspeita.

— Nem eu. Até hoje. Não estava me sentindo bem, mas com a faculdade e a agenda frenética, achei que fosse gripe.

— Certo. — Jack se sentou à sua mesa. Após alguns instantes, prosseguiu: — Puta merda! Não vamos entrar em pânico.

— Mas este é o problema: temos muitos motivos para entrar em pânico. Sou uma estudante grávida do primeiro ano de pós-graduação da George Washington. Esse talvez seja o motivo número um. Quer dizer… como conseguirei terminar meu curso tendo um bebê? Depois, há os meus pais. Não consigo me imaginar contando isso para eles. E, finalmente, há você e eu, e o que isso significa para nós e para o nosso futuro.

— Becca estava à beira das lágrimas.

— Tudo bem, há muito no que pensar. Mesmo se fôssemos casados e você não estivesse cursando a pós, haveria muito a se pesar. Em primeiro lugar, se fizermos as contas, você engravidou quando? No verão?

Becca assentiu. Ela já fizera as contas.

— Provavelmente em maio ou junho.

— Portanto, seu primeiro ano na faculdade não deverá ser tão afetado. Assim, poderá concluir o primeiro ano. Para o próximo, poderemos contratar ajuda; ou quem sabe você trancaria a matrícula por um ano. Se conversarmos com as pessoas certas, trancar a matrícula por um ano será viável; e tenho certeza de que Milt conhece alguém que possa nos ajudar.

Becca olhava pela janela, ouvindo Jack falar. Havia muitos motivos para estar ali e conversar com ele, mas o principal era porque Jack sempre a tranquilizava quando ela encarava algo com que não conseguia lidar por sua própria conta. Por enquanto, o que ele disse era correto, e, pela primeira vez desde aquela manhã, ela considerou se algum dia poderia vir a ser uma advogada.

— Em segundo lugar, estarei ao seu lado quando você for contar aos seus pais, Becca. E, por fim, isso não significa nada de ruim para nós. Ao menos, para mim.

Becca amava Jack. Descobriu isso no verão anterior, quando eles se declararam um ao outro pela primeira vez. E teve certeza no último ano da faculdade, quando o relacionamento deles floresceu. O sentimento confirmou-se na viagem para Yellowstone, quando não compareceram à formatura e compartilharam uma semana juntos sob o céu azul de Wyoming. Mas ali, naquele momento, Becca o amou mais por ele ser um homem e por não pensar em outra coisa além de como enfrentar aquela situação juntos.

— Porém, há outro problema — Jack afirmou.

— Qual?

— Temos de casar, e rápido.

28

Kelsey Castle
Summit Lake
15 de março de 2012
Dia 11

O SOL ERA UMA BOLA ALARANJADA POUCO ACIMA DA linha do horizonte, com suas bordas bem visíveis ao raiar do dia, e seu reflexo se espalhava como geleia de laranja por toda a cidade de Summit Lake.

A luz penetrou através das cortinas da janela da sala de estar de Peter e iluminou suavemente o rosto de Kelsey. Ela tentou abrir os olhos, mas a luminosidade solar era intensa. Seu pescoço doía devido à sua posição estranha, e, quando ela se sentou, deu-se conta de onde estava. Peter dormia próximo, com o braço posto atrás do pescoço dela e a perna apoiada sobre a mesa de centro.

Na noite anterior, eles vieram para a casa de Peter depois de acharem o diário de Becca no fichário de receitas de Millie. Os dois o leram juntos, página por página, tomando conhecimento dos nomes dos amigos de Becca e da dinâmica de seus relacionamentos. Becca era apaixonada por Jack, e Kelsey suspeitou de que havia um problema em seu relacionamento com Brad, o melhor amigo de Jack. Por três horas, ela leu o texto escrito em letra cursiva delicada, fazendo anotações ao longo da leitura, com os detalhes se reunindo em sua mente, até que seus olhos se fecharam e o diário caiu sobre seu peito. Peter estava sentado perto dela e, em pouco tempo, os dois adormeceram.

Naquele momento, com o brilho do sol em seus olhos, Kelsey sentou-se ereta. Havia dormido com a cabeça no peito de Peter, depois que os dois se ajeitaram no sofá da sala de estar. Negando a dor no pescoço, Kelsey examinou ao redor.

— Desculpe, eu adormeci — ela disse, esfregando o rosto.

— Eu também — Peter afirmou, grogue. — Ai! — exclamou ao tirar sua perna dolorida da mesa de centro.

Kelsey ficou de pé e alisou os cabelos.

— Que horas são?

Peter consultou o relógio.

— Pouco mais de seis.

— Tenho a sensação de ter tomado uma surra.

— Eu também. Acontece depois de uma descarga de adrenalina igual à que tivemos.

— Posso usar o banheiro?

— Claro. — Peter indicou uma porta. — Há um pacote de escovas de dentes na gaveta de cima. Sirva-se.

— Obrigada. — Kelsey se dirigiu ao banheiro e fechou a porta. — Meu Deus! — exclamou ao ver sua imagem no espelho.

O lado esquerdo de sua cabeça era um ninho de passarinho de cabelos emaranhados, e seu rosto estava coberto por um mapa vermelho de dobras, com uma depressão saliente por causa do botão do bolso interno do paletó de Peter.

Kelsey lavou o rosto, escovou os dentes e penteou os cabelos. Sua mente jogava cabo de guerra; um lado querendo relembrar o quase beijo que ela compartilhara com Peter, e o outro, o mais analítico, querendo voltar ao diário de Becca para examinar o elenco de personagens que ali constava.

Minutos depois, ela saiu do banheiro, parecendo mais composta. Amarrara os cabelos para trás, num rabo de cavalo, e seus dentes estavam com sabor de menta. Eles trocaram de lugar, sorrindo sem jeito um para o outro quando se cruzaram. Peter fechou a porta do banheiro. Então, Kelsey fez um gesto negativo com a cabeça.

— Que diabos estou fazendo? — perguntou a si mesma.

Kelsey se dirigiu ao sofá e começou a folhear o diário de Becca. Logo depois, Peter saiu do banheiro, também parecendo mais apresentável.

— Que tal um café da manhã? — ele ofereceu.

— Com certeza! — ela respondeu, sorrindo.

Do lado de fora, o céu passava a esponja nas cores do sol nascente. Os botões nas árvores pareciam ter florescido e se transformado em folhas durante a noite. O ar era fresco e revigorante, e a temperatura estava subindo. O cheiro das lareiras queimando lenha se misturava com o pinho da mata. Era primavera em Summit Lake.

Eles percorreram a Maple Street e viraram na Nokomis Avenue, onde acharam um lugar para fazer o desjejum. Pediram panquecas e ovos. Entre golinhos de café, a estranheza de acordarem perto um do outro logo se desvaneceu quando recordaram a jornada da noite anterior.

— Peguei no sono quando Becca foi para casa dos pais com Jack para passar o Natal.

— Eu cheguei até o fim. — Kelsey arqueou uma sobrancelha.

— E?

— Becca era uma garota interessante, com certeza. Sem dúvida, estava apaixonada por Jack, e ficamos sabendo que ela casou com ele depois que descobriu estar grávida. Mas havia outro homem na vida dela.

— Brad, não é? Um de seus amigos da escola?

— Sim, e se li nas entrelinhas, posso imaginar Brad talvez acreditando que seu relacionamento com Becca era mais do que platônico. Mas isso não é tudo. Havia outros homens sobre os quais Becca escreveu. Como um professor com quem ela tinha um relacionamento um tanto secreto.

— Ela estava dormindo com ele?

— Acho que não. Ao menos, Becca não revelou muito em seu diário. No entanto, ele é mencionado o suficiente para torná-lo um candidato que merece ser rastreado. E também havia menção a um ex-namorado. Um rapaz do colégio que fazia visitas frequentes ao *campus* da George Washington vindo de Harvard. Também é alguém com quem eu gostaria de conversar.

— E o marido: Jack? Você não deveria conversar com ele em primeiro lugar?

— Farei isso, sem dúvida. Mas não em primeiro lugar. Quero falar com os outros rapazes antes, ver se eles podem dar alguma ideia de Becca e de seus relacionamentos com ela. Então, ver o que eles dizem sobre Jack. Depois disso, irei procurá-lo.

— Não acha que a polícia já descobriu esses rapazes?

— Não tenho certeza do que a polícia descobriu. De acordo com o delegado Ferguson, os investigadores estaduais estão obcecados com a teoria de uma simples invasão que acabou mal.

— Mas essa teoria tem de estar baseada em algo. A polícia deve ter encontrado alguma prova.

— A bolsa de Becca desapareceu. É isso. Ao menos isso é tudo de que o delegado Ferguson sabe a respeito do motivo de a polícia estadual estar considerando tanto a teoria do arrombamento.

— E você não aceita essa teoria?

— Não tem nada a ver. Com alguma ajuda do delegado Ferguson, desconfio de que a pessoa que matou Becca não só a conhecia muito bem como muito possivelmente era próximo dela.

— Como, por exemplo, alguém que a amava?

— Talvez. Mas minha primeira providência será procurar esses rapazes e conversar com eles. E tenho de fazer isso o mais rápido possível.

— Por onde começamos? Quero ajudar.

— Tem certeza disso, Peter?

— Absoluta. Tudo o que você precisar.

— Por causa da visita do detetive Madison, estou com a sensação de que não temos muito tempo. A primeira providência a tomar é identificar as pessoas no diário de Becca. Não consegui achar nenhum sobrenome ligado a nenhum dos nomes. Então, comecemos por aí. — Kelsey apanhou suas anotações. — Jack mora em Green Bay, e Brad, em Maryland. Ao menos, essa é a origem deles. Sabe-se lá onde estão agora. Parece que a companheira de moradia, Gail, mora na Flórida, mas frequenta a faculdade em Stanford.

Num guardanapo, Kelsey escreveu em letras maiúsculas JACK E GAIL, e deslizou-o por sobre a mesa.

— Se você quiser ajudar, e não está preocupado com o problema que podemos vir a enfrentar por causa do prédio do condado, então lhe peço para descobrir quem é Gail e procurá-la. E conversar com ela. E descobrir o que ela sabe a respeito de Becca e Jack. E conseguir o sobrenome de Jack e qualquer outra informação que Gail estiver disposta a dar. Se você sentir uma boa harmonia com ela, revele minha teoria do que pode ter acontecido entre Becca e Jack, e perceba a reação da garota. — Kelsey encarou Peter.

Ele pôs a mão sobre o guardanapo e começou a puxá-lo para si. Kelsey pôs a mão sobre a dele e impediu o avanço do guardanapo.

— Se você teme se meter em alguma encrenca por causa disso, desista agora. Tenho certeza de que você pode se ocultar atrás de algum tipo de imunidade médica em relação ao exame daquela autópsia e ao uso do cartão para entrar no prédio. Neste momento, enquanto estamos sentados aqui, você, provavelmente, está com menos problemas do que eu. Tudo bem para mim se você quiser desistir.

Peter manteve o contato visual e tirou a mão e o guardanapo do domínio dela.

— Vou encontrar a colega de quarto de Becca e falar com ela. E informarei você sobre o que eu descobrir.

— Obrigada.

— Por nada. E qual é o *seu* plano, Kelsey? Encontrar os outros rapazes da vida dela?

— Isso mesmo.

— Bem, vamos lá. Temos muito trabalho pela frente.

29

Becca Eckersley
Universidade George Washington
21 de dezembro de 2011
Dois meses antes de sua morte

O PLANO ERA ESPERAR ATÉ O SEGUNDO TRIMESTRE PARA contar aos pais dela, sob o pretexto de garantir que a gravidez transcorria sem complicações e o bebê era saudável. Na realidade, isso dava um pouco de tempo para eles respirarem. Tinham quase dois meses para equacionar tudo e estabelecer alguma base que pudesse ajudá-los a parecer menos malucos. Se tudo corresse de acordo com sua frágil estratégia, Jack e Becca, no jantar do dia de Ação de Graças, contariam aos pais dela que eles iam ser avós.

Jack trabalhou duro para impedir que o plano desandasse, mas Becca não estava acompanhando o eterno otimismo dele de que tudo daria certo ou de que seus pais, após a poeira baixar, sentiriam-se empolgados. Em sua mente, Becca passou o filme a partir do momento do lançamento da bomba, e, independentemente de quanto tentasse, não conseguia visualizar seu pai ficando feliz com o fato de sua filha de vinte e dois anos estar grávida e ser solteira.

Seu pai era um homem poderoso da Carolina do Norte. Era influente e tinha personalidade. Vinha se preparando para transferir seu escritório de advocacia para o irmão de Becca e para seus outros sócios, enquanto fazia a transição para se tornar juiz. E Becca tinha consciência de que essa ação exigia um *background* limpo. Não só para seu pai, mas também para sua família. Uma filha grávida e solteira, que deixou de frequentar a pós-graduação em direito, não era o retrato de família com o qual William Eckersley conseguiria conquistar o cargo de juiz.

Esse pensamento foi o que os trouxe para o fórum em Washington. Becca compreendeu a logística de um casamento formal, e a impossibilidade de ele ocorrer na situação presente. Em vez disso, um juiz de paz os casou numa cerimônia bastante informal. Não fora assim que eles planejaram as coisas ou como a narrativa de suas vidas devia seguir. No entanto, se ela e Jack aprenderam algo do último ano foi que a estrada da vida possui mudanças de direção.

Após o juiz de paz declará-los casados, eles se beijaram. Em seguida, sentaram-se atrás de uma mesa, no escritório do escrivão, e preencheram formulários. Foram informados de que precisavam registrar sua certidão de casamento, e pegaram uma cópia das instruções de como fazer isso.

Passaram uma única noite no hotel Four Seasons, em Washington, onde comemoraram com um jantar caro e um ótimo vinho, do qual Becca tomou dois ou três goles. Sábado foi um dia tranquilo, passado no apartamento de Becca, antes de Jack voar para Nova York no domingo e ela encontrar os livros para um exame. Os dois começaram o fim de semana como namorados e acabaram como marido e mulher.

Nas semanas seguintes, organizaram-se numa rotina que envolvia ser um casal secretamente casado, com um bebê a caminho. E quando o dia de Ação de Graças por fim chegou, momento em que originalmente combinaram de revelar a novidade aos pais de Becca, eles se mantiveram calados. Nenhum deles conseguiu decidir a abordagem correta, e, assim, os dois dias passados na casa dos Eckersley, em Greensboro, foram cheios de ansiedade e conversas sussurradas.

Retornaram a Washington no sábado depois do dia de Ação de Graças. Jack tinha uma agenda cheia até o Natal, e em seguida, uma semana de folga, que coincidia com parte do recesso natalino de Becca. O casal planejava ir para Green Bay, para Becca conhecer os pais de Jack. Ele apresentaria sua mulher e informaria aos pais que logo eles seriam avós. Isso tornaria aquele Natal inesquecível.

Becca terminou sua semana de provas finais com exames sucessivos de direito processual civil e contratos. Jamais sentiu tanto alívio. Enviou uma mensagem de texto para Jack quando entregou o último teste:

Acabei de entregar o exame. Estou comemorando no O'Reilly's. Vou beber uma por você.

No meio da tarde, o O'Reilly's se achava relativamente cheio, com estudantes de direito no fim de seu semestre letivo e executivos no fim de sua semana de trabalho. Jack estava viajando com o senador Ward, e só devia voltar na antevéspera do Natal — ou seja, dali a dois dias.

A médica fez os cálculos e concluiu que Becca engravidara no início do ano letivo, quando eles passaram o tempo juntos, no fim do verão, e se esqueceram do mundo. A data do parto foi fixada oficialmente em 18 de maio. Duas semanas depois dos exames finais. O momento não era perfeito, mas Becca sabia que podia ser pior. E havia a possibilidade de o bebê nascer prematuramente, fazendo-a perder as provas finais. No entanto, ela se mantinha otimista em relação a dar à luz na estreita janela de tempo que lhe permitiria não só terminar o primeiro ano, mas também organizar as coisas o suficiente para talvez retornar no outono seguinte. Becca e Jack discutiram as outras possibilidades: ela trancar a matrícula por um ano e depois retornar em tempo integral, ou trocar para meio período e se formar depois do planejado. De qualquer forma, após quatro meses de gravidez, Becca via-se com opções.

Após o exame minucioso no espelho do banheiro, constatou que sua barriga ainda não denunciava que um bebê se desenvolvia ali, mesmo numa vista de perfil. Por enquanto, Becca mantinha o segredo para si. Além de poucos companheiros de estudo, ela não fizera amizades próximas durante o primeiro semestre da pós. Com Gail do outro lado do país, ela não estava preocupada que alguém viesse a descobrir seu segredo antes de ela decidir revelá-lo.

No O'Reilly's, Becca pediu uma salada e um refrigerante, sentindo o peso do primeiro semestre letivo sair de seus ombros. Tinha duas semanas para relaxar.

Becca tirou o iPhone da bolsa e consultou os e-mails, esperando ver um de Gail. As amigas prometeram informar uma à outra quando terminassem as provas finais. Ela acabou de abrir a caixa de entrada quando o banco do outro lado da mesa foi arrastado e alguém se sentou nele.

Becca ergueu os olhos, surpreendeu-se de início e, em seguida, ficou contente ao ver seu velho amigo, Thom Jorgensen, seu antigo professor de lógica, que trocou um cargo na Universidade George Washington por outro na Universidade Cornell.

— Thom! O que está fazendo aqui?

— Olá, Becca Eckersley.

— Veja só... — Becca passou a mão pelo rosto. — Você deixou crescer uma barba à Ivy League. Estou surpresa com o fato de Cornell permitir que os professores usem barba. Achei que só os estudantes pudessem.

Thom Jorgensen sorriu.

— Na realidade, a universidade encoraja. O que você acha?

— Bem legal. Como estão as coisas?

— Boas. Podiam estar melhores.

— É? Você não gosta de estar no topo da cadeia alimentar?

— Não, não é isso. O trabalho é ótimo, a universidade é de primeira, e jamais fiz parte de uma instituição mais incrível.

— Então, o que há de errado?

— Não entendi por que você não aceitou o convite da Cornell.

Por alguns instantes, Becca permaneceu em silêncio.

— Como você sabe disso?

— Becca, mexi os pauzinhos para você ser aceita no curso de direito. Arrisquei meu pescoço como nunca fiz antes, ocupando um cargo onde ainda não me firmei completamente. Falei com todas as pessoas com poder de decisão a respeito do grande ganho que você seria para a Cornell. E você agradeceu o favor dizendo "não".

— Thom, não sabia que você tinha feito isso por mim. Recebi a resposta da George Washington em primeiro lugar, e foi a faculdade onde meu pai estudou. Na realidade, nunca considerei ir para outro lugar, a não ser que não fosse aceita pela George Washington.

— E a conversa que tivemos sobre finalmente podermos passar o tempo juntos?

— Bem, acho que me tornar uma estudante na universidade onde você trabalha nos colocaria na mesma situação.

— Então, por que não tive notícias suas?

— Eu estava ocupada com a faculdade, e moramos a centenas de quilômetros um do outro.

— Certo. Quer dizer que eu sou apenas um idiota que interpretou mal nossa amizade.

— Não, você não interpretou mal nada. No entanto, do ponto de vista logístico, é difícil nos reunirmos para um café quando vivemos em estados diferentes.

— Só gostaria que você tivesse considerado a Cornell com mais atenção. Era uma grande oportunidade, e ficaríamos mais próximos.

Becca encarou seu antigo professor, sentindo-se confusa e triste por ele. Antes de ela conseguir responder, uma mulher atravessou a porta e se dirigiu direto à mesa deles.

— Seu filho da puta!

Thom Jorgensen levantou os olhos e, em seguida, os fechou.

— Meu Deus, o que você está fazendo, Elaine?

— O que *eu* estou fazendo?! Você não tem o direito de me fazer perguntas. Não mais. — Elaine encarou Becca. — Quantos anos você tem?

— Quem é você? — Becca perguntou.

— Ah, desculpe… Sou Elaine Jorgensen. Mulher de Thom.

Becca se voltou para Thom.

— O que significa isso?

— Elaine, vamos sair.

— Claro, agora que o peguei, você finalmente quer conversar comigo.

— Veja, ele nunca me contou que era casado, e nada está acontecendo entre nós — Becca afirmou. — Eu não via Thom fazia um ano, desde que ele saiu da George Washington.

— Mas agora está almoçando com meu marido.

— Não, eu estava almoçando sozinha e ele me interrompeu.

— Thom, fique de pé — ela ordenou. — Vamos embora.

O professor Jorgensen se ergueu como um cachorrinho obedecendo a uma ordem.

Elaine olhou para Becca e apontou o dedo na cara dela.

— Fique longe de meu marido. — Ela agarrou Thom pelo braço e o puxou para fora do restaurante.

Becca engoliu em seco e, sem mover a cabeça, percorreu com o olhar o O'Reilly's e absorveu as expressões. Aos poucos, as pessoas voltaram a comer e beber.

— Caramba, Eckersley. Com certeza você sabe como fazer uma cena.

Ao olhar por sobre o ombro, Becca deparou com Richard Walker, seu namorado do colégio, parado atrás dela.

— Primeiro, um roceiro, e agora um cara pegajoso enganando a mulher?

Ainda perturbada, Becca sentiu as mãos tremerem. De um salto, ficou de pé e abraçou Richard. A última vez que o vira fora um ano antes, quando ela e Jack passaram o Natal em Summit Lake.

— É bom ver você. — Richard a segurou com força. — O que houve?

Becca aliviou o abraço.

— Ah, apenas um pouco perturbada. É tudo.

— Pelo professor babaca? — Richard apontou para a porta. — Qual é a dele? Quer que eu dê um jeito naquele sujeito?

— Ele é um antigo professor meu, que estava um pouco carente. Nunca soube que ele era casado, e agora sua mulher acha que tivemos um caso. — Becca fez um gesto negativo com a cabeça.

Richard franziu a testa.

— Aquela universidade enlouqueceu? Primeiro, o nada de Wisconsin; e agora, professores assediadores? Quer dizer que você não está dormindo com ele?

Becca deu um tapinha no ombro dele.

— Não. Tudo isso é repugnante. Me faça companhia enquanto almoço. O que faz por aqui?

— Acabei de fazer os exames finais. Estou indo para casa por duas semanas. Você também, certo?

— Sim. Amanhã.

Eles se sentaram.

— Havia tempo que não nos víamos, Becca.

— É verdade.

Houve uma pausa.

— Você continua vendo aquele cara?

De novo, Becca assentiu.

— É uma pena.

— Pare com isso.

— É sério?

— Sim.

Por um instante, Richard a contemplou.

— Tipo... ele é o cara?

— Ele é o cara, Richard.

Ele respirou fundo.

— Eu devia ter batalhado mais.

— Como assim?

— Devia ter batalhado mais para ter você de volta. Eu a visitei algumas vezes em seu primeiro ano na George Washington, mas fui muito idiota naquele tempo para saber o que estava perdendo. Devia ter insistido mais. Talvez estivéssemos comemorando o término dos exames finais juntos agora.

— E estamos.

— Só por acaso.

Becca sorriu.

— Preciso de um amigo neste momento, certo? Não de uma lição de moral, nem choramingos.

— Uau, você vai ser uma boa advogada! Totalmente sem coração.

Becca acariciou a mão dele, num pedido de desculpas.

— Tudo bem. — Richard deu de ombros. — Apenas amigos. Me conte o quão maçante foi seu primeiro semestre.

30

Kelsey Castle
Summit Lake
15 de março de 2012
Dia 11

APÓS SAÍREM DO RESTAURANTE, KELSEY E PETER PEGARAM direções opostas. Peter foi para casa, para começar sua investigação sobre a companheira de moradia de Becca; Kelsey se dirigiu ao Winchester, na expectativa de tomar um banho e trocar de roupa antes de começar a próxima fase da jornada relativa ao caso Eckersley.

Com a bolsa pendurada no ombro e o diário de Becca guardado ali dentro, Kelsey seguiu ao longo da margem do lago até alcançar a Tahoma Avenue, onde seguiu na direção oeste para a Maple Street e para a entrada do Winchester. Na metade do quarteirão, ela se deteve. Adiante, na entrada para carros, na frente do hotel, avistou três viaturas da polícia estadual paradas, com as luzes vermelhas e azuis piscando. Um único policial se achava diante do prédio, falando num rádio e, ocasionalmente, erguendo os olhos para os quartos do último andar.

Kelsey se pôs num vão de uma galeria de arte e respirou fundo. Então, lembrou-se de que se esconder nas sombras chamava mais atenção do que simplesmente caminhar pela rua. Assim, saiu do vão da galeria e, rapidamente, começou a caminhar no sentido contrário, voltando para a margem do lago, e depois, na direção sul, ao longo da Shore Drive.

Com o coração aos pulos, fixou o olhar na torre da igreja de São Patrício enquanto andava. Passou pelo cais da fileira de palafitas, e, quando alcançou a Tomahawk Avenue, virou à direita e seguiu até a esquina da Maple. Do outro lado da rua, estava o Café Millie.

Alguns carros passaram antes de Kelsey atravessar a rua. Ela deu uma olhada furtiva para a direita e viu a frota de carros de polícia a alguns quarteirões de distância, no Winchester. Abriu a porta do café, entrou e avistou Rae atrás do balcão. Não levou muito tempo — apenas o rápido contato visual de Rae e o aceno de cabeça — para Kelsey saber que algo estava errado. Antes de ela conseguir escapar pela porta, o detetive Madison apareceu nos fundos do café.

— Veja, detetive — Rae disse, exatamente quando ele apareceu vindo do corredor dos fundos, onde ficavam os toaletes. Foi o suficiente para desviar a atenção dele da frente do café, onde Kelsey estava. — Acho que sei de quem você está falando. Uma garota de cabelos castanhos, muito bonita, com olhos cor de caramelo? Trabalha para aquela revista?

— Sim, essa é ela. — Madison apoiou os cotovelos no balcão, ficando de costas para a frente do café. — Você a viu por aqui?

— Sim. — Rae alisou os cabelos. — Essa moça apareceu aqui algumas vezes para tomar um café.

— Esteve recentemente?

— Dois dias atrás. Deixe-me servir um café para você. É por conta da casa.

— Obrigado.

O detetive Madison pegou o celular do bolso interno do paletó e examinou os e-mails. Ao vê-lo com os olhos fixos no celular, Rae fitou Kelsey e indicou o andar superior com um gesto do polegar.

— Você conversou com a srta. Castle enquanto ela esteve aqui? — ele quis saber.

Lentamente, Kelsey recuou, virou-se e se encaminhou para a porta da frente, no exato instante em que um casal entrava no café. Do lado de fora, Kelsey agora reparou no carro da polícia estadual sem identificação, estacionado na esquina. Ela se dirigiu às pressas para a ruela atrás do café e virou exatamente quando um policial estadual saiu da Maple Street e entrou na Tomahawk.

— Que diabos?! — Kelsey murmurou para si mesma. Olhou para a ruela e, em seguida, para a escada que levava ao apartamento de Rae, e subiu a escada de dois em dois degraus. Girou a maçaneta e entrou correndo no apartamento, no segundo em que o policial virou e entrou na ruela.

Kelsey largou a bolsa na mesa da cozinha e desabou numa cadeira. Não podia voltar ao hotel, seu carro alugado já devia ter sido apreendido, e ela tinha certeza de que a casa de Peter estava repleta de policiais naquele momento.

Pegou o celular e ligou para ele. Então, desligou quando caiu no correio de voz. Enviou uma mensagem de texto, dizendo que a polícia estava no hotel, que Madison a procurava e que os detetives estaduais na certa o visitariam em breve. Em seguida, tirou o MacBook da bolsa e começou a escrever. A polícia não queria que a história de Becca Eckersley fosse contada; aquilo era mais do que evidente. No mínimo, não queriam que uma jornalista a contasse.

Kelsey se imaginou ao telefone numa delegacia pedindo para Penn o dinheiro da fiança que ele prometera não pagar. Ela não tinha certeza de que conseguiria fazer isso fora de Summit Lake, mas, pelo tanto que sabia a respeito de Becca, com certeza iria conseguir.

Em uma hora, Kelsey produziu duas mil palavras para seu artigo. Além das sentenças apressadas e dos parágrafos curtos escritos em seu bloco de anotações nos últimos dez dias, as páginas que produziu, ali, escondida no apartamento de Rae, eram os primeiros relatos sobre o caso Eckersley. Não havia estilo na escrita, predominantemente constituída de tópicos.

Kelsey começou com o assassinato em si, revisando os detalhes passados pelo delegado Ferguson e pelos prontuários médicos. Em seguida, abrangeu parte do passado de Becca e do período na Universidade George Washington. Deu um salto para a frente e escreveu sobre o casamento e a gravidez no momento em que Becca morreu. Incluiu tantos detalhes quanto conseguiu lembrar acerca da autópsia e do relatório toxicológico. No final, apresentou os nomes dos amigos de Becca e de quem a assediava na época do crime.

Seus esforços resultaram em dez páginas de bagunça desordenada, mas pelo menos era um começo, e algo para Penn trabalhar se ela fosse incapaz de continuar a história. Kelsey anexou o arquivo num e-mail e o enviou para Penn, exatamente quando escutou passos subindo a escada do lado de fora.

Rae abriu a porta e a fechou rápido atrás de si. Ela puxou um pouco a cortina e olhou para a ruela por um instante, assegurando-se de que ninguém a seguira. Então, virou-se para Kelsey.

— Caramba, garota, você mexeu num vespeiro!

31

Becca Eckersley
Universidade George Washington
31 de dezembro de 2011
Um mês e meio antes de sua morte

BECCA E JACK VOLTARAM DE GREEN BAY NO DIA SEGUINTE
ao Natal. E nenhum dos dois fez a grande revelação que planejaram.
Becca foi apresentada como namorada, e não como esposa, e a gravidez
continuou sendo um segredo. Becca não se sentiu à vontade de contar aos
pais de Jack detalhes tão íntimos sobre si na primeira vez em que os
encontrava, e antes que sua própria mãe soubesse. Assim, nenhuma das
famílias chegou sequer perto de saber a verdade a respeito deles.

Mais de uma semana se passara desde o encontro de Becca com
Thom Jorgensen, e ela ainda mantinha emoções tão confusas que jamais
as revelou a Jack. Ter passado uma hora sendo consolada por Richard
Walker também foi algo que ela omitiu da descrição de sua ida comemo-
rativa ao O'Reilly's.

Becca decidiu esquecer Thom e Richard quando foi para Summit
Lake passar cinco dias tranquilos com Jack antes de ele recomeçar suas
viagens no dia seguinte ao ano-novo. As primárias teriam início com a
convenção partidária de Iowa, em janeiro, e poderiam continuar intensa-
mente até o verão, antes que um candidato fosse indicado. No entanto,
ninguém acreditava de verdade que Milt Ward tivesse de lutar muito
depois da Super Terça, em março, antes que ele fosse coroado como candidato à presidência. Mesmo com uma decisão rápida das primárias, Jack
ficaria na estrada por mais de um mês. E, embora fora da disputa, os
outros estados precisariam ser visitados, os comícios teriam de ser feitos
e os discursos deveriam ser proferidos. Jack teria uma ou duas noites

ocasionais em que não estaria viajando, mas uma semana direto juntos era algo que ele e Becca não teriam por algum tempo.

Os pais de Becca entregaram as chaves da palafita antes de irem para Venice, na Flórida, para passar uma semana. O plano original do sr. e da sra. Eckersley de esquiar em Summit Lake no ano-novo foi frustrado por causa de um cliente que precisava de atenção imediata na Flórida.

Aqueles dias em Summit Lake entre o Natal e o ano-novo foram um período tranquilo para Becca. Ela e Jack saíam só para jantar ou para ver um filme antes de voltarem para casa, acenderem a lareira e se colocarem sob cobertas pesadas no sofá. No Natal, nevara muito, e por isso as calçadas e ruas estavam cheias de sal e neve semiderretida. As montanhas pareciam convidativas, com tanta neve a cobri-las, e Becca contou histórias para Jack de como era bacana esquiar. Sem condições de esquiar, no entanto, Becca ficou feliz por guardar seus livros acadêmicos por alguns dias, sentar-se e relaxar, enquanto Jack digitava em seu computador e pedia para ela revisar seu trabalho.

Na véspera do ano-novo, eles almoçaram tarde na cidade e se misturaram à multidão. Alugaram três filmes e passaram a noite no sofá perto da lareira. Às cinco para meia-noite, colocaram a tevê na contagem regressiva na Times Square e viram dezenas de milhares de pessoas congelarem nas ruas de Nova York. Jack estava sentado no sofá com Becca deitada de costas, com a cabeça apoiada em seu colo. No momento da passagem do ano, ele a beijou, enquanto *Auld Lang Syne* tocava no fundo.

— Quero que você saiba que, embora nada disso tenha sido planejado, só penso nisso como um avanço rápido — Jack afirmou. — Eu ia casar com você algum dia, e também íamos ter filhos algum dia. Simplesmente tudo aconteceu antes do que esperávamos. Mas não tenho nenhum arrependimento. Sinto-me empolgado de ser pai este ano, e orgulhoso de ser seu marido.

— Você sabe como fazer uma garota grávida se sentir especial. — Lágrimas escapavam dos cantos dos olhos de Becca.

— Eu amo você.

— Eu sei. E vou sentir muito sua falta enquanto você estiver viajando.

— Será só até meados de fevereiro. No meio, voltarei para casa de vez em quando. Por uma noite ou duas, mas estarei em casa.

— Jura?

— Com certeza.

— Você acha que um bebê vai atrapalhar sua carreira?

— Como nosso bebê atrapalharia minha carreira?

— Seu chefe vai concorrer à presidência, e precisará de você ao lado dele. E se isso realmente acontecer, Jack? E se Milt Ward ganhar a eleição? Já ouvimos falar das histórias terríveis enfrentadas pelo pessoal de um presidente. O tempo que eles trabalham faz os advogados recém-formados em Nova York parecerem um bando de preguiçosos.

— Eu trabalho muito. Se precisar de alguns dias de folga, pedirei.

— Sem essa, Jack. Todos vão querer mais tempo com suas famílias, mas você terá um bebê, e vai trabalhar vinte horas por dia.

— Não acho que será tão ruim.

— O que você fará? Você terá de ver o bebê. E eu vou precisar de alguma ajuda. Não posso cuidar de tudo sozinha.

— Eu ajudarei.

— Mas isso vai causar problemas em seu trabalho?

— Talvez. Ainda não sei. Mas eu vou ver meu filho.

— No entanto, o que acontecerá se dedicar um tempo a sua família? Você vai perder seu lugar na equipe de Milt?

— Ele não é assim. Milt é um homem de família. Ele vai entender.

— E se não entender?

— Eu equacionarei isso.

Becca respirou fundo.

— Sei que esse emprego é seu sonho, Jack. Não quero estragá-lo.

— Não está estragando nada, Becca. Você é parte do meu sonho. Agora, escute, é ano-novo e temos muitas coisas pelas quais estamos esperando ansiosamente.

Jack beijou Becca. Por um tempo, eles ficaram vendo a festa em Nova York, e depois voltaram para o filme a que estavam assistindo. Os dois adormeceram no sofá. Era um novo ano.

32

Kelsey Castle
Summit Lake
15 de março de 2012
Dia 11

—— A CIDADE ESTÁ CHEIA DE CARAS DA POLÍCIA ESTADUAL.
— Rae andava pela cozinha de um lado para o outro. Então, foi até a frente do apartamento e verificou a Maple Street. — Eles estão por toda parte. Há mais um parado do outro lado da rua.

— Todos atrás de mim?

— E de seu amigo médico, Kelsey.

— O que o detetive Madison lhe disse?

— Não muito. Perguntei por que a procurava, e ele me disse que era assunto da polícia. Perguntou se eu conhecia o dr. Ambrose.

— O que você respondeu?

— Que não, porque tecnicamente não o conheço. Só de ouvir falar. Assim, avaliei que não estava de fato mentindo para um policial, certo? — Rae deu de ombros. — Onde está seu carro?

— No Winchester.

— A esta altura, tenho certeza de que já o acharam. Assim, sabem que você ainda está na cidade. Você não pode se mandar dessa montanha. E há poucos lugares para se esconder nesta cidadezinha.

— Estou escrevendo um artigo para uma revista, que diabos! — Kelsey se juntou a Rae na janela e observou, através das cortinas, a atividade abaixo: policiais fardados caminhavam ao longo da Maple Street, entrando e saindo dos estabelecimentos. — Eles deviam ter se preocupado desse jeito quando Becca foi morta. Talvez tivessem descoberto alguma coisa a esta altura.

— A propósito, você encontrou o diário?

Kelsey se esqueceu de que trazia o diário de Becca na bolsa. Ela concordou com um gesto de cabeça.

— No livro de receitas de Millie.

— Leu?

— Sim, todo. Ontem à noite, antes de dormir.

— Onde? Depois de levar Millie para casa e tomar um chá doce na cozinha... quis me certificar de que você não fez uma bagunça que a faria chamar a polícia... fui ao Winchester, mas você não respondeu.

— Ah, fui para a casa de Peter e... passei a noite lá.

— Sério?

— Adormeci no sofá.

— Rolou alguma coisa?

— A polícia está me procurando em cada canto desta cidade e você está interessada na minha vida sentimental?

— Estou interessada na vida sentimental de todo o mundo. Você ficaria chocada com o que as pessoas me contam no café.

— Neste momento, meu único interesse é manter nós dois fora da cadeia. — Kelsey deu as costas para Rae e tornou a olhar a janela. — Preciso saber se ele está bem.

— Ligue para ele.

— Peter não respondeu. — Kelsey fechou as cortinas. — Como vou sair daqui?

— Você forçou a entrada num prédio. Isso não implica uma pena de prisão perpétua. Nem nenhum período na prisão, aposto.

— Então, por que tudo isso? — Kelsey fez um gesto na direção da janela.

— Becca, com certeza. Como você suspeitou, o pai dela quer que os detalhes da morte da filha emerjam em seus próprios termos. Não nos seus. O que descobriu no diário?

— Os nomes dos amigos de Becca. Incluindo o do rapaz com quem ela se casou. Mais alguns outros sujeitos que faziam parte da vida dela.

— O que quer dizer?

— No fim das contas, Becca era uma pessoa muito sociável. Talvez um pouco manipuladora de homens. É difícil dizer a partir de algumas anotações do diário. Mas ela vinha tendo muitos relacionamentos com muitos homens quando foi assassinada.

— Posso entender por que o pai dela não quer ver isso revelado. Bem, qual é o plano?

— Não há sobrenomes no diário. Assim, tenho algum trabalho de campo a fazer para identificar os homens que faziam parte da vida de Becca. Peter está localizando a antiga colega de quarto de Becca, para ver o que ela sabe de Becca e do rapaz com quem ela casou. Eu estava começando a investigar os outros caras. — Kelsey olhou pela janela a atividade policial pela última vez. — Não sei se terei tempo para localizar todos eles.

— Besteira. Você não chegou tão longe para desistir agora. Temos dois computadores aqui, acesso à internet e café. É tudo de que precisamos para localizar alguns rapazes e estudantes de direito.

Kelsey sorriu. Ela pegou seu MacBook e se encaminhou para o quarto com Rae.

Rae sentou-se ao seu computador, com Kelsey ao seu lado, com seu *laptop*. Ela colocou o diário de Becca sobre a mesa, entre as duas, e tirou suas anotações.

— Três caras. Brad, Richard, Thom. Amigo da George Washington, namorado do colégio e professor da George Washington.

Rae começou a digitar no teclado.

— Vamos investigar. Eu fico com o professor e o namorado do colégio. Você fica com Brad.

33

Becca Eckersley
Universidade George Washington
15 de fevereiro de 2012
Dois dias antes de sua morte

EM WASHINGTON, JANEIRO ERA UM MÊS DE UM FRIO DO
cão, com ventos vindos do Potomac que faziam os dentes tiritar e faziam as pessoas correr em busca de abrigo. O primeiro mês do ano também marcava o início oficial da temporada de eleições, e Milt Ward irrompeu em Iowa e se apropriou da convenção partidária como se fosse seu direito de primogenitura. Com um presidente candidato à reeleição no poder, não havia primárias significativas do outro lado, e à medida que janeiro passava e a Super Terça se aproximava, os apresentadores de tevê contrapunham as ideias do presidente no poder com as de Milt Ward. Todos concordavam que o confronto em novembro seria feroz. Ward aparecia em todos os telejornais, e Jack informava Becca pelo telefone sobre quais discursos ele escrevera para o senador. Foi um período empolgante.

No início de fevereiro, Becca se esforçava para acompanhar as aulas e lidar com o cansaço que resultava da gravidez. Ela aprendeu a concluir seus trabalhos às sete ou oito da noite, já que raramente conseguia ficar de pé depois desse horário. Muitas vezes, adormecia no sofá, com anotações ao seu redor e os livros sobre o peito, achando que conseguiria estudar durante a noite. Em vez disso, guardava as anotações e os livros, e ia para a cama às oito e meia, mais ou menos.

Na segunda terça-feira de fevereiro, o único adversário sério de Milt Ward retirou-se da corrida eleitoral, encerrando sua campanha. Um mês antes da Super Terça, Becca via Milt Ward e sua campanha percorrerem o país, batalhando por votos. No fim da noite, sua indicação como candidato do partido era inevitável. Uma indicação tão antecipada era algo sem precedentes. O país se agitou com a notícia, e o partido celebrou endossando seu candidato.

Jack ligou pouco depois das vinte e duas horas para dar a notícia oficial para Becca. Eles conversaram rapidamente antes de Jack desligar para preparar um discurso de aceitação. Jack estava escrevendo discursos para um candidato à presidência, ele a lembrou, e, potencialmente, alguém que ocuparia a Casa Branca no fim do ano. Era um momento histórico, e eles o compartilharam a centenas de quilômetros de distância.

No dia seguinte, Becca estava deitada sobre uma cama no consultório da obstetra, com um técnico fazendo nela um exame de ultrassom.

— Criança forte — o técnico afirmou. — Maior do que o normal para vinte e três semanas.

— Sério?! — Becca exclamou. — Isso é bom ou mau?

— Na realidade, nem uma coisa, nem outra. Tem um bom batimento cardíaco, e tudo parece perfeito. É apenas um pouco maior do que o habitual. Talvez você dê à luz duas semanas antes. Não é grande coisa.

— Duas semanas *são* uma grande coisa. Preciso dar à luz depois de 4 de maio. — Becca viu o técnico aguçar os olhos. — Preciso terminar os exames finais da faculdade antes desta criança nascer.

O técnico sorriu, registrando a informação do ultrassom no histórico de Becca. Sem olhar para ela, disse:

— Se eu fosse apostar, diria que o bebê não vai esperar tanto assim para vir ao mundo. Mas converse com a médica a respeito. Ela talvez consiga lhe dar uma ideia melhor da data.

UMA HORA DEPOIS, BECCA, PROTEGIDA POR UM CASACO de lã e um cachecol enrolado no rosto, dirigiu-se para seu carro. A obstetra garantira que tudo estava bem e que o bebê era um pouco maior do que o normal para vinte e três semanas. Ela antecipou a data do parto em uma semana, com base no ultrassom daquele dia, e explicou os detalhes da indução se não houvesse sinais de trabalho de parto no início de maio.

Becca tentava descobrir como conseguiria completar com sucesso o primeiro ano da pós-graduação com um bebê chegando no meio da semana dos exames finais. Era hora de falar com seus pais. Na realidade, já passara muito da hora. Ela e Jack esperaram mais tempo do que deveriam, e com a data do parto antecipada em uma semana, teriam de revelar o segredo. Parecia cada vez mais certo que, para atravessar o ano, sobretudo com as recentes evoluções da campanha e o fato de que Jack ficaria viajando, Becca precisaria recorrer à sua mãe para chegar ao final de seu primeiro ano letivo.

Becca deu a partida e ligou o aquecedor. Telefonou para Jack, e ele respondeu no primeiro toque.

— O que a médica disse?

— Temos um bebê muito saudável, que vai chegar uma semana antes do previsto.

— Por quê?

— O bebê é totalmente saudável, mas é grande. Isso fez a dra. Shepherd repensar a data do parto, que ela agora adiantou em uma semana. E se o bebê continuar crescendo nesse ritmo e não quiser nascer até a data limite, ela induzirá o parto. Depois da data limite, o parto seria muito difícil e possivelmente perigoso, pois sou pequena, e o nosso bebê é grande. Então, vou dar à luz bem na época dos exames finais, Jack. Não sei como vamos lidar com essa questão.

— Calma, Becca, nós vamos solucionar isso.

— Tenho de contar para os meus pais. Eles vão acabar descobrindo. Quero falar com eles sobre o bebê e nosso casamento. Tudo. Sei que você vai continuar a dizer que devemos esperar, mas não quero mais esperar.

— Você tem razão, querida. Fomos idiotas por ter esperado tanto tempo.

— O que estamos fazendo, Jack? Você tem viajado por todo o país. Eu mal consigo manter o ritmo este semestre. Temos esse segredo imenso pesando sobre nossos ombros. E nem registramos ainda nossa certidão de casamento.

— Sim. Desculpe. As coisas estão muito agitadas por aqui. Mas vão sossegar em cerca de uma semana.

— Tudo isso é real? Não sei. Ninguém sabe a respeito de nosso casamento ou de nosso bebê. Parece algo errado. Como se estivéssemos tentando esconder para sempre. Sei que isso vai ferrar a faculdade para mim, e na certa interferir com seu trabalho, mas temos de tomar uma atitude. Nosso bebê precisa começar a ter prioridade, em vez de ser algo que continuamos tentando contornar.

Becca escutou a respiração pesada de Jack pelo celular e, depois, ele coçar o rosto, que estava coberto naquele momento com uma barba por causa do trabalho ininterrupto.

— Jack! Estou pirando aqui!

— Sim, estou só pensando. Você tem razão, Becca.

— Escute, preciso sair daqui por um tempo. Na próxima semana, tenho uma prova. Mal estudei porque não consigo me manter acordada depois das oito da noite. Vou perguntar aos meus pais se posso usar a palafita para um fim de semana prolongado de estudo.

— Boa ideia, amor! Vá para Summit Lake. Eu a encontrarei lá no sábado.

— Como?

— Vou falar com Ward, e dizer a ele que preciso de um tempo. Simples assim. Ele vai entender. Caso contrário, pedirei demissão. De qualquer jeito, vou encontrá-la nesse fim de semana para organizarmos nossos pensamentos. Esclarecer as coisas entre nós. Então, em algum dia da próxima semana, iremos de carro para Greensboro para conversar com seus pais.

— De verdade desta vez.

— Sem dúvida.

— Eles vão ter um treco.

— Ah, vão sim! Eles têm o direito de ter um treco. Fomos idiotas. Mas sabe o quê? Eles vão superar isso, porque em poucos meses ganharão um neto que vão amar. E, depois de algum tempo, todos nós iremos nos esquecer de como lidamos com isso. Deixe-me falar com Ward e eu ligo para você de volta. Não diga nada aos seus pais sem mim.

— Tudo bem.

— Prometa — Jack pediu.

Becca permaneceu em silêncio.

— Prometa que não dirá nada aos seus pais até nos vermos.

— Prometo, Jack — Becca finalmente disse. — Não falarei com meus pais.

— Eu te amo.

— Também te amo, Jack.

Ela desligou o celular, imaginando-se sentada na sala de estar dos Eckersley, contando-lhes que se casou em segredo, que eles logo seriam avós e que ela talvez não terminasse a pós-graduação.

Fez um gesto negativo com a cabeça e enxugou as lágrimas do rosto. Depois que o motor do carro esquentou, Becca partiu para seu apartamento em Foggy Bottom.

Com uma bolsa avantajada pendurada no ombro e um saco de batatas fritas na mão, ela saiu do carro. Eram quase seis da tarde, e, nos dias de inverno, a escuridão tomava conta da cidade antes das cinco. Becca andou rápido pelo estacionamento, sob a incandescência amarelada da luz, enfrentando um vento contrário muito incômodo. Teve dificuldade de enfiar a chave na fechadura por causa dos dedos congelados. A maneira frenética como se afastou do automóvel e, naquele momento, brigava com a fechadura despertou nela um senso de urgência e medo.

Também havia outra coisa: uma sensação estranha da presença de outra pessoa. Tudo isso passou pela mente de Becca no instante que foi necessário para ela conseguir abrir a porta. Por fim, conseguiu e, às pressas, fechou-a atrás de si, trancando-a imediatamente.

Becca deixou cair a bolsa no piso da cozinha e jogou o pacote de batatas fritas na mesa, passando a mão pelo rosto congelado e enxugando as lágrimas que a noite fria trouxe aos seus olhos. Suas mãos estavam trêmulas por causa do pânico relativo à abertura da porta do apartamento.

— Você está perdendo o controle — Becca disse para si, em voz alta.

Ela observou através do olho mágico e viu a noite escura.

Becca precisava de Jack. Isso era tudo. Precisava do pensamento racional dele para superar seus temores de tentar conseguir chegar ao fim de seus exames finais com um recém-nascido, e de sua natureza tranquilizadora, que era capaz de vencer qualquer obstáculo. Becca encontrou consolo na ideia de que eles passariam a semana juntos.

Duas horas antes que o cansaço roubasse sua motivação de fazer algo, exceto deitar na cama, Becca teria de ler três capítulos de direito constitucional e se pôr em dia em ilícito civil. Assim, tomou um banho quente para se revitalizar e se aquecer. O pânico que a dominara antes desapareceu quando a água quente molhou seu corpo.

Sozinha no banheiro, fechou os olhos. Por causa do chuveiro, ela não ouviu o barulho de alguém mexendo na maçaneta da porta principal, do lado de fora do apartamento. A fechadura cumpriu sua missão e, após três tentativas, o barulho na porta cessou.

34

Kelsey Castle
Summit Lake
15 de março de 2012
Dia 11

— **ACHEI! – KELSEY EXCLAMOU, USANDO O MACBOOK COM** eficiência e olhando para a tela.

— Então? — Rae também mantinha os olhos fixos na tela do computador, trabalhando duro.

— Brad Reynolds. Mora em Maryland. Pelo menos seus pais moram. Seu pai é um advogado importante. Frequentou a George Washington. De todos os Brads que procuramos, esse é muito provavelmente o mencionado no diário. Descobri que Becca participou de um programa de estágio no segundo ano. Brad Reynolds participou do mesmo programa. No primeiro ano, ele também morou no mesmo alojamento de estudantes de Becca. Não está no Facebook, mas tem de ser ele.

— Onde ele está agora? — Rae perguntou.

— Não consegui descobrir. Mas tenho um endereço e um número de telefone em Maryland. Vou começar por aí.

— Certo. Consegui duas informações para você. O professor é Thom Jorgensen. Ex-professor de lógica e pensamento crítico da George Washington. No segundo ano, Becca fez o curso dele. Tirou nota A. Agora, ele leciona na Universidade Cornell. Mudou-se para lá durante o último ano de Becca. Número de telefone não é problema. Podemos consegui-lo por meio da universidade.

— Fácil.

— Mas há uma complicação, Kelsey.

— Qual?

— Você disse que ele e Becca tiveram um relacionamento?

— De algum tipo. Ele é bastante mencionado no diário. Mas nas primeiras anotações. Por quê?

— O professor Jorgensen é casado e tem dois filhos. Assim, se ele se envolveu com Becca...

Kelsey olhou para Rae e, depois, escreveu às pressas no bloco de anotações.

— Sim, e o que mais?

— Tenho quase certeza de que o namorado do colégio é Richard Walker. Ele estudou na Northwest Guilford High e tem a mesma idade de Becca. Formou-se em Harvard e, agora, faz pós-graduação lá. É ele o cara que você disse que Becca mencionou em seu diário. Uma postagem antiga no Facebook o mostra na festa de formatura do colégio com Becca. Richard é o nosso homem.

— Informações de contato? — Kelsey perguntou.

Rae voltou ao computador.

— Não deve ser difícil conseguir. Podemos pegar seu número de telefone em Harvard. Eu cuido disso.

Kelsey pegou o celular.

— Vou começar com Brad Reynolds. — Ela digitou o número dos Reynolds em Maryland.

— Dê uma olhada nisso aqui. — Rae ainda digitava no teclado. — A família de Richard Walker é dona de uma casa de veraneio bem aqui nas montanhas.

Por um instante, Kelsey afastou o celular do ouvido.

— Aqui? Nas montanhas de Summit Lake?

— Sim — Rae respondeu, sorrindo. — Talvez não tenhamos de ir tão longe para encontrá-lo. Além do mais...

— ... isso o coloca na vizinhança na noite da morte de Becca.

— Possivelmente.

Uma voz fraca chamou a atenção de Kelsey, e ela se deu conta de que alguém tinha atendido ao telefone na casa dos Reynolds. Rapidamente, recolocou o celular no ouvido.

— Alô? Sr. Reynolds? Meu nome é Kelsey Castle. Sou repórter da revista *Events* e estou escrevendo um artigo a respeito de Becca Eckersley.

Ela foi assassinada há algumas semanas... Sim... Bem, sei que ela cursou a faculdade com seu filho, Brad, e gostaria de falar com ele para obter algumas informações sobre Becca.

Kelsey ficou em silêncio durante algum tempo escutando o sr. Reynolds.

— Ah, sinto muito... — ela disse por fim, olhando para Rae.

PARTE IV
TRÊS BATIDAS

35

Becca Eckersley
Summit Lake
17 de fevereiro de 2012
O dia de sua morte

BECCA FALTOU À AULA DE SEXTA DE MANHÃ E NÃO SE
preocupou com sua sessão de estudos da tarde. Carregara seu carro na
noite anterior com produtos não congeláveis, e pegou a estrada às oito. A
viagem para as montanhas levava cinco horas, e mais cerca de uma hora
até Summit Lake.

Ela falara com Jack antes de partir. Milt Ward deu a Jack todo o tempo
de que ele precisasse. Então, ele marcou um voo para sábado de manhã, o
que lhe permitiria chegar a Summit Lake à noitinha. Jack planejou quatro
dias de licença: dois em Summit Lake — sábado e domingo —, um em
Greensboro para uma conversa longa com os pais de Becca, e um para voltar para Washington e pegar a estrada de novo com o senador Ward.

No caminho, Becca ligou para seus pais para informar sobre a viagem, e prometeu ligar de novo quando chegasse. Com as paradas extras
para ir ao banheiro, a viagem durou sete horas.

Ela estacionou na frente da palafita quase às três da tarde. Tirou a
sacola de viagem do porta-malas e a guardou no quarto. Em seguida, saiu
para pegar os mantimentos que comprou na véspera e os deixou na cozinha. Depois de instalada, com o termostato ajustado numa temperatura
confortável, Becca vestiu um casaco pesado, pôs a mochila no ombro e se
dirigiu para um de seus lugares preferidos. Quando voltasse, a casa estaria quente e aconchegante.

Becca ligou o alarme e trancou a porta atrás de si. Em seguida, foi
para a cidade. Era uma caminhada de dois quarteirões até o Café Millie.

Livvy Houston era amiga da família, e, ao longo dos anos, Becca passou a amar o local, o café e, sobretudo, o chá doce, que era uma receita secreta da mãe de Livvy.

Naquela tarde de sexta-feira, o café estava quase vazio. Becca escolheu uma mesa ao lado da janela, não distante do calor da lareira. Embora um café com leite a mantivesse alerta, ela não consumia cafeína havia quatro meses; assim, decidiu-se por chá doce, que tinha açúcar suficiente para concorrer com o café.

Após pegar o livro e as anotações, Becca não precisou de meia hora para se perder em direito constitucional e nas complexidades das diversas decisões da Suprema Corte. Quanto mais lia, mais anotações produzia. Tirou outros materiais de estudo da mochila e, em pouco tempo, a mesinha virou uma bagunça. Mesmo a cadeira perto dela continha anotações marcadas com dobras e um livro de pesquisa.

Antes de se reclinar nas costas da cadeira e relaxar, Becca estudou durante duas horas, tomou algumas xícaras de chá doce e foi algumas vezes ao banheiro. Ela precisava de uma pausa.

Da bolsa, tirou um pequeno diário de capa dura. Ela nem sempre foi uma garota afeita a diários. Os pensamentos, os desejos e os medos registrados nas páginas do diário eram assuntos privados, não compartilhados com ninguém. Nem mesmo com Gail, e, sem dúvida, ela não os publicava em blogs. Becca não registrara toda a sua vida, como muitas garotas que recorriam à internet para compartilhar seus segredos. No entanto, desde o primeiro ano da faculdade, Becca foi muito constante em suas anotações, que eram diárias; às vezes, a cada dois dias. Algumas eram longas descrições de sua vida e de seus sentimentos; outras, gracejos curtos acerca do amor e das experiências de uma estudante universitária. Naquela tarde, no Café Millie, ela fez um relato de seus últimos dias: a ida recente à médica, seus receios a respeito do parto antecipado e a maneira como Jack conversou com ela e a tranquilizou, como ele sempre fazia. Escreveu sobre a viagem improvisada a Summit Lake e do fim de semana que esperava passar com o homem que amava. Encheu duas páginas antes de Livvy Houston aparecer vinda dos fundos do estabelecimento.

— Olá, Becca — Livvy a cumprimentou.

Becca tirou os olhos do diário, levantou-os e deu um sorriso largo. Ficou de pé e abraçou sua antiga babá.

— O que está fazendo aqui? — Livvy se sentou à mesa em frente a Becca.

— Estudando, infelizmente — Becca respondeu, também se sentando. — Tenho uma prova na próxima semana, e precisei dar uma fugida para estudar.

Nervosa com o fato de que Livvy pudesse perguntar acerca do diário, Becca o deslizou para debaixo da mesa e o colocou sobre a cadeira vazia ao seu lado.

— Seus pais estão com você?

— Não, meu pai tem um julgamento na próxima semana. Estava muito ocupado. Disseram que eu poderia ficar na casa.

— Então você tem uma casa incrível, grande e tranquila, para estudar, e está aqui?

Becca sorriu.

— Adoro esta cafeteria. É perfeita para estudar.

— Como você vai na faculdade?

— Bem. Sabe como é, estou na pós-graduação. Algumas matérias são interessantes, outras são muito chatas.

Livvy apontou para os papéis espalhados sobre o tampo.

— Essa?

Becca deu de ombros, em sinal de indiferença.

— Direito constitucional? Não é minha preferida, mas tudo bem.

— Falei com sua mãe há uma semana, e ela me disse que você está namorando um rapaz inteligente e educado, que trabalha para um senador.

Becca sorriu. Sua mãe e Livvy eram boas amigas, e Becca conservava na memória as muitas horas passadas na casa dos Houston durante a infância. Becca e Jenny, a filha de Livvy, foram muito amigas na escola primária. No entanto, Becca sempre se sentiu mais próxima de Livvy. As duas tinham um relacionamento especial, que, para Becca, começou no dia em que ela, com dez anos, fez xixi na calça numa visita ao zoológico com a família Houston. O passeio já durava quase uma hora, e quando Becca contou para Livvy de sua vontade urgente de urinar, não deu mais tempo de chegarem ao banheiro. Essa foi uma experiência potencialmente traumatizante, que foi tratada com muita rapidez por Livvy. Sem demora, ela conduziu Becca ao estacionamento e a trocou, colocando-lhe uma calça jeans que tinha de reserva no carro. No dia seguinte, lavou a calça de Becca em casa e a dobrou. Com isso, nenhuma das crianças descobriu o fato, e Becca jamais teve de contar para seus pais.

Pequenos encobrimentos continuaram ao longo da infância e da adolescência de Becca. Um poste de luz quebrado foi consertado sem que os Eckersley fossem informados; as latas de lixo atropeladas quando Becca estava pela primeira vez vencendo a entrada para carros de sua casa foram substituídas durante a noite; as latinhas de cerveja vazias achadas no quarto de Jenny Houston depois de Becca ter passado a noite ali foram devidamente confrontadas, mas nunca delatadas aos seus pais. Assim, não era de se estranhar que, após meia hora de conversa com Livvy, Becca se sentisse à vontade para revelar alguns segredos acerca de Jack.

Na verdade, como todos os segredos de sua vida estavam no diário perto dela, Becca se sentiu tentada a começar a ler a partir da primeira página. Ela ansiava contar para alguém sobre o homem que amava, seu casamento e o bebê que crescia em seu ventre. Becca queria revelar seus segredos, tão bem guardados no último ano que, às vezes, ela se perguntava se eram reais. Queria abrir a boca e deixá-los escapar, e aliviar o peso que eram em suas costas.

— Parece sério esse caso seu com o rapaz — Livvy disse.

— É sério. Não estamos só namorando, sabe?

Livvy fez uma pausa pensativa.

— Não? O que quer dizer? Vocês dois são exclusivos um do outro?

— Mais do que isso.

Livvy arregalou os olhos.

— Becca Eckersley, você está noiva?

Becca sorriu, engoliu em seco e fez um gesto negativo com a cabeça.

— Então o quê? Os dois estão prestes a noivar?

Becca respirou fundo e soltou o ar devagar.

— Lembra-se de quando fiz xixi na calça no zoológico, quando era criança?

Por um instante, Livvy pensou e, em seguida, assentiu com um gesto de cabeça.

— Lembra-se de como você guardou segredo disso?

Livvy voltou a assentir.

— Isso é a mesma coisa, ok? — Becca disse. — Você não pode contar para ninguém.

— O que é?

Becca voltou a respirar fundo.

— Eu me casei.

— Caramba, Rebecca Alice Eckersley! Sua mãe não disse uma palavra a esse respeito quando falei com ela.

Becca deu um sorriso encabulado.

— É porque ela ainda não sabe.

36

Peter Ambrose
Summit Lake
15 de março de 2012
Dia 11

APÓS O CAFÉ DA MANHÃ COM KELSEY, PETER FOI AO HOS-
pital. Ele deixou a carteira e o celular na prateleira superior de seu armário e tomou banho no vestiário dos funcionários. Vinte minutos depois, já
usando a vestimenta cirúrgica azul e um jaleco, prendeu seu crachá e visi-
tou os pacientes por uma hora e meia. Um homem de idade avançada
vinha tendo problemas com um dreno que Peter instalara após remover
a vesícula biliar dele, dois dias antes. Peter precisou de mais uma hora
para substituir o dreno defeituoso. Terminou o procedimento quase às
três da tarde.

Peter entrou em sua sala e se sentou à mesa. Não era seu forte localizar pessoas. Ele apanhou as informações que tinha sobre a antiga companheira de moradia de Becca Eckersley e começou a trabalhar.

Após uma hora de pesquisa, deu-se conta de que localizar alguém só
pelo prenome era mais difícil do que imaginara. Passava das quatro da
tarde quando Peter descobriu uma aluna do primeiro ano da pós-graduação em direito da Stanford chamada Gail Moss. Um pouco mais de investigação confirmou que ela frequentara a Universidade George Washington
e dividira um quarto com Becca Eckersley no primeiro ano.

Peter anotou três números de telefone que descobriu num buscador
on-line antes de se dar conta da agitação no corredor. Guardando os
números de telefone no bolso da vestimenta cirúrgica, dirigiu-se até a
porta de sua sala e avistou policiais fardados no posto de enfermagem.
Saiu de sua sala e se encaminhou para o vestiário dos funcionários.

Destrancou seu armário e tirou a carteira e o celular, notando diversas chamadas perdidas e mensagens de texto de Kelsey. Uma mensagem parcial aparecia na tela, que Peter leu:

Toda a polícia está nos procurando. O detetive Madison estava

Antes de Peter conseguir desbloquear seu celular e ler a mensagem completa, a porta do vestiário se abriu lentamente. No espelho, Peter viu um policial entrar. Escondendo-se atrás da fileira de armários, ele se deslocou depressa para a área de chuveiros sem ser notado. Entrou num boxe, fechou a cortina e ligou a água, ajustando o jato para longe dele. Ficou parado junto à parede, tentando não ficar ensopado.

Um minuto se passou.

— Dr. Ambrose? — o policial chamou com voz autoritária, perto dos chuveiros.

Peter baixou um pouco a cabeça.

— Não, sou o dr. Ledger — ele gritou, superando o barulho da torrente de água. — Ambrose está no pronto-socorro. Algum problema com um paciente?

— Não, doutor. Nenhum problema.

Peter esperou os minutos passarem devagar, até finalmente espreitar através da cortina. Ao ter certeza de que estava sozinho, saiu do boxe com o chuveiro ainda ligado. Nos fundos do vestiário, havia um elevador de serviço. Peter entrou nele e apertou o botão para o subsolo, descendo até as entranhas do hospital. Ali, abriu a porta metálica sanfonada e desembarcou. Adentrou o almoxarifado, cheio de materiais de limpeza empilhados em prateleiras. Esfregões, baldes e enceradeiras industriais se enfileiravam junto às paredes, assim como recipientes de vinte litros cheios de produtos químicos destinados a livrar o lugar das inúmeras doenças que poderiam contaminar o hospital.

Depois do almoxarifado, Peter entrou na lavanderia. Lavadoras e secadoras industriais funcionavam a pleno vapor, lavando e secando lençóis e cobertores. As toalhas e as roupas brancas se achavam empilhadas em grandes carretas, que os funcionários empurravam. Ele percebeu mais de um olhar dos funcionários, que decerto queriam saber o que um médico, usando vestimenta cirúrgica e jaleco, fazia no subsolo.

Peter seguiu adiante e chegou às docas de entrega de mercadorias. Três grandes portas de garagem estavam abertas. Uma carreta ocupava uma doca, e uma empilhadeira tirava caixotes de dentro dela. Na segunda doca, um grande veículo de carga acabara de chegar e estacionava de marcha a ré, com o sinal de alerta zumbindo nos ouvidos de Peter. A terceira doca estava livre, e ele caminhou até a beira e pulou para o asfalto. Tirou o jaleco e o jogou, junto com seu crachá, numa lixeira. Em seguida, caminhou pelos fundos do hospital e saiu do terreno. Ao alcançar o lago, pegou a direção sul rumo à cidade. Naquele momento, longe o suficiente, lançou um olhar para trás. Avistou a frente do hospital repleta de viaturas policiais estacionadas em ângulos estranhos e com as luzes piscando. Uma cena semelhante ocorria na frente da entrada do pronto-socorro.

Peter sabia que não iria longe usando vestimenta cirúrgica azul, mas nem pensou em ir para casa. Em vez disso, dirigiu-se para a cidade. Ali, também notou grande presença policial. Pegou ruas secundárias e ruelas desertas e, por fim, encontrou um bar na margem do lago. Entrou e achou uma mesa no canto. Havia só duas pessoas no estabelecimento, ambas encostadas no balcão e de modo algum interessadas no dr. Peter Ambrose.

Ele pediu um refrigerante para a garçonete e consultou o celular. Havia quatro mensagens de texto de Kelsey. A primeira advertia que a polícia na certa o procuraria em sua casa ou no hospital. A segunda informava que ela estava escondida no apartamento de Rae escrevendo um rascunho do artigo do caso Eckersley para enviar ao seu editor. A terceira era um pedido para ele entrar em contato com ela para informar se estava bem. E o texto final dizia que ela e Rae tinham feito uma pausa na investigação do caso e rumavam para as montanhas para falar com um dos rapazes mencionados no diário de Becca, cuja família tinha uma propriedade ali.

Peter ligou para o número de Kelsey, mas o celular caiu direto no correio de voz. A garçonete serviu o refrigerante, e Peter recusou delicadamente o cardápio oferecido por ela. Ele percorreu com os olhos o bar vazio, fixando o olhar na porta da frente. Enfim, sacou as informações de contato de Gail Moss do bolso da vestimenta. Ligou para os dois primeiros números, mas ninguém atendeu. Porém, no terceiro, foi atendido por uma jovem agradável, e a convenceu a fazer contato telefônico com o dormitório de Gail em Stanford.

Gail atendeu no terceiro toque.

— Alô! Gail Moss?

— Sim. Quem é?

— Olá, Gail. Meu nome é Peter Ambrose. Sou médico em Summit Lake e estou trabalhando no caso de Becca Eckersley.

— Você está trabalhando com a polícia?

— Não exatamente. Mas estou tentando ajudá-los a descobrir o que aconteceu naquela noite com Becca. Eu queria lhe fazer algumas perguntas.

— Ninguém falou comigo ainda. A polícia, quero dizer. Nada me foi perguntado.

— Sério? Tenho certeza de que logo vão procurá-la. As coisas ainda estão um pouco agitadas por aqui, como pode imaginar. Gail, você conheceu bem Becca, não? Vocês moraram juntas?

— Sim, éramos boas amigas.

— Certo. Você sabia que Becca estava namorando?

— Claro. Com Jack Covington.

Peter anotou o sobrenome.

— Você conhecia Jack?

— Naturalmente. Estudávamos todos juntos. Éramos amigos íntimos.

Peter organizou seus pensamentos. De início, imaginara que teria essa conversa num outro momento.

— Gail, você sabia que Becca e Jack tinham se casado?

— Casado? Não, Becca não casou. Quer dizer, tenho certeza de que algum dia eles se casariam. Eles estavam muito apaixonados. Mas não, ela e Jack não eram casados.

Por um instante, Peter se manteve calado.

— Você sabia que Becca estava grávida?

— O quê?! Não, não. Você está confundindo as coisas. Becca não era casada e, com certeza, não estava grávida. Isso é ridículo.

— Becca e Jack tinham algum problema?

— Que tipo de problema?

— O relacionamento deles era volátil ou tenso?

— Não, eles estavam totalmente apaixonados. O que você está insinuando?

— Há suspeitas de que Jack teve algo a ver com a morte de Becca.

— Jack? Não. Você está seguindo a pista errada.

— Sei que é duro escutar isso. Você sendo amiga dela e tudo o mais...

— Não é duro escutar. É impossível.

— Escute, Gail, há certas coisas acontecendo aqui em Summit Lake que tornam Jack um forte suspeito. Há indícios que sugerem que Becca e Jack casaram-se em segredo, pouco antes de ela ser assassinada. E foi confirmado por uma de minhas colegas que Becca estava grávida na noite em que foi morta.

— Dr. Ambrose, não sei nada a respeito desses indícios de que Becca se casou ou de que estava grávida. Só posso lhe dizer que, se essas coisas são verdade, ela nunca contou para mim. E seria muito chocante. Mas de uma coisa tenho certeza: Jack Covington não teve nada a ver com a morte de Becca. Juro sobre a Bíblia que ele não a matou.

— Como eu falei, sei que é duro escutar, mas só preciso ter uma ideia...

— Você não está me ouvindo. Para mim, não é duro escutar isso. Simplesmente não é possível.

— Independentemente de quão improvável pareça que Jack...

— Dr. Ambrose! — Gail disse com força. — Não é improvável. É *impossível*.

— Se você me deixar explicar, quem sabe eu seja capaz de fazê-la mudar de ideia.

— Você nunca me fará mudar de ideia.

— Por que está dizendo isso?

— Porque Jack morreu no mesmo dia em que Becca foi assassinada.

37

Becca Eckersley
Summit Lake
17 de fevereiro de 2012
A noite de sua morte

— **MUITO OBRIGADO POR ISSO, MILT – JACK DISSE, EMBAR-**
cando no jatinho.

Com capacidade para catorze passageiros, o avião pertencia à Milt
Ward Industries, e estava programado para partir de Denver, no Colo-
rado, às duas da tarde, e chegar a Washington três horas depois. Dali, Jack
iria de carro para Summit Lake e surpreenderia Becca, que só o esperava
no anoitecer do dia seguinte. Se tudo corresse bem, calculou que estaria
em Summit Lake por volta das dez da noite.

Quando Milt Ward soube da situação aflitiva de Jack, pediu para ele
cancelar o voo comercial de sábado à tarde e o convidou para embarcar
em seu jatinho, pois voltaria para Washington na sexta-feira à tarde e se
sentia feliz por poder ajudar Jack.

— Sem problema — Ward disse. — A família sempre vem em primeiro lugar. Antes do trabalho. Antes de uma campanha. Antes de tudo.
Entende?

— Sim, senhor.

Jack abriu o *laptop* e revisou um discurso que o senador faria no fim
de semana para um grupo de mineiros de carvão. Trinta minutos depois
da decolagem, o jatinho entrou numa zona de turbulência. Jack viajara de
avião pela primeira vez ao entrar na Universidade George Washington.
Mas desde que se juntou à campanha de Milt Ward, acumulou muitas
horas de voo. A turbulência passou despercebida até o momento em que
ficou forte o suficiente para sacudir o *laptop* e fazer o refrigerante

transbordar do copo. Ao olhar em volta, Jack notou as expressões de preocupação e os sorrisos afetados. Um mergulho súbito de centenas de
metros arrancou gritos de alguns passageiros. Jack desligou o *laptop* e o
segurou perto de si, fechando rapidamente a mesinha e se esquecendo do
refrigerante entornado.

Outro mergulho considerável e novos gritos. Então, um baque, como
se o jatinho tivesse atingido algo sólido. A turbulência continuou. Um
novo mergulho e as máscaras de oxigênio caíram do teto e balançaram de
modo errático ao longo da cabine de passageiros. Jack agarrou o apoio de
braço, enquanto um frio estranho preenchia a cabine.

Em seguida, outro mergulho. Ao contrário dos outros, foi uma queda
contínua. Uma que nunca terminou, até que, quatro minutos depois, o
jatinho se espatifou numa pradaria perto de Omaha, em Nebraska. Não
houve sobreviventes.

TRINTA MINUTOS DEPOIS DE BECCA DEIXAR O CAFÉ MILLIE,
com os cabelos ainda quentes por causa do secador e usando agasalho
esportivo confortável e meias grossas de lã, ela se sentou na ilha da cozinha da palafita. Sentia-se leve. Tinha enfim se livrado da carga pesada
que suportara sobre os ombros por tanto tempo ao contar para Livvy
Houston sobre seu casamento com Jack. Simplesmente falar para alguém,
mesmo que fosse sua ex-babá de cinquenta anos, com quem ela conver-
sava duas vezes por ano, foi um alívio. Becca considerou aquilo um treino
para quando ela e Jack tivessem uma discussão semelhante com seus pais,
que aconteceria em breve.

Antes de se envolver de novo no estudo de direito constitucional,
Becca tirou as imagens do ultrassom da bolsa. Eram oito imagens, em
branco e preto, espaçadas uma sobre a outra, num longo pedaço de papel
que o técnico imprimiu em sua última consulta. Naquele momento, Becca
fitava as imagens, examinando o pequeno ser se desenvolvendo em seu
ventre. O técnico explicou-lhe o que ela estava vendo, e, naquele
momento, Becca reconheceu as mãos e os pés do feto. Sorriu quando pensou em si como mãe. Em seguida, gargalhou. Que coisa maluca.

Becca dobrou a folha e a guardou num envelope. Em seguida, pegou um papel em branco e o pôs na sua frente. Não soube de onde viera a inspiração, ou o que a estimulara a escrever uma carta para a criança em gestação, mas, em certo lugar de seu coração, Becca desejou se comunicar com o feto que se desenvolvia em seu ventre. Escreveu durante dez minutos. No fim, assinou com suas iniciais, dobrou a folha de papel três vezes e colocou a carta no envelope, junto com as imagens do ultrassom. Escreveu *Para Minha Filha* na frente do envelope e o colocou no canto da ilha da cozinha. Poderia tê-lo guardado num lugar secreto, se tivesse tido a ideia; talvez dentro de seu diário. Mas Becca não sabia — na certa inebriada pela franqueza de sua conversa com Livvy Houston — que deixara seu diário sobre a cadeira do Café Millie.

38

Kelsey Castle
Summit Lake
15 de março de 2012
Dia 11

ELAS DESCERAM A ESCADA DOS FUNDOS E ALCANÇARAM A ruela atrás do café.

— Espere aqui — Rae disse a Kelsey —, debaixo da escada, para que ninguém a veja. Vou pegar meu carro.

Kelsey procurou abrigo na sombra da escada. Dirigir-se para as montanhas para entrevistar um dos amigos de Becca, que podia dar informações dela e de seu relacionamento com Jack, era a melhor pista que tinha. Que aquele rapaz talvez tivesse estado em Summit Lake na noite do crime também era uma questão intrigante. Kelsey precisava encontrá-lo. Sair da cidade também não era uma má ideia.

Quando Kelsey se escondeu, com a luz do fim da tarde atravessando os degraus e pintando seu rosto com algumas faixas, certa intranquilidade tomou conta dela. Parecia que toda uma vida se passara desde que decidira vir para Summit Lake. Na realidade, apenas poucos dias haviam se passado desde que ela escapara de Miami, de sua casa, da redação da revista e dos demônios que se esconderam em seu caminho de corrida outrora seguro, onde toda aquela coisa começou. O delegado Ferguson partira, demitido porque lhe dera informações a respeito de um crime não solucionado em sua pequena cidade. Peter estava inalcançável e, sem dúvida, metido numa grande encrenca por ajudá-la. A cidade se encontrava cheia de policiais, e sua esperança de escapar de Summit Lake estava depositada nas mãos de uma garota de vinte anos que conhecera uma semana e meia atrás. Se existia uma imagem de perda de controle, era aquela.

Um carro dobrou a esquina e entrou na ruela. A porta do lado do passageiro se abriu, e Rae se inclinou sobre o assento.

— Entre.

Às pressas, Kelsey embarcou. Rae percorreu a ruela e virou à direita quando chegou ao seu fim.

— Fique abaixada, Kelsey. Eles estão em cada esquina. A Maple tem um congestionamento de viaturas policiais. Uma loucura!

— Você sabe para onde está indo? Como chegar a essa casa?

— Becca a chamou de cabana. Conheço a área. Assim, chegarei às proximidades. Ela deixou orientações. Desse modo, quando estivermos perto, você vai me ajudar me dando as coordenadas.

Com Kelsey encolhida no assento de passageiro, Rae atravessou a cidade, evitando a rua principal, onde as viaturas abundavam. O Winchester era o centro de atividade policial, com os policiais vigiando a entrada e a rua em frente.

Rae observou o espelho retrovisor quando alcançou o limite da cidade, e viu a placa BEM-VINDOS A SUMMIT LAKE atrás de si. Alguns minutos depois, Kelsey pôde se sentar direito. Em meia hora, as duas entraram nas montanhas para perseguir sua pista.

39

Becca Eckersley
Summit Lake
17 de fevereiro de 2012
A noite de sua morte

POR MAIS UM INSTANTE, BECCA CONTEMPLOU A CARTA para sua filha. Em seguida, abriu o livro e voltou a estudar. Se não estivesse isolada nas montanhas, com a televisão desligada, teria visto a notícia que se espalhou pelo país nas últimas horas. Se tivesse feito uma pausa nos estudos e procurado distração clicando no navegador de seu *laptop*, decerto depararia com a notícia mais quente da internet: o jatinho do senador Milt Ward caíra pouco depois da decolagem em Denver. Equipes de emergência se encontravam no local, assim como investigadores federais. No entanto, pelos destroços, não havia sobreviventes. Doze integrantes da campanha do senador estavam a bordo.

Em vez disso, porém, Becca se achava entocada na palafita de seus pais, nas montanhas Blue Ridge, estudando para uma prova e esperando a chegada do homem que amava, no dia seguinte. Organizando-se na ilha da cozinha, ela recomeçou a partir de onde parara, no Café Millie. O iPod tocava músicas relaxantes, num volume baixo, mas suficiente para quebrar o silêncio reinante.

Após meia hora de estudo, um ruído do lado de fora da porta da antessala superou o volume da música. Becca parou para ouvir. Muito vago para ser identificado, o ruído pareceu o molho de chaves chacoalhando ou a porta vibrando por causa da brisa do lago. Ela baixou o volume do aparelho e apurou a audição. Nada além de silêncio. Então, Becca tornou a aumentar o volume do iPod e voltou para seu livro de direito. Vinte minutos depois, três batidas ruidosas soaram na porta do vestíbulo.

Surpresa, Becca saltou para fora do banco da cozinha. Sabia que Jack estava tentando pegar um voo que saísse mais cedo, e havia a chance remota de Milt Ward lhe oferecer uma carona em seu jatinho. Nesse caso, talvez Jack chegasse naquela noite, surpreendendo-a. Mas Becca não esperava isso. Não permitiria que sua mente se aventurasse na expectativa de dormir nos braços de Jack naquela noite, pois ficar sozinha numa cama gigante se tornaria uma decepção se ele só viesse no dia seguinte.

No entanto, naquele momento, as três batidas na porta romperam a barragem que ela usara para bloquear suas emoções. Jack conseguira levar a ideia a cabo. Ele viera um dia antes para ficar com ela. Para planejar a conversa com seus pais. Para aconchegá-la, para amá-la, para abraçá-la e para lhe dizer que tudo daria certo.

Becca correu até a porta, sentindo-se ridícula por considerar que o trabalho de Jack começava a ofuscar o relacionamento deles. Na antessala, uma expectativa vertiginosa tomou conta dela.

40

Kelsey Castle
Summit Lake
15 de março de 2012
Dia 11

NO CAMINHO PARA AS MONTANHAS, O ANOITECER SE aproximava, com o céu ficando azul-escuro sobre as montanhas e lançando uma sombra azul-petróleo na estrada estreita.

— Eis a bifurcação de que ela falou — Rae afirmou.

— Muito bem. — Um mapa estava aberto sobre o colo de Kelsey, e seu dedo marcava sua localização. — Mantenha-se à direita.

Rae conduziu o carro ao longo da estrada coberta com cascalho. O mato era denso em ambos os lados, com quase nenhum espaço livre entre as folhas recém-florescidas e as janelas do veículo. Ela passou a dirigir mais devagar, agora que a estrada pavimentada fora deixada para trás e o cascalho era triturado sob os pneus. Depois de quinze minutos, alcançou o cruzamento final.

— Escute de novo — Rae pediu —, para termos certeza de que pegamos o caminho certo.

Kelsey apanhou o celular e pôs a mensagem para tocar mais uma vez. Era uma voz feminina que orientava a respeito do caminho para a cabana que estavam procurando:

— Vire à esquerda no cruzamento final e você chegará ao destino em dez minutos.

Rae seguiu a orientação e, em instantes, elas avistaram uma cabana isolada ao longe. Rae reduziu a velocidade ao chegar à frente da propriedade.

— Quem mora aí? — Kelsey quis saber.

— Ninguém. São cabanas de caçadores. Sem eletricidade, apenas geradores a gás e banheiros externos — prosseguiu, parando o carro. — E agora?

Kelsey abriu a porta e desembarcou.

— Agora vamos falar com ele e ver o que sabe sobre Becca. E se ele pode nos dar alguma informação a respeito do homem com quem ela se casou.

41

Becca Eckersley
Summit Lake
17 de fevereiro de 2012
A noite de sua morte

BECCA SE DIRIGIU PARA A PORTA DA ANTESSALA, COM UM sorriso. Acendeu a luz de fora e puxou a cortina para o lado. Ficou confusa com o que viu. Olhou com mais atenção, semicerrou os olhos e, então, tornou a sorrir.

— Ah, meu Deus!

Brad Reynolds estava parado na plataforma do lado de fora. Usava um gorro grosso de lã puxado até as sobrancelhas, e seu rosto barbado emanava uma névoa branca de vapor na noite fria. Becca mal o reconheceu.

Nos últimos meses, Becca se perguntou muitas vezes se o veria de novo. A última imagem que guardava era de Brad pendurado na viga do apartamento que dividia com Jack. Naquela noite, Jack correu para erguer Brad pela cintura e aliviar a pressão em seu pescoço depois de um minuto inteiro sem oxigênio. Precisou de outro minuto para soltar o nó, e, quando os paramédicos chegaram, encontraram Brad consciente e falante. Muito perturbado por causa de sua tentativa fracassada de suicídio, passou a noite no hospital, até seus pais o levarem para casa, na manhã seguinte. Diversas vezes, Becca tentou falar com ele, mas os pais de Brad não permitiram nenhum contato, por culparem Becca e Jack por aquilo que acontecera com seu filho.

Chocada e empolgada por vê-lo naquele momento, Becca desligou o alarme e esperou a luz vermelha se converter em verde. Em seguida, destrancou a fechadura, soltou a corrente e por fim abriu a porta.

Imediatamente, Brad avançou um passo. Ele mudara desde a última vez em que ela o vira, quase um ano atrás. Os cabelos estavam longos e maltratados, o que era estranho, pois ele sempre os mantivera curtos, bem cuidados e com gel. E agora usava uma barba, abundante e cerrada, como um estudante universitário dissidente.

— O que você está fazendo aqui? — Becca o abraçou.

Brad correspondeu ao abraço.

— Vim para ver você — ele respondeu.

Ela recuou um pouco, mantendo as mãos sobre os ombros dele.

— Você parece bem, mas está diferente. O que tem feito? — Becca perguntou, sorrindo.

Brad permaneceu impassível.

— Sabe que tentei falar com você diversas vezes? Sua mãe me disse... Pediu para esperar até que você estivesse disposto a falar — Becca prosseguiu.

— Sim. — Brad mirava por sobre a cabeça de Becca, com o olhar perdido. — Ela me falou que você ligou. Passei um tempo me sentindo transtornado e envergonhado... Simplesmente não queria conversar com ninguém.

— Estava pensando em ligar para você de novo, mas não quis pressionar. Venha, vamos sair do frio.

Brad adentrou mais um pouco a antessala, e Becca fechou a porta.

— Vamos para a cozinha, Brad. O pessoal na George Washington diz que você poderia terminar seu último semestre.

Brad fez um gesto negativo com a cabeça.

— Não quero mais saber de faculdade.

Becca fez um ar de espanto.

— Bem, dê um tempo. Talvez mude de ideia.

Naquele momento, os dois estavam na cozinha, com o iPod muito pouco audível ao fundo.

— Não acredito que você está aqui. É muito louco... O que veio fazer? Quer dizer, como soube que eu estava aqui?

— Estou morando na cabana de meu pai. Talvez há cerca de um ano.

— Nas montanhas? — Becca indagou, depois de permanecer em silêncio por um instante.

— Sim, precisava dar uma escapada.

— Sério? Durante todo o ano? Não tem eletricidade ali, certo?

— Tem, sim. Gerador a gás.

— É a cabana que seu pai usava para hospedar a reunião de advogados? Aquela a que meu pai foi há dois anos?

— Sim. Essa mesma. Meu pai cancelou a reunião deste ano. Acho que não quis me tirar de lá. Deve ter achado que eu voltaria com ele. — Brad deixou escapar uma risada estranha.

Becca sorriu e contemplou seu antigo amigo, tão diferente daquele de que ela se recordava.

— Às vezes é bom dar uma escapada.

Então, o silêncio tomou conta da cozinha da palafita.

— Bem... — Becca disse, para quebrar o desconforto. — Vamos pôr em dia nossas vidas.

42

Peter Ambrose
Summit Lake
15 de março de 2012
Dia 11

PETER, SENTADO NO BAR ESCURO, ESCUTAVA GAIL MOSS contar sua história. Claro que ele sabia do acidente com o avião do senador Ward. No meio da corrida das primárias presidenciais, era a notícia do momento. O fato de o marido de Becca estar a bordo era um acontecimento que destruía a teoria de Kelsey sobre o que acontecera naquela noite.

— E eu nunca diria isso para você — Gail afirmou pelo telefone —, mas, nessas circunstâncias, acho que é importante.

Peter pigarreou.

— O que é?

— Becca gostava muito de chamar a atenção. De rapazes.

— Ah, é? Como assim?

— Não me entenda mal. Eu a amava. Becca era minha melhor amiga. Mas havia até certo ponto essa falha de caráter, da qual ela não tinha consciência. Ao menos, sempre parecia alheia a isso.

— A isso o quê?

— A maneira como seduzia os rapazes. Ela era uma dessas garotas que têm muitos amigos. Muito mais do que amigas. E, você sabe, os rapazes andam atrás das garotas se elas gostam deles. As garotas são diferentes. Elas podem ver um rapaz simplesmente como um amigo. Mas os rapazes, você sabe, sempre querem mais.

— E por que você acha que isso é importante?

— Porque havia um rapaz que tinha um relacionamento realmente sério com Becca, e, até certo ponto, ela partiu o coração dele. Não de propósito. Como eu disse, Becca não sabia mesmo que estava fazendo algo errado. E não estou dizendo que ela...

— Gail? — Peter a interrompeu. — De quem você está falando? Que coração ela partiu?

— Um de nossos amigos da George Washington. Seu nome é Brad Reynolds. Depois que Becca e Jack se acertaram, ele deu uma pirada. Tentou se matar, depois abandonou os estudos e sumiu. Ouvi dizer que tinha ido morar na cabana de caça de seu pai, nas montanhas.

— Onde?

— Em Summit Lake. Nas montanhas. Longe. Sem nada ao redor. Certa vez, Brad me falou que ficava a uma hora da casa de Becca. E acho que faria sentido a polícia conversar com ele. Não estou dizendo que ele teve algo...

— Ligo para você depois. — Peter desligou o celular e leu as mensagens de texto de Kelsey.

Indo para as montanhas para conversar com um amigo de Becca.

Ele tentou ligar outra vez para Kelsey, mas a ligação caiu direto no correio de voz. Peter sabia que nas montanhas muitas vezes não existia sinal para celular. Assim, tirou sua carteira e achou o cartão de visita de Kelsey. Então, digitou o número e rezou para que alguém atendesse.

43

Becca Eckersley
Summit Lake
17 de fevereiro de 2012
A noite de sua morte

NA COZINHA, BECCA E BRAD FICARAM UM NA FRENTE DO
outro.

— Então, como vão as coisas com seu pai? Vocês vêm se relacionando melhor?

Brad fechou os olhos e fez um gesto negativo com a cabeça. Becca achou que ele estava prestes a chorar.

— O que há de errado? — Ela se aproximou dele e pôs a mão em seu rosto, sentindo a barba áspera.

Brad a pegou pelo pulso e pressionou a mão de Becca com mais força em seu rosto. Mantendo as pálpebras cerradas, ele perguntou:

— Você e Jack ainda estão juntos?

— Sim. — Becca assentiu com um movimento lento de cabeça.

Brad abriu os olhos e a encarou.

— Eu tinha de saber, pois isso estava me matando. Houve alguma vez uma chance para nós dois?

Lentamente, Becca afastou a mão do rosto dele.

— Brad, sinto muito, muito mesmo, pelo que aconteceu. Ainda me angustio com o fato de ter mantido meu relacionamento com Jack em segredo por tanto tempo. Muita coisa rolou em nosso último ano na faculdade, que mudaram nossas vidas para sempre. Se eu pudesse voltar atrás e desfazer algumas delas, eu desfaria. Mas o principal é o seguinte: não tenho certeza de que mudaria o relacionamento que tinha com você. Você era um de meus melhores amigos. Nunca imaginei que me considerasse algo além de uma amiga.

Becca olhou para ele por um longo tempo.

— Para mim, é muito difícil lidar com isso — Brad por fim afirmou. — Simplesmente não sei como interpretei tudo isso de maneira tão diferente de você. Não consigo parar de pensar que talvez eu fosse apenas seu plano B...

— Meu o quê?

— Que você resolveu me manter por perto e interessado, para o caso de nada melhor aparecer.

— Brad, isso é ridículo...

— Por outro lado, acho que Jack era diferente de mim. O misterioso Jack Covington, que não dava a mínima para a faculdade de direito, que se formaria apenas para fins de currículo, mas nunca iria exercer a advocacia. Até certo ponto, um rebelde. Na realidade, não era alguém de nossa classe social, sabe? Ele estava se preparando para ser um escritor algum dia.

— Brad, por favor. O que você diz está longe de ser verdade.

— Sem essa. — Brad passou os dedos pelos cabelos desgrenhados, puxando o gorro da cabeça. — Você ia mesmo tirar um C em direito comercial?

— O quê? — Becca arregalou os olhos.

— Veja, eu roubei o exame para ajudá-la, porque você me convenceu de que sem isso iria manchar seu histórico acadêmico, o que acabaria com sua chance de ser aceita por uma boa faculdade de direito. Jack achava que você só estava brincando, buscando atenção. Mas ainda não sei. Talvez você estivesse manipulando toda a situação, mas no fim teria se saído bem sem que eu roubasse o exame. Do mesmo modo como manipulou a mim e ao nosso relacionamento quando dormia na minha cama todas as noites.

— Sinto muito se o magoei. Jamais foi minha intenção.

Brad começou a chorar.

— O que eu posso fazer por você?

— Você pode conseguir a garota por quem eu me apaixonei, Becca. A mesma que me disse que também me amava. — Houve um longo período de silêncio, preenchido pelo som sutil do iPod. — Foi aqui que você partiu meu coração. Quando eu apareci de repente, depois do Natal, e encontrei você com ele.

— Sinto muito.

Por um instante, Brad percorreu a casa com o olhar. Em seguida, voltou a encarar Becca.

— Onde ele está?

Becca se assustou com a pergunta e a maneira como foi formulada. Uma sinapse rápida ocorreu em sua mente, ativando a consciência de que o som que ela detectara antes fora o da maçaneta da porta da antessala sendo mexida do lado de fora. Então, recordou-se de que, algumas noites antes, em Foggy Bottom, esforçou-se para destrancar a porta de seu apartamento e entrou em pânico, achando que alguém estava atrás dela. Naquele momento, a mesma sensação tomou conta de Becca, com Brad em sua cozinha.

— Ele está com o senador, certo? Correndo por todo o país, achando que é algum tipo de espertalhão. É muito engraçado, Becca. Você não consegue enxergar o que é tão óbvio. — Brad deixou escapar uma risada desvairada. — Está frio demais lá fora. E se o aquecimento parar de funcionar esta noite? Ou se a tubulação de água congelar? E se você precisar dele hoje? Jack não está aqui para você. Eu nunca a deixaria sozinha, e muito menos nas montanhas.

O volume da voz de Brad subia a cada frase, e Becca percebeu uma pronúncia indistinta em suas palavras.

— Eu jamais a deixaria sozinha! Por que ele fez isso? — Brad indagou, num tom mais baixo. — É porque ele não a valoriza.

— É o trabalho dele, Brad. Jack...

— Não invente desculpas por ele!

O súbito acesso de raiva provocou uma descarga de adrenalina em Becca. Ela ainda tinha o celular na mão e ficou tentada a ligar para a polícia. No entanto, não tinha certeza do que estava acontecendo.

— Brad... — Becca tentava acalmá-lo e imaginar uma maneira de colocá-lo para fora da casa. Era tudo o que ela queria. Em seguida, ligaria para Jack e lhe pediria para vir a seu encontro. — Eu estou bem — ela disse, reprimindo as lágrimas e sorrindo para ocultar seu medo. — Certo? Não preciso de Jack hoje à noite. Não preciso de nada hoje à noite. Vamos conversar sobre isso amanhã. — E voltou para a antessala.

— Não, não quero mais saber de conversa. Conversei comigo mesmo a esse respeito durante um ano.

Quando Becca se virou, ele estava muito próximo dela, com os olhos agitados nas órbitas. Ela logo notou aquela vibração estranha. Lembrou-se de ter lido em algum lugar sobre a maneira como os narcóticos faziam os músculos dos olhos se excitarem, quando o sistema nervoso central era alterado por sua influência.

— Quer saber? Vamos almoçar juntos amanhã, e aí poderemos ter uma longa... — Becca dizia enquanto tentava alcançar a porta do vestíbulo.

Brad a agarrou pelos ombros e a arrastou dali para a cozinha, imobilizando-a contra a parede. Assustada pelo súbito e violento ataque, Becca deixou cair o celular e segurou os pulsos dele.

— Não significou nada para você quando nós nos beijamos?! — Brad perguntou, com os dentes cerrados. — Ou é isso que você faz com todo sujeito que conhece? Provoca o cara até ter um par para escolher e, então, escapa com um deles!

— Brad, não me machuque.

— Machucá-la? Eu te amo. Por que você não entende? — Brad a agarrou com mais força pelos ombros e a imobilizou de modo ainda mais firme contra a parede.

— Brad, eu estou grávida. Não machuque meu bebê.

Uma expressão de aversão tomou conta de Brad.

— Por isso você está indo tanto ao consultório médico. Tão classuda e deixou que ele a engravidasse?

— Nós nos casamos. Em segredo, simplesmente decidimos...

— Sim, vocês fazem tudo em segredo.

Havia uma expressão em Brad que ela não conseguiu definir. Uma combinação de choque e resignação. Por um instante, ele afrouxou os braços, baixou os ombros e aliviou a pressão sobre ela. No entanto, assim que Becca o afastou, Brad arregalou os olhos, em sinal de raiva, como se um raio o tivesse atingido. Despreparada para o ataque dele, Becca sentiu os calcanhares serem arrastados por sobre o piso de ladrilhos. Então, ele a empurrou com força contra a parede.

Agarrando-a pelos ombros e pelos cabelos, Brad a arrastou pela cozinha. O pânico esvaziou a mente de Becca. Naquele momento, todas as ideias e imagens que estavam ali até alguns segundos atrás desaparece-ram, dando lugar aos seus instintos mais primitivos. Becca Eckersley passou a lutar por sua vida.

Agarrando e chutando qualquer coisa que fosse capaz de ajudá-la, viu o livro e o *laptop* caírem no chão. O envelope contendo a carta para sua filha em gestação voou pelos ares e pousou no canto da cozinha, enquanto ela procurava tracionar os pés com meias de lã nos ladrilhos frios. Brad a puxava pelo recinto, e ela agitava as pernas freneticamente. Então, desferiu um pontapé enfurecido contra a cristaleira, despedaçando toda a louça e espalhando os cacos pelo chão.

Com o caos na cozinha ainda instalado, incluindo tigelas rolando e banquinhos se chocando, Becca sentiu o tapete da sala sob os pés, o que lhe deu força e tração. Ela tirou proveito disso para tentar se libertar do domínio dele, mas a resistência só aumentou sua fúria. Brad puxou a cabeça dela para trás com brutalidade, arrancando uma mecha de cabelo e fazendo-a cair em queda livre. Ao pousar, Becca bateu a cabeça contra a estrutura de madeira do sofá, e Brad se arremessou sobre ela.

Com uma dor lancinante na cabeça, Becca ficou com a visão emba-çada e a audição comprometida, até Brad enfiar as mãos frias sob a calça do seu agasalho esportivo. Então, Becca recobrou a plena atenção. Apesar de o peso do corpo dele deixá-la imobilizada, ela o esmurrou e o arranhou ao ponto de deslocar alguns dedos e de as unhas ficarem cobertas de pele e sangue.

Ao sentir a calcinha ser rasgada, Becca soltou um grito agudo, estri-dente, que durou apenas alguns segundos, pois as mãos dele logo aperta-ram seu pescoço, sufocando-a. Ela arfou, buscando ar, mas sem sucesso. Embora seu corpo não conseguisse mais reagir aos apelos aterrorizados de sua mente, Becca ainda resistia, nunca perdendo o contato visual com ele. Até que sua visão se desvaneceu, como sua voz.

Ferida e sangrando, Becca ficou ali, desfalecida, acordando a cada vez que ele a maltratava em ondas coléricas, violentas. A impressão foi de que se passou uma eternidade antes de ele decidir abandoná-la. Antes de ele escapar pela porta corrediça de vidro da sala, largando-a aberta e dei-xando que o ar frio da noite penetrasse pelo recinto e atingisse o corpo despido de Becca.

Ela sentia as pálpebras pesadas. Naquele momento, tudo o que conseguia ver era a luz branca emitida pela lâmpada no batente da porta, um brilho contra a escuridão da noite. Ela permanecia imóvel, incapaz de piscar ou desviar o olhar. De modo esquisito, a paralisia não a incomodava. As lágrimas rolaram pelo rosto e gotejaram silenciosamente no chão. O pior tinha passado. A dor desaparecera. Ela não mais recebia socos, nem estava mais sendo sufocada. Por fim, via-se livre do domínio dele. Não sentia mais o hálito quente de Brad no rosto. Ele não se encontrava mais sobre ela. A ausência dele era toda a liberdade que Becca queria.

No chão, com as pernas estendidas e os braços como dois galhos de árvore quebrados ligados às suas laterais, ela encarava a porta escancarada do pátio. O farol distante, com sua luz brilhante orientando os barcos perdidos na noite, era tudo que ela percebia e tudo que queria. Era vida, e Becca se agarrou à sua imagem oscilante.

Ao longe, uma sirene ecoou pela noite, baixinha no início, e depois, mais alta. A ajuda vinha chegando, embora ela soubesse que era muito tarde. No entanto, Becca saudou a sirene e a ajuda que traria. Não era a si que ela esperava salvar.

44

Kelsey Castle
Montanhas de Summit Lake
15 de março de 2012
Dia 11

A CABANA FICAVA NA BEIRA DA MATA, E A LUZ DO PÔR DO
sol lhe conferia um brilho agourento. Um riacho serpenteava nos fundos
e caía em cascata sobre degraus de pedra antes de alcançar uma lagoa ao
lado da casa. A brisa suave fazia as tifas oscilarem. A não ser pelo mur-
múrio da água e o canto dos pássaros, o silêncio e a tranquilidade
predominavam.

— Parece vazia — Rae comentou, olhando pelo para-brisa.

Não havia luzes acesas na cabana, e nenhum carro estacionado perto.
Com a porta do lado do passageiro aberta, Kelsey fez um gesto negativo
com a cabeça, desbloqueou o celular e voltou a escutar a mensagem. Pôs
no viva-voz.

Antes, no apartamento de Rae, Kelsey falara com o pai de Brad Reynolds, que lhe contou que ele e seu filho estavam de relações cortadas, e
que Brad não fazia mais parte da vida dele. No entanto, pouco depois que
Kelsey encerrou a ligação, e enquanto tentava falar com Richard Walker,
a mãe de Brad ligou e deixou uma mensagem. Naquele momento, Kelsey
e Rae a escutavam de novo:

— Alô? Aqui é Diane Reynolds, a mãe de Brad. Você acabou de falar
com meu marido. Perdão pela rudeza dele. Ele e Brad estão passando por
um período difícil. Brad ainda faz parte de nossa família. Claro. E ele
conhecia a garota que morreu. Os dois frequentaram a faculdade juntos,
e tenho certeza de que ele estaria disposto a conversar com você sobre
Becca. Brad está morando em nossa cabana de caça, a cerca de uma hora

de distância de Summit Lake. Se você o encontrar, diga a Brad que nós o amamos muito, e que pedimos que ele ligue para casa.

Kelsey e Rae escutaram mais uma vez as orientações da sra. Reynolds sobre o caminho, para garantir que aquela era a cabana. Em seguida, saíram do carro e foram até a varanda da frente. Kelsey subiu devagar os três degraus. Folhas secas, outrora brilhantes e coloridas, estavam agora pretas e quebradiças, acumulando-se nos cantos.

— Brad Reynolds? Você está aí? — Kelsey gritou.

Ao percorrer a varanda, Kelsey percebeu a porta da frente aberta. Semicerrou os olhos e espiou lá para dentro.

— Olá!

Não obtendo resposta, Kelsey escancarou a porta. Uma luz azulada atravessava as janelas e deixava o interior com uma tonalidade granulosa.

A cabana estava uma bagunça. Um sofá perto da lareira e uma televisão antiga com uma antena em V. Uma mesa e uma cadeira cobertas com papéis. Jornais empilhados por toda parte. Ao erguer um pouco a cabeça, Kelsey avistou uma bolsa numa mesinha ao lado do sofá. Era uma bolsa cara, de couro macio. Parecia destoar daquela cabana imunda e sombria.

Seguindo sua intuição, Kelsey decidiu entrar na cabana escura.

45

Brad Reynolds
Summit Lake
17 de fevereiro de 2012
A noite da morte de Becca

BRAD OBSERVAVA O CORPO IMÓVEL DE BECCA, COM O
peito arfando como um asmático. Com os minutos passando, permaneceu
ali, buscando ar, sem saber exatamente o que acabara de fazer ou o que
devia fazer a seguir. Rapidamente, percorreu com o olhar a palafita. O
vestíbulo, a cozinha e a sala, onde ele estava, achavam-se em destroços,
como se um tornado tivesse passado por ali.

Brad foi até a cozinha e ergueu do chão a macia bolsa de couro de
Becca. Avistou um envelope perto dela, e também o ergueu. Ele devia
fazer outras coisas: destrancar a porta, quebrar uma janela ou subir e
pegar as joias da mãe de Becca. No entanto, o pânico tomou conta dele.
Assim, com a bolsa de Becca nas mãos, Brad correu até a porta corrediça
de vidro, fitando o corpo despido e imóvel dela mais uma vez. Em
seguida, saiu e desapareceu na escuridão da noite. O ar frio do inverno
penetrou seus pulmões e picou seus olhos.

Brad estacionara sua caminhonete numa transversal da Maple Street.
Depois de percorrer correndo toda a extensão do cais, passando por todas
as palafitas, ele parou e começou a caminhar. A última coisa que precisava era de alguém que se lembrasse de um homem correndo pelas ruas
naquela noite. Quando alcançou sua caminhonete, agarrou a maçaneta e
verificou toda a extensão da rua. Estava sozinho. Abriu a porta e embarcou, jogando a bolsa no assento de passageiro ao seu lado.

Controlando a respiração, Brad deu a partida e pôs a caminhonete
em movimento. Cinco minutos depois, deixou o centro da cidade e se

dirigiu para a estrada da montanha que o levaria de volta à cabana de seu pai. Acendeu o farol alto e não quis pensar em nada. Antes de se conscientizar de suas ações, e incapaz de se lembrar de algo a respeito da viagem de uma hora, Brad seguiu o trecho final em zigue-zague, com os faróis iluminando a cabana durante a aproximação.

Quando desligou o motor, sua expressão era impassível. Por alguns minutos, permaneceu sentado no interior do veículo. Enfim, apanhou a bolsa de Becca no assento do passageiro, saiu da caminhonete e aproveitou as luzes dos faróis para chegar à cabana. Deixou a porta aberta, e as luzes penetraram o ambiente. Em seguida, Brad se sentou no sofá.

Ele segurou a bolsa junto ao peito, agarrando-a como um ursinho de pelúcia. Piscou no momento exato em que as lágrimas rolaram pelo rosto. Diante dele, sobre a mesinha de centro, achavam-se os itens que ele ali pusera antes de decidir ir até a cidade para vê-la. Fotos de Becca da faculdade, em que ela usava bermuda jeans e camiseta da Universidade George Washington. Uma outra dos dois num jogo do Baltimore Orioles, quando estavam no primeiro ano. Os bilhetes que ela costumava deixar em sua mesa de cabeceira quando passava a noite com ele e saía antes de Brad acordar. Eram dezenas deles.

B., vejo você hoje à noite no 19th. Você é muito fofo quando ronca. B.

O exame de direito comercial roubado também estava ali. Sob vários aspectos, aquele exame foi o que fez sua vida entrar numa espiral negativa. Brad tinha de saber a verdade. Se Becca realmente precisou que ele roubasse a prova para ela ou se foi tudo uma brincadeira. Ele fora à palafita essa noite para fazer essa única e simples pergunta. Nada mais. Queria apenas a verdade.

Finalmente, Brad soltou a bolsa de Becca, abrindo o zíper e olhando dentro. Era dela, aquela bolsa e seus pertences. Era de Becca. Um pedaço dela. Transmitia o cheiro e a existência dela.

Brad revirou o conteúdo e achou o protetor labial no fundo. Depois de retirar a tampa, fechou os olhos e cheirou. Ainda conseguiu evocar em sua mente o gosto desse protetor na noite em que ele e Becca se beijaram. Retirou o crachá da faculdade de direito. Olhando para a imagem de

Becca, quis fazer àquela garota, que amou, mil outras perguntas. Quis retroceder no tempo e visitá-la de novo, conseguindo um final diferente.

Então, recolocou o protetor labial e o crachá na bolsa e a deixou cair na mesinha ao lado do sofá. Abrindo o envelope que pegara na palafita, Brad desdobrou a folha de papel e imediatamente reconheceu a letra de Becca. A carta era para sua filha por nascer. Brad voltou a sentir dificuldade para respirar. Seus olhos lacrimejaram quando ele leu a carta. As luzes dos faróis continuavam a atravessar a porta aberta da cabana. No sofá, Brad se movia. Para a frente e para trás. Para a frente e para trás.

46

Kelsey Castle
Montanhas de Summit Lake
15 de março de 2012
Dia 11

RAE AGARROU KELSEY PELO PULSO QUANDO ELA AMEAÇOU entrar na cabana.

— Aonde você está indo?!

Com a mão livre, Kelsey apontou para a bolsa.

— Venha. Algo não está certo aqui.

Juntas, as duas entraram. Sem a luz do anoitecer, ambas viram-se imersas nas sombras. Kelsey pegou a bolsa na mesinha ao lado do sofá e olhou seu interior. Tirou o crachá de identificação, e ali estava: Becca Eckersley. Encarando-a. Kelsey conseguiu sentir o olhar, como se a foto fosse um portal através do qual Becca falasse com ela. Becca lhe pedia ajuda, e Kelsey não a negaria.

Rae, agachada diante da mesinha de centro, fitava a miscelânea de fotos, bilhetes e papéis da faculdade. Ela vira o rosto de Becca estampado nos jornais e na tevê muitas vezes, assim, a reconheceu de imediato.

— Veja! — Rae indicou para a mesinha, e percorreu a cabana com os olhos. — Isso está me pirando.

Kelsey deu uma olhada nas fotos e, depois, exibiu o crachá de Becca da faculdade de direito. Nenhuma das duas precisou falar nada para fazerem saber uma à outra seus pensamentos. Kelsey pegou o celular e começou a digitar o número do delegado Ferguson. Mas parou no meio do ato e encarou o celular.

— O que foi? — Rae perguntou, baixinho.

— Sem serviço.

— Vamos cair fora daqui.

Kelsey assentiu com um gesto de cabeça, mas então viu a porta do porão entreaberta e coberta com fotografias.

— Espere — pediu.

Contra os protestos de Rae, Kelsey penetrou mais fundo na cabana. Investigadora por natureza, ela não podia se permitir ir embora. Com a fascinação mórbida de alguém que contempla um carro destroçado, Kelsey caminhou até a porta do porão, abriu-a totalmente e se maravilhou com o santuário que encontrou ali.

Presas na parte posterior da porta e na parede que acompanhava a escada para o porão, havia centenas de fotos de Becca, cada uma pregada zelosamente com uma única tachinha. A maioria parecia ser da faculdade, com o *campus* ou a parafernália do dormitório de estudantes ao fundo. Algumas eram fotografias dos anuários. Outras estavam cortadas e coladas, ampliadas para isolar o rosto de Becca. Algumas eram retângulos contendo apenas os olhos dela, fitando o nada. Até então. Kelsey sentiu o olhar de novo. E aceitou-o.

Os bilhetes também estavam ali. Eram curtos, começavam com um único "B." e terminavam da mesma maneira. Um grande número deles, pregados na parede, junto à escada que levava ao porão.

Os degraus rangiam à medida que Kelsey pisava neles, um de cada vez, analisando as fotografias e os bilhetes. Na metade da escada, a luz mortiça que atravessava as janelas da cabana sumiu. Foi quando Kelsey usou a lanterna do celular para iluminar a parede. As fotografias reveladas em papel brilhante refletiam a luz da lanterna, dando-lhes um caráter hipnótico. Ao pé da escada, Kelsey topou com retratos ainda mais perturbadores. Não de uma jovem estudante posando e sorrindo para a câmera, mas de uma garota que não sabia estar sendo fotografada. Nessas fotografias, tiradas ao estilo dos *paparazzi*, Becca caminhava pelo *campus*, retirando coisas do carro, saindo de um consultório médico... Em diversas delas, a imagem de Becca aparecia tremida, enquanto ela corria com fones de ouvidos e os cabelos em rabo de cavalo.

Kelsey se deteve naquelas fotos, naquelas de Becca correndo. Passou o dedo sobre uma das imagens, bloqueando aqueles pensamentos que tentaram subjugá-la.

— Meu Deus... — Rae murmurou, olhando para a parede, alguns degraus acima de Kelsey. Ela se deteve em algumas fotos contendo closes de Becca dormindo, com os olhos fechados e os cabelos emaranhados. E em outras, que eram imagens de corpo inteiro de Becca na cama, usando *short* e camiseta regata. — Vamos cair fora daqui.

Mas Kelsey nada disse. De seus muitos anos de experiência, ela se dava conta da obra de um homem perturbado. Mais do que isso: estava fascinada por ela.

Kelsey apontou o celular para a parede e tirou algumas fotos. Das fotografias e dos bilhetes. Da bolsa que ainda carregava e do crachá. Da escada da cabana e do jeito como um assassino demente vivia. Kelsey viu a vida privilegiada de Brad Reynolds deteriorando-se diante dela, e, em sua mente, escreveu a história.

— Veja — Kelsey disse em voz alta, mas claramente falando consigo mesma. — Ele é um sujeito insociável organizado.

— Realmente. Também é um assediador psicopata. Agora, vamos embora.

Kelsey ainda tirava fotos.

— Assediador, sim. Psicopata, não. — Kelsey desceu devagar os últimos dois degraus, tentando captar tudo que conseguia, agora filmando com o celular. — Vejo tudo com clareza. Tudo se reuniu em minha mente. Veja, Brad amava Becca, mas não era correspondido. Becca amava Jack. Brad ficou obcecado.

— Sem dúvida.

— Não, é mais do que isso. É mais do que uma pessoa obcecada. É o que se denomina pessoa insociável organizada. É o padrão de um assassino. Um tipo específico de assassino. Ele é inteligente. Tem um QI elevado. Pode ser muito agradável e carismático, mas se retira da sociedade. Esconde-se aqui, nas montanhas, onde ninguém vai incomodá-lo. Rompe os laços com sua família. Assim, pode se concentrar em sua presa. Então, sem mais nada para distraí-lo, sua obsessão aumenta. Aconteceu bem aqui, nesta cabana. Aumentou até tomar conta dele. Até que uma imagem de Becca, que na verdade nunca existiu, se formou em sua mente. E essa falsa imagem dela se torna a realidade dele. Esse tipo de assassino não se apercebe de sua crescente obsessão. Até que um dia, com a imagem de

Becca constantemente a cercá-lo, e com todas as lembranças do tempo deles juntos a consumi-lo, ele decide procurá-la. Para conversar com ela. É o que Brad disse para si mesmo. Ele só foi para conversar. Foi até a palafita para fazer uma pergunta para Becca. Mas, na realidade, foi para matá-la. Para tirar a vida dela, para que ninguém mais pudesse tê-la.

Rae ficou no meio da escada, recusando-se a se aventurar além da segurança da porta aberta alguns degraus acima e da pouca luz reinante. Kelsey, ainda filmando, circulava pelo porão. Seu celular parecia uma estrela solitária no céu escuro. A lanterna iluminou uma bancada coberta com ferramentas que Brad usara para criar seu santuário. Tesouras e guilhotinas para cortar papel. Fotos de Becca esperando para ser cortadas e coladas. Uma câmera Nikon numa caixa aberta, com diversas lentes ao lado. Jornais também estavam empilhados sobre a bancada. Alguns, jogados no chão, com grandes quadrados cortados deles. Ao lado da bancada, Kelsey encontrou os artigos recortados. Noticiavam o acidente com o jatinho do senador Milt Ward. Ela tirou fotos deles, mas não conseguiu estabelecer uma ligação.

Junto à parede adjacente, uma mesinha e uma cadeira. Kelsey iluminou a superfície e descobriu cartas escritas à mão. Pegou uma e a segurou perto dos olhos. *Querida Becca*, era o cabeçalho, depois uma página cheia de sentenças incoerentes e pensamentos pela metade. Era assinada por Brad. Havia dez envelopes fechados, todos endereçados a Becca, selados e prontos para serem enviados. Se Brad tivesse tido a coragem de fazer isso, Kelsey supôs.

Acima da mesa, pregadas na parede com tachinhas, cartas formais endereçadas a Brad. Ao se aproximar, Kelsey constatou que eram todas de rejeição de universidades como Pensilvânia, Columbia e Yale. Também as fotografou. Então, descobriu outra coisa. Posicionada perfeitamente no meio da mesa, havia uma folha de papel. Em letras maiúsculas, uma mensagem estava escrita de maneira quase ilegível:

PARA AQUELES QUE VIEREM ATRÁS DE MIM: CONHEÇAM MEU INFERNO, E NUNCA ESCAPEM DESTE LUGAR E DO QUE ESPERA POR VOCÊS AQUI.

Naquele momento, Kelsey voltou daquele lugar de investigação, onde passou os últimos minutos escrevendo seu artigo, e viu a imagem completa, desde a aceitação de Becca pela Universidade George Washington até sua morte, passando por todos os acontecimentos que a trouxeram para a palafita quatro semanas antes.

— Rae?

— Sim?

— Devemos sair daqui.

— Graças a Deus! Vamos.

Foi quando as luzes dos faróis de uma caminhonete atravessaram as janelas da cabana, alcançando a escada para o porão e iluminando o rosto de Rae.

— Droga! — Rae não conteve o grito.

— O que houve? — Kelsey correu para a escada.

— Ele está aqui!

— Desça até mim. — Kelsey pegou Rae pelo pulso e a puxou para o porão.

Do lado de fora, a caminhonete derrapou sobre o cascalho e parou.

47

Brad Reynolds
Montanhas de Summit Lake
17 de fevereiro de 2012
Pouco depois da morte de Becca

ENFIM, OS ACONTECIMENTOS DA NOITE DESABARAM sobre Brad, quando ele se sentou para ler a carta de Becca para sua filha por nascer. Não conseguia impedir que sua mente reprisasse a imagem de suas mãos em torno do pescoço dela. Por que ela jogara a gravidez na sua cara? Era como se Becca não conseguisse esperar para destruí-lo com aquilo. Deus, ele queria fazer tudo de novo! Voltar e conversar com Becca. Perguntar-lhe sobre a prova de direito comercial. Isso era tudo.

Ficou sentado durante horas, com esses pensamentos a assombrá-lo, considerando cenários distintos de como as coisas poderiam ter acontecido, de como tudo poderia ter dado certo entre Becca e ele. No entanto, no fim, sua visita à palafita teve um resultado contrário ao desejado. Brad tinha mais perguntas agora sobre a garota que amava do que antes. Casada, grávida e nada parecida com a garota amada.

O sol nascente o pegou de surpresa. Apareceu de repente, drenando a escuridão das janelas da cabana e a substituindo por um brilho discreto. Brad respirou fundo, percorreu o ambiente com o olhar, e soube o que precisava fazer. Não poderia demorar muito. Alguém viria buscá-lo. A polícia, talvez. Seu pai, ele esperava. E se fosse seu pai, Deus o ajudaria. Finalmente, seu pai receberia o que merecia.

Brad levou o dia todo para preparar a cabana, gastando a maior parte do tempo no porão. Acrescentou novos elementos ao seu santuário e, em seguida, arrumou tudo, de modo que ninguém que entrasse ali fosse embora logo. Criou uma trilha de pistas, começando na porta da frente.

Eram inequívocas, com a bolsa de Becca como primeira isca. De fato, atrairia para o interior da cabana quem quer que viesse buscá-lo. E se a bolsa atraísse, os demais itens manteriam a atenção.

Quando Brad terminou, embarcou em sua caminhonete. Era fim de tarde, e o sol começava a se pôr. Ele se lembrou do último ano de sua vida. Durante nove meses completos, viveu na cabana de sua família, sozinho e isolado, do jeito que quis. Sim, ele adotou uma rotina, que lhe permitiu se manter aquecido, alimentado e limpo. Recolhia lenha, rachava-a e alimentava a lareira. Ia para a cidade quando precisava de comida, materiais ou gás. Com a passagem dos meses, desenvolveu uma agenda não escrita para cuidar de suas necessidades básicas. No entanto, havia outra coisa dentro dele que precisava administrar. A tentação de ver Becca nem sempre podia ser contida, e, quando essa vontade se manifestava, Brad pegava a estrada.

Era bom escapar da cabana. Era terapêutico vê-la. Claro, ele sempre pretendeu confrontá-la. Conversar com ela. Contudo, a visão de Becca sempre o refreou. Em vez disso, ficava satisfeito simplesmente por fotografá-la, roubando a imagem dela e mantendo-a para si. Tinha feito isso antes — de brincadeira, dizia para si mesmo —, quando ela dormia em sua cama. Brad sempre pretendeu compartilhar aquelas fotos com ela. Explicar como Becca parecia bonita quando dormia. No entanto, Becca partiu seu coração antes que isso pudesse acontecer.

Becca também tinha uma rotina, Brad descobriu. Estudar na biblioteca era uma delas. E ele sabia que, quando sua vontade se intensificava, podia se sentar num banco do *campus* e esperar que ela pegasse o caminho que levava para a biblioteca. As fotos obtidas nessas ocasiões eram fáceis de ser tiradas, pois ele apenas se disfarçava como outro estudante. As imagens obtidas quando ela entrava no prédio onde morava eram mais difíceis, pois tinha de tirá-las através do para-brisa de sua caminhonete.

E certa noite, pouco tempo atrás, ele ficou muito perto, esperando por Becca na esquina do prédio dela, oculto na escuridão... e quase criou coragem para sair das sombras e abraçá-la. Talvez as coisas tivessem acabado de maneira diferente se ele tivesse confortado Becca naquela noite fria. Brad quisera muito segurá-la em seus braços quando ela voltou do consultório médico. Naquela ocasião, teve certeza de que ela havia adoecido. E, nesse momento, pensar no quão preocupado ficara por causa das frequentes visitas dela ao consultório... só para descobrir que ela estava grávida. Pensou de novo na maneira repulsiva como Becca jogou isso na sua cara.

Com o sol se pondo, o céu ia escurecendo, perdendo o tom azul--escuro. Era irônico, Brad pensou, sentado na caminhonete, que um dia tão bonito terminasse em escuridão. Contemplando o firmamento que perdia a cor, ele sabia que ninguém o entenderia. Poderia explicar pelo que havia passado. Contar aos policiais, aos seus pais ou aos psicólogos o que Becca lhe fizera. Revelar a respeito da traição de Jack. As rejeições das faculdades de direito. Ele poderia detalhar tudo, ponto por ponto, e, no entanto, ninguém o entenderia.

Brad deu a partida no motor e pôs a caminhonete em movimento. Enfim, estava pronto para deixar sua cabana. Para deixá-la para aqueles que viriam buscá-lo.

Afastou-se dali, sabendo que ainda tinha muito que fazer e preparar. Sabendo que, quando voltasse para ali, jamais tornaria a partir.

48

Kelsey Castle
Montanhas de Summit Lake
15 de março de 2012
Dia 11

AS LUZES DA CAMINHONETE PENETRARAM A CABANA,
enquanto Kelsey e Rae procuravam um lugar para se esconder no porão.
A lanterna do celular de Kelsey era a única luz no espaço escuro. Elas
estavam prontas para se esconder dentro de um armário sujo antes de
Kelsey ver algo mais interessante.

— Ali! — Ela apontou para um canto.

Kelsey e Rae correram para os fundos do porão, onde três degraus
levavam a uma passagem bastante apertada. Três metros adiante viam-se
portas no teto. Elas subiram os degraus e, de quatro, engatinharam pelo
espaço infestado de teias de aranha, soltando gemidos quando elas se
rompiam em seus rostos. Uma porta da caminhonete foi fechada com
força do lado de fora da cabana, e passos ressoaram na varanda.

— Vai! — Kelsey murmurou, empurrando Rae por trás.

Quando alcançaram as portas, Kelsey direcionou para elas a lanterna
do celular, enquanto Rae tentava destrancar o ferrolho. Finalmente, teve
sucesso e abriu a porta dupla, que dava para os fundos da cabana. Então,
saíram daquele local apertado, ficando sob a luz do anoitecer.

De imediato, elas sentiram um cheiro repugnante. Também escutaram um som, que não identificaram de início, mas, passados alguns
segundos, concluíram ser zumbidos de moscas. Milhares delas circula-
vam ao redor do galpão, na extremidade da propriedade.

— O que é isso? — Rae perguntou, baixinho.

Então, elas escutaram a porta da frente da cabana se abrir, e Kelsey disse:

— Vamos!

As duas correram na direção da mata escura atrás da propriedade, tapando os narizes por causa do cheiro nauseante. Rae deixou escapar um guincho breve quando seus pés pisaram no cascalho. Próximas do galpão, viram as portas escancaradas. As moscas abundavam ali, acumulando-se em enxames densos. Por um instante, Kelsey se deteve e olhou para o interior do galpão. Na luz pálida, viu a silhueta de um corpo pendurado, com a cabeça caída para o lado. Então, Kelsey decidiu se encaminhar para o galpão, seguida por Rae.

— Kelsey, por favor! — Rae gritou, querendo escapar daquele lugar assombrado e se esconder.

— Espere. — Kelsey organizou os pensamentos e juntou os pedaços do que estava testemunhando.

Ao chegar mais perto do galpão, Kelsey se deu conta do que significava tudo aquilo. O porão, as fotos e sua mensagem enigmática. Na frente dela, achava-se o corpo inchado e em decomposição de Brad Reynolds, enforcado, imóvel, pendurado numa viga. O nó estava tão apertado em torno do pescoço que os olhos haviam saltado como os de alguém que sofre de hipertireoidismo. Sua língua, grossa e rígida, parecia uma baguete seca enfiada em sua boca. As moscas se banqueteavam, enquanto os vermes escavavam.

Rae gritou ao ver o corpo. Rapidamente, Kelsey virou-se e a abraçou, protegendo-a daquela terrível visão.

— Kelsey! — um homem gritou da cabana.

Ela reconheceu a voz. Ao desviar o olhar, deparou com Peter e o delegado Ferguson, com seu revólver em punho, saindo pela porta dos fundos.

— Aqui! — Kelsey gritou.

Rae agachou-se e pôs as mãos sobre os joelhos.

Peter e o delegado correram pelo gramado. Peter agarrou Kelsey num abraço apertado.

— Você está bem? — ele perguntou.

— Estou. Apenas abalada.

Quando Peter a soltou, Kelsey apontou para o galpão.

— Meu Deus! — Peter exclamou quando viu aquela cena pavorosa.

Ainda agachada, Rae começou a vomitar.

Peter se abaixou ao lado dela.

— Respire. Inspire e expire.

— Brad Reynolds, suponho. — O delegado Ferguson guardou a arma e pegou a lanterna, que apontou para o corpo.

— Imagino que sim. — Kelsey tapou o nariz e deixou Rae aos cuidados de Peter. — E bem podre. Espere até o senhor ver o porão da cabana. É perturbador.

A luz da lanterna do delegado Ferguson apontou para os pés de Brad e iluminou um bilhete que estava no chão. O delegado enfiou a mão no bolso, tirou um par de luvas de látex e as vestiu. Cuidadosamente, apanhou o bilhete e o ergueu para ler. Continha apenas três sentenças:

Só fui para conversar. Eu a amava. Apesar de tudo o que ela fez.

49

Kelsey Castle
Summit Lake
18 de março de 2012
Dia 14

Kelsey passou os três últimos dias em Summit Lake entocada em seu quarto do terceiro andar do Winchester. Concedeu uma manhã ao detetive Madison, respondendo a perguntas e dando detalhes. Àquela altura, o chefe de Madison chegara a Summit Lake e enquadrara o subordinado, pois o caso havia mudado de direção muito rápido e sem que o ardiloso Madison tivesse algo a ver com aquilo. Toda pergunta que Madison fazia era uma para qual ele mesmo não tinha resposta. Quanto mais ele perguntava, mais estúpido parecia.

Ao deixar a delegacia, Kelsey sorriu discretamente e deu uma breve piscada para o delegado Ferguson. Ele fora convidado a retornar ao caso Eckersley como "consultor especial" e concluí-lo.

Após o interrogatório, Kelsey parou para ver Rae no café. Ainda abalada pela noite na cabana e pela cena no galpão, Rae não estava em sua condição habitual.

— Você vai ficar bem? — Kelsey indagou, quando elas se sentaram nas cadeiras de couro, tomando goles de café com leite.

Rae forçou um sorriso.

— Só tenho de tirar aquela imagem de minha cabeça. É tudo.

— Desculpe por ter arrastado você para aquele lugar, Rae. Eu não tinha ideia do que íamos encontrar.

— Não foi sua culpa. Eu quis ir e participar dessa coisa. — Rae deu outro sorriso. — Consegui mais do que esperava, certo?

Kelsey achou graça.

— Eu também. Considero você uma boa amiga, Rae. Espero que saiba disso.

— Eu sei. E sinto o mesmo por você.

— Ótimo. Depois que eu voltar para casa e sossegar, espero que venha me visitar. Passar um fim de semana, que tal? Eu vou lhe apresentar Miami.

— Seria muito legal.

Kelsey ficou de pé.

— Tenho de ir. Preciso escrever essa história antes que tudo fuja da minha cabeça.

— Sim. — Rae também se ergueu. — Tenho de voltar ao trabalho. Me manter ocupada ajuda.

Elas se entreolharam e, em seguida, trocaram um abraço longo e bem apertado. Kelsey murmurou no ouvido da amiga:

— Obrigada, Rae. Por tudo.

KELSEY ESCREVEU O ARTIGO, QUE TINHA TRÊS PARTES, EM longas sessões, sem perceber a passagem do tempo. Nunca sentiu fome, e só teve vontade de usar o banheiro poucas vezes. Jamais teve problemas para escrever. Durante sua carreira, foi bastante produtiva em relação aos seus artigos e ao seu livro. Ela tinha *zip drives* repletos de ideias, esboços e histórias que provavelmente nunca seriam publicadas em nenhuma forma de mídia. Colocar palavras no papel nunca fora um problema para Kelsey, mas os três dias passados no Winchester após a descoberta do corpo de Brad Reynolds foram únicos.

Ela percebeu-se num território sobre o qual apenas lera em livros de escritores famosos que se consideravam elite. Mas, naquele momento, Kelsey finalmente se deu conta daquele nirvana. Mal precisou pensar para escrever a história de Becca. O rascunho vergonhoso que elaborara no apartamento de Rae foi descartado, e ela começou novamente.

Após um gancho de abertura, captando a essência da morte de Becca e a maneira terrível como aquela linda garota foi morta, Kelsey mostrou em breves pinceladas o período em que Becca cursou o colégio. Em seguida, expôs seu tempo na Universidade George Washington e, com permissão dos pais de Jack Covington, descreveu a história de amor de Becca e Jack. Em seguida, Kelsey falou da amizade com Brad, e de todos os altos e baixos do grupo de amigos no último ano da George Washington. Mencionou amplamente Gail Moss. Então, contou a respeito de Becca na pós-graduação e da participação de Jack na campanha de Milt Ward. O fato de essas duas histórias estarem relacionadas era surpreendente, e também uma "grande sorte", como Penn Courtney afirmou. Kelsey o criticou por esse comentário, mas sabia que era verdade.

Kelsey registrou os segredos de Becca. Eram, afinal, a essência da história: a gravidez, os relacionamentos e o casamento. Kelsey amarrou tão bem as coisas nas duas primeiras partes que o leitor, sem dúvida, esperaria ansioso pela última. A terceira parte, escrita de uma só vez, abrangeu a ida improvisada de Becca à palafita de sua família em Summit Lake para estudar para seu exame. Havia alguma especulação, é claro, mas Kelsey tinha certeza de que possuía as informações corretas. Apesar de tudo, ela manteve o diário de Becca consigo. O detetive Madison não precisava saber de tudo. De fato, ele não merecia.

Summit Lake, tão especial para Kelsey agora, foi incluída numa bela abertura da terceira parte do artigo. Ela até conseguiu mencionar dois integrantes do grupo de fofocas: a mulher corpulenta e o homem de quarenta anos. Aí, partiu para o início do fim de Becca, a garota a quem se sentiu tão ligada. Da chegada de Becca à cidade, passando por sua conversa com Livvy Houston, até seu retorno para casa, Kelsey traçou o caminho dela para a morte. E do outro lado, revelou a presença de Brad nas sombras, sua vida nas montanhas e sua chegada à palafita, naquela noite. Óbvio que não houve entrada forçada. Óbvio que Becca lhe permitiu entrar na casa. Eles foram amigos íntimos, reunidos no dia 17 de fevereiro num desenlace doloroso e trágico.

A última noite de vida de Becca Eckersley fluiu da ponta dos dedos de Kelsey sem nenhum esforço. Na sequência, ela narrou suas próprias duas semanas em Summit Lake, concluindo com sua jornada até as montanhas e a mórbida descoberta na cabana. As fotos de seu celular eram um toque adicional para ilustrar a história.

Às duas e quinze da manhã, Kelsey gravou os três dias de produção literária num *pen drive* e enviou uma cópia por e-mail para Penn

Courtney. Tirou a rolha de uma garrafa de vinho chardonnay, encheu uma taça e foi até a varanda.

Summit Lake estava adormecida, escura, a não ser pelas esquinas iluminadas por postes de luz e a fachada da igreja de São Patrício, a cinco quarteirões de distância, iluminada por refletores. Kelsey ficou sentada por meia hora, bebendo vinho e se lembrando da vida de Becca Eckersley.

50

Kelsey Castle
Greensboro, Carolina do Norte
28 de abril de 2012
Dois meses depois da morte de Becca

ELE CHEGOU AO AEROPORTO INTERNACIONAL DE RALEIGH-
-Durham às dezesseis e dezoito. Ela pousara dezenove minutos antes — o *timing* era perfeito. Ele pegou a faixa de rolamento para o terminal de desembarque da United e, pouco depois, a viu parada na beira da calçada com a mala ao lado.

Peter baixou a janela do lado do passageiro quando estacionou ao meio-fio.

— Bem-vinda à Carolina do Norte — ele cumprimentou.

Kelsey sorriu.

— Caramba, acabei de desembarcar!

— Temos uma boa sinergia. O que você quer que eu diga? — Ele deu de ombros.

Peter desembarcou, contornou o carro e a engolfou num grande abraço. Em seguida, inclinou-se e beijou o rosto dela. Atabalhoada, Kelsey se virou no meio do gesto, e os narizes deles se tocaram. Rapidamente, ela o beijou na boca.

— Oi, Peter. Obrigada por me pegar.

— Estou contente com sua vinda.

— Eu também. Certeza de que você não se importa com a viagem de carro?

— De modo algum. Gostei do fato de você me incluir.

— Não podia ter escrito o artigo sem você. Imaginei que o incluiria nessa aventura final. Além disso, não sei o que vai resultar disso. Assim, talvez precise de alguma força.

Peter pôs a bagagem dela no porta-malas.

— Importa-se se eu dirigir? — Kelsey perguntou.

— Acho que não.

Kelsey mostrou a pasta que segurava.

— Não quero que você espere até ser publicado. Toda a história está aqui. Creio que poderá lê-la no caminho.

Peter pegou a pasta.

— Com certeza.

O artigo sobre Becca Eckersley tinha vinte e cinco páginas. Com Kelsey dirigindo o carro, Peter leu-o de modo lento e cuidadoso durante quarenta minutos seguidos, umedecendo o dedo cada vez que virava uma página. As interrupções só vinham vez ou outra, por parte de Kelsey, que perguntava acerca das expressões faciais dele. Ela sempre ficava nervosa quando observava alguém ler seu trabalho.

Quando Peter terminou, eles discutiram o artigo até chegarem aos arredores de Greensboro. A viagem de carro era a celebração final de Kelsey em relação ao artigo, e a última soma de dinheiro que Penn Courtney a autorizara a gastar. Kelsey não tinha escrúpulos em tirar proveito disso. A viagem tinha tudo a ver com Becca Eckersley.

Kelsey estacionou na garagem do hotel Marriott, no centro de Greensboro. Na recepção, os dois registraram-se em quartos separados e levaram as bagagens ao elevador. Peter apertou o botão do quinto andar e, em seguida, olhou para Kelsey.

— Terceiro — ela disse.

Ficaram em silêncio até que as portas se abriram no terceiro andar. Kelsey saiu do elevador, puxando a mala atrás de si. Então, virou-se.

— De quanto tempo você precisa?

— Trinta minutos, talvez.

— A gente se encontra lá embaixo às sete?

— Isso, nos vemos às sete.

Kelsey levou meia hora para se aprontar. Retocou a maquiagem, penteou os cabelos, colocou um vestido casual e borrifou um pouco de perfume na nuca. Pegou o elevador para o saguão, onde encontrou Peter a sua espera na entrada do restaurante do hotel. Ele também cuidara da aparência, trocando o jeans e a camiseta por um paletó esportivo e calça de sarja.

Sentados a uma mesa nos fundos do restaurante, pediram uma garrafa de vinho.

— Eu li seu livro — Peter revelou.

— É mesmo?

— Sim. Você é uma escritora de talento.

— Espere aí. — Kelsey fingiu fazer uma ligação telefônica. — Você falaria com o meu editor?

— Por favor… — Peter disse. — Ele deve achar a mesma coisa.

Sem a pressão do caso sobre eles, tiveram uma conversa tranquila por duas horas. Era o que tinham esperado conseguir em Summit Lake, mas que nunca foi possível. Agora, tomando os últimos goles do vinho, muito tempo depois de a mesa ter sido limpa, conversaram até se tornarem os únicos clientes no restaurante. Finalmente percebendo o garçom esperando no canto, Peter pagou a conta, e os dois se dirigiram ao elevador. O dia seguinte seria incrível.

Quando as portas do elevador se fecharam, Peter apertou o botão para o quinto andar.

— Em que andar você está? — ele perguntou, brincando.

Kelsey sorriu.

— No mesmo.

NA MANHÃ SEGUINTE, TOMARAM O CAFÉ NUM PEQUENO restaurante de rua e voltaram a pegar a estrada às nove horas. Perto das dez, alcançaram os subúrbios de Greensboro e estacionaram o carro diante de uma grande casa com um gramado bem cuidado e algumas árvores bastante altas, cujos galhos só surgiam muito acima do telhado.

Kelsey, sentada com o envelope no colo, observava a intimidadora porta da frente. Peter acariciou o joelho dela, enquanto Kelsey respirava fundo. Enfim, ela desembarcou do carro e subiu os degraus. Tocou a campainha.

Uma mulher delicada de meia-idade veio atender.

— Sra. Eckersley? — Kelsey perguntou.

— Sim — ela afirmou, com uma expressão séria. — Sou Mary Eckersley.

— Meu nome é Kelsey Castle. Trabalho para a revista *Events*.

Houve um instante de silêncio entre elas.

— Sei quem você é — Mary Eckersley finalmente disse.

— Desculpe aparecer sem aviso prévio, mas quis vê-la antes de meu artigo ser publicado.

— E quando isso vai acontecer?

— Dentro de duas semanas.

— Não vamos dar nenhuma declaração para o artigo.

— Entendo. Mas não é por isso que vim.

A sra. Eckersley permaneceu calada.

— Gostaria que a senhora e o seu marido soubessem que esse caso... Essa coisa horrível que aconteceu com súa filha me tocou de uma maneira como nenhuma outra história. Sei que isso parecerá invasivo, mas me sinto ligada de alguma maneira a Becca. E é importante que a senhora saiba que tudo que escrevi foi tendo Becca em mente. Tendo, em meus pensamentos, o que ela passou, quando escrevi a respeito de sua vida e... de sua morte.

Kelsey tinha um discurso preparado. Dois parágrafos que ela escrevera e reescrevera, e dissera em voz alta na frente do espelho do banheiro. E decorara. Abrangia sua própria luta em relação a ter sido estuprada. Suas perguntas sobre a vida e a morte, e por que uma pessoa sobrevive a um acontecimento tão terrível, e outra, não. Era belo e comovente, destinado a desarmar os Eckersley e trazê-los para seu lado. Também era sincero. Pretendia mostrar que não havia nada vingativo no que Kelsey tinha escrito.

Mas quando ela viu William Eckersley surgir atrás de sua mulher, todo o discurso escapou de sua mente, deixando um imenso buraco negro que lhe bloqueou o raciocínio. Kelsey sorriu para ele de modo desajeitado. Nenhuma apresentação foi necessária.

— De qualquer modo, vim aqui para lhe dar isto. — Kelsey entregou um envelope para a mãe de Becca. — Acho que sua filha gostaria que ficasse com a senhora.

Lentamente, Kelsey afastou-se da porta da frente. Então, virou-se e desceu os degraus. Enquanto Peter se afastava pelo longo caminho de entrada, Kelsey viu a sra. Eckersley manipular o envelope, em busca de qualquer pista do que poderia estar dentro. Por fim, a senhora Eckersley o abriu e tirou o diário de Becca e a carta que ela escrevera para sua filha por nascer.

Kelsey captou o olhar da sra. Eckersley quando ela desviou os olhos do diário. Peter pôs o carro em movimento, e eles partiram.

51

Kelsey Castle
Miami, Flórida
11 de maio de 2012
Quase três meses após a morte de Becca

O CÉU MATINAL ESTAVA COBERTO POR ALGUMAS NUVENS quando Kelsey saiu de casa. Ela usava *short* e camiseta regata. As meias curtas e apertadas eram invisíveis sob os tênis de corrida verdes. Correndo ao longo da praia por pouco mais de um quilômetro e meio, ela sentia o cheiro do ar marinho, com seu corpo brilhando por causa da umidade. Kelsey precisou de dez minutos para chegar ao seu antigo desvio, que seguiu por mais quinhentos metros, até alcançar a beira da mata. Seu coração saltava dentro do peito. Em parte, por causa da corrida até ali; em parte, por causa da ansiedade.

Observando o bosque, via-se a trilha sombreada, com alguns raios de sol atravessando a folhagem. Não havia nenhum outro corredor ou ciclista. A ideia de dar meia-volta e retornar passou pela cabeça de Kelsey. Seria uma corrida suficiente de quase quatro quilômetros, mas frustraria completamente o objetivo daquela manhã. Fazia quatro longos meses que ela estivera ali pela última vez, mostrando para a polícia *onde* tudo acontecera e *como* acontecera. Um longo tempo desde que aquela jornada começara. E finalmente, com o artigo a respeito de Becca saindo nesse dia, Kelsey estava pronta para encerrar aquele capítulo de sua vida. Digitar a última sentença e enviá-la.

Kelsey sentiu alguns pingos de chuva sobre os ombros. Então, ergueu os olhos para o céu. Era uma mistura de sol distante e nuvens por cima da cabeça. A chuva aumentou. Ela colocou os fones de ouvido e começou a correr pela trilha, com a folhagem densa a protegê-la da chuva fina. Sete minutos depois, ela passou pelo Ponto. Recusou-se a olhar para a mata. Recusou-se a deixar sua mente se perder. Em vez disso, passou correndo direto, com suas longas e musculosas pernas impulsionando-a para além daquela parte do bosque e de sua vida, um pé na frente do outro, até o Ponto ficar bem para trás.

Kelsey correu pouco mais de três quilômetros até ver a saída da mata à frente. Estava brilhante e sedutora. Chamando-a. Ela aumentou o ritmo, tocando a trilha apenas com as pontas dos pés. Os braços balançavam num movimento controlado, e o suor escorria pelos pulsos, passava pelas mãos abertas e escapava pelas pontas dos dedos. Quando Kelsey chegou mais perto da saída da mata, viu o pavimento do lado de fora coberto pela luz do sol, realçando as poças de água que tinham se formado. Realçando as árvores que gotejavam.

Uma pancada de chuva iluminada pelo sol.

Outros livros do autor

Nicole e Megan são alunas do último ano da high school de Emerson Bay, uma cidadezinha na Carolina do Norte. Certa noite de verão, elas desaparecem de uma festa à beira do lago. A polícia realiza uma busca intensa, mas não encontra nenhuma pista. Quando já haviam perdido as esperanças de encontrá-las com vida, Megan aparece, milagrosamente, ao conseguir escapar do cativeiro escondido nas profundezas da mata.

Um ano depois, Megan lança um livro contando o seu martírio naquelas duas semanas, e, imediatamente, ele se torna um best-seller e a converte de uma heroína local em celebridade nacional. Trata-se de um relato triunfante e inspirador, exceto por um detalhe inconveniente: Nicole continua desaparecida.

Lívia, irmã mais velha de Nicole, aluna de patologia forense, espera que um dia, em breve, o corpo de Nicole seja encontrado, e caberá a alguém como ela analisar a evidência e determinar finalmente a causa da morte de sua irmã. Em vez disso, a primeira pista do desaparecimento de Nicole surge de outro corpo que chega ao necrotério onde ela trabalha. É de alguém ligado ao passado de Nicole. Então, Lívia entra em contato com Megan para contar a descoberta, e pedir mais detalhes da noite em que as duas foram sequestradas. Como outras garotas também desapareceram, Lívia começa a acreditar que existe uma forte ligação entre todos aqueles casos.

No entanto, Megan sabe mais do que revelou em seu livro. Lampejos de memória surgem, apontando para algo mais sombrio e monstruoso do que o descrito em suas arrepiantes memórias. Quanto mais ela e Lívia se aprofundam, mais se dão conta de que, às vezes, o verdadeiro terror está em encontrar exatamente o que estávamos procurando.

O destino de Grace Sebold toma um rumo inesperado e trágico, durante uma tranquila viagem com o namorado. O rapaz é assassinado... e todos os sinais apontam para Grace.

Condenada por um crime surreal, ela embarca num pesadelo que parece não ter fim.

Dez anos na prisão e Grace conhece a cineasta Sidney Ryan. Surge, então, a chance de provar sua inocência. Sidney acredita na versão de Grace, mergulha em pesquisas e descobre evidências surpreendentes. Com tantas falhas no inquérito, a cineasta questiona se a condenação injusta foi fruto de incompetência policial ou se a jovem foi vítima de uma grande conspiração.

Então, os primeiros episódios do documentário vão ao ar e rapidamente o programa se torna um dos mais assistidos da história da televisão.

Antes do término das filmagens, o clamor popular leva o caso a ser reaberto. Finalmente, a sorte de Grace parece ter mudado.

Mas um novo fato provoca uma reviravolta: Sidney recebe uma carta anônima, com outras pistas, afirmando que ela está sendo enganada pela assassina.

A cineasta começa a investigar o passado de Grace e as descobertas trazem um dilema. Quanto mais se aprofunda na história, mais dúvidas aparecem. No entanto, agora, o que está em jogo não é apenas a repentina fama e carreira, mas sua própria vida.

Ao limpar o escritório de seu pai, falecido há uma semana, a investigadora forense Rory encontra pistas e documentos ocultados da justiça que a fazem mergulhar num caso sem solução ocorrido 40 anos atrás.

No verão de 1979, cinco mulheres de Chicago desapareceram. O predador, apelidado de Ladrão, não deixou nenhum corpo ou pista — até que a polícia recebeu um pacote enviado por uma mulher misteriosa chamada Angela Mitchell, cujas habilidades não-ortodoxas de investigação levaram à sua identidade. Mas antes que a polícia pudesse interrogá-la, Angela desapareceu. Agora, Rory descobre que o Ladrão está prestes a ser posto em liberdade condicional pelo assassinato de Angela: o único crime pelo qual foi possível prendê-lo.

Sendo um ex-cliente de seu pai, Rory reluta em representar o assassino, que continua afirmando ser inocente. Agora o acusado deseja que Rory faça o que seu pai prometeu: provar que Angela ainda está viva.

Enquanto Rory começa a reconstruir os últimos dias de Angela, outro assassino emerge das sombras, replicando o mesmo modus operandi daqueles assassinatos. A cada descoberta, Rory se enreda mais no enigma de Angela Mitchell, e na mente atormentada do Ladrão. Traçar conexões entre passado e presente é a única maneira de colocar um ponto final naquele pesadelo, mas até Rory pode não estar preparada para a verdade...

Dentro dos muros de uma escola de elite as expectativas são altas, e as regras, rígidas. Na floresta, além do campus bem cuidado, há uma pensão abandonada que é utilizada pelos alunos como ponto de encontro noturno. Para quem entra, existe apenas uma regra: não deixe sua vela apagar — a menos que você queira encontrar o Homem do Espelho...

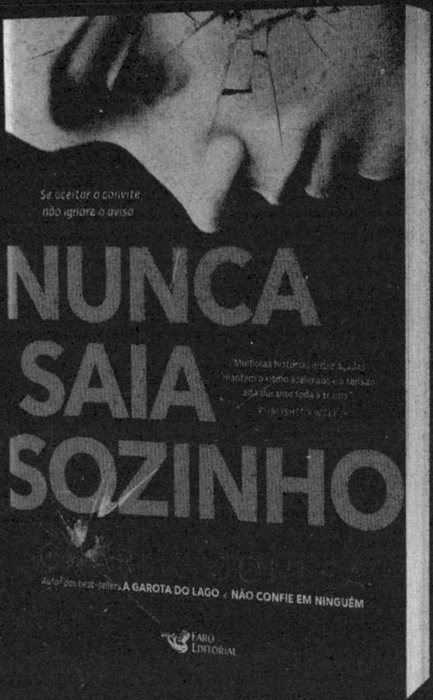

Um ano atrás, dois estudantes foram mortos em um massacre terrível. Desde então, o caso se tornou o foco do podcast chamado "A casa dos suicídios". Embora um professor tenha sido condenado pelos assassinatos, muitos mistérios e perguntas permanecem. O mais urgente é: por que tantos alunos que sobreviveram àquela noite macabra voltaram ao lugar para se matar?

Rory Moore, especialista em casos arquivados, e seu parceiro, Lane Philips, começam a investigar a noite dos assassinatos, em busca de pistas que possam ter escapado da escola e da polícia. Porém, quanto mais descobrem sobre os alunos e aquele jogo perigoso que deu errado, eles se convencem de que algo fora do normal ainda está acontecendo.

ASSINE NOSSA NEWSLETTER E RECEBA
INFORMAÇÕES DE TODOS OS LANÇAMENTOS

www.faroeditorial.com.br

FARO EDITORIAL

ESTA OBRA FOI IMPRESSA
EM JUNHO DE 2025

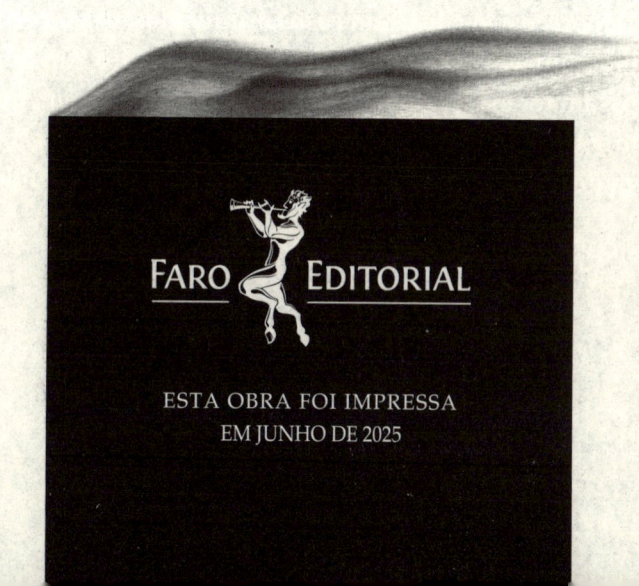